KB125949

운명 앞에서
주역을 읽다

운명 앞에서
주역을 읽다

삶의 역풍도 나를 돕게 만드는
고전의 지혜

이상수 지음

웅진 지식하우스

차례

모든 것이 변한다는 것, 그 사실만은 변함이 없다.

– 헤라클레이토스

길이 보이지 않을 때

세상이 변하는 속도는 점점 빨라지고 있다. 우리는 운동화 끈도 매지 않았는데, 세상은 달리기 경주라도 벌이는 듯 저만치 달아나고 있다. 손에 익었던 필름 카메라나 휴대전화, 엠피스리 플레이어 같은 일상용품들이 어느덧 골동품으로 변한다. 《브리태니커 백과사전》은 2012년부터, 시사주간지 《뉴스위크》는 2013년부터 종이책 인쇄를 하지 않기로 했다. 이들은 이미 서재에서 박물관으로 거처를 옮겼다. 같은 원리에 따라 오늘날 우리가 애지중지하는 스마트폰이나 태블릿피시도 10년쯤 뒤에는 박물관 진열장에서 만날 것이다.

변화의 바람이 격렬한 만큼 사람도 세상도 흔들린다. 믿어왔던 벗이 어느 날 차갑게 안면을 바꾼다. 사랑하던 사람이 매정하게 떠난다. 황금알을 낳던 사업이 이제는 사양산업이라 불린다. 이럴 때는 문득 세상에서 오로지 나만 변화에 적응 못하는 느림보가 아닐까 싶은 두려움이 밀려온다. 세상이 너무 바뀐 걸까, 아니면 내가 길을 잃은 걸까?

밀란 쿤데라의 소설에서 읽은 이야기다. 소련군이 체코를 침공했을 때 체코인들은 거리의 이정표를 모두 지워버렸다. 화살표 방향도 엉뚱하게 돌려놓았다. 소련군은 목표 지점을 찾지 못해 한동안 갈팡질팡했다.

아일랜드에 갔을 때도 닮은 이야기를 들었다. 영국과 오랜 갈등을 겪어 온 아일랜드 사람들도 체코인들과 비슷한 작전을 썼다. 영어와 아일랜드 어 두 언어로 쓰여 있던 거리의 이정표에서 영어를 모두 지워버린 것이다. 영국인들은 낯선 문자밖에 없는 이정표 앞에서 망연자실할 수밖에 없었다.

인생에서 우리도 가끔 이정표가 지워진 거리에 들어설 때가 있다. 낯선 정거장에 내린 나그네처럼 어디로 가야 할지 종잡을 수 없을 때도 있다. 이런 당혹스러운 순간은 누구에게도 예외 없이 다양한 방식으로 닥쳐온 다. 어떻게 살아가야 하는지 아무런 정보 없이 이 세상에 내동댕이쳐지는 것이 우리 인생이기 때문이다.

우리는 뇌가 어떻게 작동하는지 거의 모르면서 매 순간 뇌에 의지해 살 아간다. 마찬가지로 우리는 운명에 대해 아무 것도 모르는 채 운명을 등 에 지고 살아간다. 익숙한 길에서는 문제가 없지만 인생의 행로가 격류에 휩싸이면 방향 감각도 자신감도 상실할 때가 있다. 인생의 지도 혹은 운 명의 지도 같은 것은 없는 걸까?

내게는 운명의 지도와 같은 책이 하나 있다. 《주역周易》이 바로 그것이 다. 내가 가장 어렵고 막막하던 시절, 이 막막함이 언제 끝날지 알 수 없 던 시절, 막막함을 견디고 계속 앞으로 걸어갈 수 있는 힘과 용기를 준 것은 이 책이었다.

나는 여러 사람의 풀이로 바꾸어가며 이 옛글을 되풀이해 읽어왔다. 대학원 시절 존경하는 스승의 《주역》 원전 세미나에 처음 참석한 것이 1993년이니, 3000년쯤 묵은 이 옛글은 이미 스무 해 지기 친구인 셈이다.

동아시아에서 《주역》을 평생 벗 삼은 이들은 셀 수 없을 정도이다. 일찍이 공자孔子는 만년에 "하늘이 내게 몇 해를 더 빌려주어 마침내 《주역》을 배우도록 한다면, 큰 허물이 없을 것"이라고 했다. 노자老子의 주요한 사상은 모두 《주역》으로부터 왔다. 위진 시기의 천재 철학자 왕필王弼, 성리학의 기초를 다진 송나라의 정이천程伊川, 명나라 말기 망국의 울분을 품고 학문 연구에 매진한 왕부지王夫之 등은 모두 《주역》의 대가들이다. 조선의 정약용은 유배지에서 《주역》 연구에 몰두해, 당시 주류 학문이던 주자학과는 다른 해석을 담은 《주역사전周易四箋》을 저술했다. 나는 《주역》을 읽으면서 이 옛사람들과 깊고 절절한 대화를 나눈다.

'주역'이란 책 제목은 주周나라 사람들이 만든 '변화의 경전Canon of Change'이란 뜻이다. 격변의 시대에 이정표 없는 길에 들어선 우리에게 이 변화의 경전은 어떤 말을 해줄 수 있을까.

《주역》은 예순네 가지의 이야기를 담고 있다. 이를 64괘卦라고 한다. 각 괘의 이야기들은 우리가 인생의 어느 구비에선가 한 번쯤은 만나게 될 상황을 한 가지씩 담고 있다. 새로운 일을 개척할 때도 있고 몽매함을 깨우쳐야 할 때도 있다. 용기가 필요할 때도 있고 수모를 견뎌야 할 때도 있다. 호랑이 꼬리를 밟고 지나가야 할 때도 있고 다친 다리로 길을 떠나야 할 때도 있다. 《주역》은 이런 다양한 상황에서 어떤 선택이 지혜롭고 어떤 선택이 어리석은지를 보여준다. 《주역》이란 인생에 대한 예순네 가지 통찰이다.

《주역》의 예순네 가지 통찰은 서로 다른 상황에 대한 은유로도 읽을 수 있다. 가령 사랑 때문에 고민하는 사람이 《주역》을 통해 자기 상황을 전쟁이나 소송에 빗대어 생각해보라는 권유를 받을 수도 있다. 또 전쟁터에 나가는 사람이 지금 자기 처지를 결혼이나 여행에 견주어 보라는 제안을 받을 수도 있다. 이런 메타포가 우리의 판단에 어떤 도움을 주는지는 본문에서 이야기할 것이다.

《주역》은 고전이 인생에 대해 들려줄 수 있는 은유적 지혜의 거의 모든 것이라 해도 과언이 아니다. 이 변화의 경전에 심취해온 한 사람으로서, 이 글을 동시대인들이 쉽게 읽을 수 있도록 풀이해주지 않는 것은 고전학자로서 직무유기라는 생각도 해본다.

《주역》은 난해하기로 악명 높은 글이다. 《주역》에 관한 어떤 해설이나 번역도 우리 시대 사람들이 읽기에 편하지 않다. 그러나 이 글이 본디 그렇게 난해하지는 않았을 것이다. 이 글이 만들어지던 시절에는 누구나 쉽게 읽을 수 있는 평범한 글이었을 것이다.

칸트는 "참된 지혜는 소박함을 동반한다"고 했다. 아인슈타인은 "과학의 기본 생각은 본질적으로 단순하기 때문에 모든 사람이 이해할 수 있는 언어로 표현할 수 있다"고 했다. 이 두 분의 말씀이 너무도 감사하다. 인류에게 가장 난해한 지식을 유산으로 남긴 위대한 두뇌들이 이렇게 말씀해주시니, 우린 어떤 글도 겁낼 필요가 없다.

《주역》이 난해한 것은 번역이 제대로 되지 않은 탓이 크다. 《주역》을 난해함의 성채에서 탈옥시켜 누구나 쉽게 읽을 수 있도록 하는 것이 이 책의 첫째 목표다. 그래서 이 책에서 《주역》과 관련한 어려운 이론, 이른바 '역학易學'과 관련한 내용은 덜어냈다. 본격적으로 《주역》을 공부하고 싶은 분들은 아쉬울 수도 있다. 성이 차지 않을 독자들을 위해 《주역》 전문에 대한 번역과 풀이는 따로 펴내려고 한다.

이 원고를 읽고 소중한 조언을 해준 임범, 박덕진, 송진휘 소장, 박보나 작가, 그밖에 여기 다 적지 못한 여러 벗들에게 깊이 감사드린다. 특히 사례의 인용에 선뜻 동의해준 이들에게 특별한 감사의 뜻을 전한다. 이 글이 조금이라도 더 읽을 만하게 된 것은 모두 이 벗들 덕분이다. 그러나 이 글에 잘못이 있다면 그것은 모두 지은이의 책임이다.

겨울 눈 속에서 떨고 있는 나무들을 볼 때 우리는 저 살풍경 속에도 새싹과 꽃향기와 푸른 그늘과 달콤한 열매가 숨어 있음을 안다. 《주역》을 읽으면서 우리의 혜안이 더 날카로워지고 더 따뜻해질 수 있을 것이다.

2014년, 우리 사회는 어떤 말로도 위로할 수 없는 깊은 고통의 터널을 통과하고 있다. 우리에게 이 고통과 상처의 의미를 깨닫고 스스로 치유하고 일어설 수 있는 지혜와 용기가 허락되기를 간절히 기원한다.

2014년 한가위 아침 이상수

운명이 돌처럼 날아온다, 눈을 떠라

관괘

．

남루한 차림으로 오는 행운을 어떻게 알아볼 것이며,
화려한 치장으로 다가오는 재앙의 유혹을 어떻게 간파할 것인가.
《주역》은 이를 간파하는 안목과 지혜를 기르기 위한
전복적 사유와 상상력을 담고 있다.

．

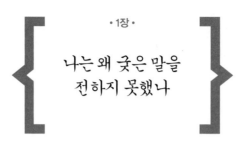

1장

나는 왜 궂은 말을
전하지 못했나

'동양철학'을 전공했고 논문을 《주역》에 대해 썼다고 하면 아예 점쟁이 취급하는 사람들이 적지 않다. "너 그럼 점 좀 치겠구나! 내 사주팔자 한번 봐주라!"

한국 사회에서 철학, 그중에도 동양철학, 그중에도 《주역》 전공자가 무엇을 하는 사람인지 설명하기란 쉽지 않은 일이다. 우선 '철학'이 미아리 고개를 가득 메우고 있는 '철학관'과는 무관하다는 것부터 설명해야 한다. 다음은 《주역》이 팔자를 점치는 이른바 사주명리와도 다르다는 것을 설명해야 한다.

주역에 담긴 운명의 코드

내 블로그에는 심심치 않게 '일월장군암'이나 '천궁신녀' 같은 분들이 "도움을 많이 받았다"며 메시지를 남긴다. 《주역》을 강의할 때 만든 참고 자료들과 《주역》에 대한 몇 가지 풀이 등을 블로그에 올려놓은 때문일 것이다.

국내의 몇몇 대학원에는 이미 '명리학' 전공 과정이 개설되어 있다. 어느 대학원의 명리학 전공 과정에서 《주역》을 강의한 친구의 전언에 따르면 그 과정의 수강생 가운데 절대 다수가 이미 철학관을 운영하고 있는 도사님 혹은 보살님들이라고 한다.

사정이 이러하니, 《주역》을 전공했다고 하면 사람들은 당연히 점도 칠 것으로 여긴다. 점을 못 치는 것이 되레 문제다. 아니, 《주역》을 전공했다면서 점도 못 쳐? 그럼 뭘 배운 거야?

그럴 때마다 나는 소설 《어린 왕자》에서 코끼리를 삼킨 보아뱀을 그린 '작품 1호'에 대해 어른들에게 설명할 길이 없었던 어린 왕자의 심경에 깊은 공감을 느꼈다. 어른들은 그저 겉모습만 보고 이 작품이 모자를 그린 것이라고 여긴다. 설명에 지친 어린 왕자는 어른들에게 '작품 1호'의 보이지 않는 비밀을 알려주는 대신 그들이 원하는 화제인 넥타이 색깔이나 골프 이야기에 맞장구쳐주고 넘어간다.

주역과 사주팔자의 차이에 대해 설명하기에 지친 나는 지인들이 원하는 대로 맞장구 쳐주는 것이 시간과 힘을 낭비하지 않는 길이 아닐까 하는 생각이 들었다. 그래서 성화에 못 이겨 주역점을 몇 번 쳐주었다.

본디 《주역》은 점을 치기 위해 고안한 점책이다. 점치는 법도 전해오고 있다. 그러니 주역점을 쳐달라는 지인들의 요구가 무리도 아니다.《주역》의 지은이들은 점을 치면서 풀이를 통해 숨은 지혜를 발견하도록 이 책을 고안했다. 그런 까닭에 나 또한 오늘날 사람들이 부닥치는 문제를 두고 주역점을 치면 어떤 풀이가 가능할 것인지, 또 어떤 지혜를 얻어낼 수 있을 것인지 매우 궁금했다. 나를 괴롭혀 주역점을 쳐달라고 한 지인들은 자발적으로 내《주역》임상 연구의 표본이 되어준 셈이었다.

주역점을 치며 깨달은 것

나는《주역》임상 연구의 일환으로 벗들에게 점을 쳐주었을 뿐이었다. 그런데 그이들의 반응은 나를 당황하게 만들었다. 점괘가 매우 잘 들어맞는다는 것이었다. 한 친구는 이렇게 외쳤다. "너 아예 돗자리 까는 것이 낫겠다." 오, 어떤 돌팔이 점쟁이에게도 넘어갈 마음의 준비가 돼 있는 이 착한 벗들!

한 친구는 거의 단골이 되어 새로운 프로젝트를 시작하거나 직장을 옮기는 등 자기 삶에 주요 고비가 닥칠 때마다 주역점을 의뢰했다. 이들의 인생 고민에 대한 주역점을 쳐주어 그이들에게 얼마나 보탬이 되었는지는 모르겠다. 그러나 적어도 나에게는 성과가 없지 않았다. 현대 사회를 사는 이들의 삶을 씨줄로,《주역》을 날줄로 삼아 교직해 읽다 보니, 일정한 시간이 지나자《주역》을 지은 이들의 의도가 선명하게 눈에 들어왔다. 주역점을 쳐보지 않고《주역》의 문장만 읽었더라면《주역》지은이의 의도를 이렇게 명확하게 깨닫기는 어려웠을 것이다.

이 책의 의도를 깨달은 시점부터는 주역점을 치는 것이 그다지 꺼림칙하지 않았다. 어떤 사안에 대해 주역점을 치든, 적어도 그 일을 호도하거나 그 사람을 망치는 조언을 하지는 않을 것이라는 확신을 얻었기 때문이다. 순자荀子가 왜 《주역》을 잘 아는 사람은 점을 치지 않는다"고 말했는지도 이해할 수 있었다.

그러나 《주역》의 의도에 대한 중요한 깨달음을 얻었다 해도 의뢰인들에게 그걸 충분히 설명할 겨를은 없었다. 거의 모든 이들에게 중요한 것은 늘 결과였기 때문이다. 내 가슴속에는 못다 설명한 말들이 수북이 쌓여 있다. 나는 대나무 숲에 들어가서 "임금님 귀는 당나귀 귀!"라고 외치는 대신 스무 해 동안 《주역》을 읽으면서 깨친 이야기를 글로 풀기로 했다.

이 글은 현대를 사는 우리가 《주역》을 어떻게 읽고, 거기서 자기 삶에 보탬이 되는 지혜를 어떻게 길어낼 것인가에 대한 것이다. 나는 의뢰인들과 함께 오랜 세월 동안 조금씩 깨달아온 《주역》의 진면모를 최선을 다해 그려보려 한다.

선술집 주인의 운명을 엿보다

지인들을 표본으로 삼아 살금살금 주역점을 쳐주던 어느 날, 차돌멩이처럼 강렬한 사건이 하나 날아와 내 머리를 강타했다. 직장 초년생 시절 회사 근처에 단골로 다니던 선술집이 하나 있었다. 술집 주인은 나보다 열 살 정도 나이가 많은 '누님'이었다. 그이는 얼굴이 얽박고석처럼 검고, 기상이 변경을 지키는 장군처럼 씩씩했다. 그 드높은 기상만큼이나 술집 경영 방침도 늠름했다. 손님이 와도 싹싹하게 인사 한 번 하는 법이 없었고 늘 싸늘한 눈매만 날릴 뿐이었다. 맥주는 냉장고에서 손님이 직접 꺼내 마셔야 했고 안주 또한 대형 바구니에 가득 담긴 강냉이튀밥을 알아서 퍼다 먹어야 했다.

그는 매우 원칙적인 사람이어서 영업 시간에 술 마시는 법은 거의 없었지만 영업 시간이 끝난 뒤에는 포장마차에서 꼭 25도짜리 붉은색 뚜껑의 진로 소주만 찾아 마시는 골수 소주파였다.

몇 해 이 술집을 들락거리다 보니, 영업 마감 뒤 술집 주인과 단골들과 함께 포장마차에서 소주를 마시는 일이 더러 있었다. 그 덕분에 내가 《주역》을 공부하고 있다는 정보가 그의 귀에까지 흘러들어갔다. 그러자 그 또한 곧바로 나의 의뢰인으로 돌변했다. 그의 의뢰 내용은 단순했다.

"돈벌이고 장사고 다 관심 없고 내 팔자에 남자 하나 있나, 그것만 한 번 봐주라."

나는 다시 어린 왕자의 고단함이 밀려오는 것을 느끼며, 철학과 철학관, 철학자와 해당화보살님, 주역과 사주팔자의 차이에 대한 설명을 시작했다. 그런데 이 '누님'이 좀 터프했다. 대뜸 내 뒤통수에 손바닥을 철썩 올려붙이며, "그런 건 다 알겠고 담에 올 때 꼭 내 점 보고 와. 알겠지?" 하는 것이었다. 피로감과 동시에 가슴이 아려왔다. 저이가 무언가 절실한 모양이구나. 오죽하면 돌팔이 점쟁이나 얼치기 도사도 못 되는 나에게 자기 운명을 물어오는 걸까. 이 '누님'이 스스로 말하길, 마흔이 넘도록 남자의 손 한 번 잡아보지 못했다고 하니, 그에게는 무엇보다 사람의 향기가 절실했을 것이다.

말하지 못한 궂은 이야기

|

그날 집에 돌아가 어스름한 새벽녘에 문득 그의 말이 생각 나, 그를 위해 주역점을 쳐보았다. 이런. 〈곤괘困卦, 괴로움〉의 셋째 그늘 효를 얻었다. 술이 확 깼다. (괘나 효라는 것이 뭔지 곧 설명이 나오므로, 지금은 그냥 점괘라고 이해하자.)

> **셋째 그늘 :** 돌에 걸려 가시덤불 속에서 살아갈 것이다. 그 집에 들어
> 가도 그의 배우자를 볼 수 없으니, 흉할 것이다."[1]

재물이나 다른 것에는 관심 없고 남자 한 번 사귀어볼 수 있으면 좋겠다는 것이 그이의 소박한 바람인데, 야속하게도 그 바람에 부응하는 해석을 내리기에 가장 힘든 효를 얻은 것이 아닐까 싶었다. 당시 나는 《주역》으로 석사 논문을 쓴 지 얼마 지나지 않았고 《주역》을 읽는 눈이 아직 성숙하지 못했다. 그때 나는 점친 결과를 이렇게 해석했다.

〈곤괘〉는 곤경에 처한 상황을 보여주는 괘다.

셋째 그늘 효에서 말하는 '돌'이란 그의 앞길을 가로막는 걸림돌이다. 그는 앞으로 나아가려 하지만 무언가가 앞길을 가로막고 있다. '가시덤불'은 감옥을 상징한다. 이것은 삶을 심각하게 제약하는 나쁜 환경이다. 그는 무언가에 제약을 받으면서 살아가야 한다. 그 제약이란 감옥의 높은 벽과 같아 쉽게 뛰어넘을 수 있는 것이 아니다. 그러니 그가 지금 살아가는 방식을 가로막거나 제약하는 걸림돌이 두 가지나 된다. 하나도 극복하기 어려운 터에……

자기만의 세상인 '집'에 들어가 보아도 거기서 자기 배우자를 찾아볼 수 없다. 배우자를 볼 수 없다는 것은 결혼을 못할 것이라는 이야기도 되고, 결혼을 하더라도 배우자가 달아나거나 사라져 곧 보기 어렵게 될 것이라는 이야기도 된다.

전반적으로 흉하다.

그때만 해도 나는 《주역》이 점친 사람의 운명을 보여준다고 생각했다. 그것을 믿느냐 믿지 않느냐는 다른 문제이지만. 어쨌든 이런 해석이 그 누님의 운명에 대한 《주역》의 대답이라고 생각했다. 차마 이런 이야기를 액면 그대로 전해줄 수는 없었다. 그 뒤 그 술집에 갈 때마다 누님이 은근히 성화였다.

점을 봤냐. 바빠서 못 봤다. 반항이냐? 내가 점쟁이냐. 너 죽을래?

이런 문답이 몇 합씩 오갔지만 이 흉흉한 내용을 도저히 전해줄 수는 없었다. 안 그래도 사는 것이 재미없는 이에게 공연히 절망을 부추길지 모르는 얘기를 어떻게 전해주겠는가. 이렇게 대충 얼버무린 뒤 나는 2003년 베이징으로 가서 몇 년 동안 근무했다. 한 해쯤 지났을 때 그 술집을 함께 드나들던 친구가 베이징으로 출장을 왔다. 둘이서 술을 마시던 중 그 친구가 지나가는 말처럼 말했다.

너, 그 얘기 들었니? 그 누나 죽었다. 간암으로…….

그 순간 등골에 한기가 지나갔다.

안목이 운명을 바꾼다

처음에는 그때 거짓말이라도 해줄걸 그랬다는 후회가 밀려왔다. 점을 봤더니, 곧 실한 놈 하나가 떡 나타날 거라고 하더라고 말이다. 그랬더라면 그 거짓말이 그이에게 재미없는 삶을 조금이라도 더 버틸 힘이 되어줄 수 있었을까? 그 뒤에도 한동안 정체 모를 죄책감이 남아 있었다. 왜 죄책감을 느꼈던 것일까? 그에게 적당한 거짓말을 해주지 못했기 때문일까? 아니다. 되레 그 반대다.

그때 나는 《주역》을 제대로 읽을 줄 몰랐다. 《주역》의 한문 문장은 읽어낼 수 있었지만 거기서 삶의 진면목을 읽어낼 역량이 없었다. 나는 《주역》을 읽는 거의 대부분의 사람들이 저지르는 것과 똑같은 오류를 저질렀다. 당시 30대 중반이던 내가 어렸기 때문일까. 나이가 중요한 것은 아니다. 스무 살 청춘도 성숙할 수 있고 서른, 마흔, 쉰 살이 어릴 수도 있다. 당시 나는 매우 어린 눈으로 《주역》을 읽었고 인생과 운명 앞에서 어리고 어리석었다.

지금 그때와 똑같은 상황에 처한다면 이렇게 말할 것이다.

누님, 주역점을 쳤더니, 〈곤괘〉의 세 번째 그늘 효가 나왔소. 이건 《주역》에서 가장 험한 괘의 가장 험한 효 가운데 하나요.

〈곤괘〉는 연못 아래에 물이 있는 이미지요. 뭔 말인지 잘 모르시겠죠? 그냥 참고 들으시오. 물은 본디 연못 안에 있는 것이지요? 그런데 이 괘에서는 물이 연못 밑에 있소. 그 말은, 연못은 연못인데, 물이 밑으로 쫙쫙 빠져버리는 연못이란 말이오. 왜 빠지느냐? 나한테 물으실 일이 아니고 자신한테 물어볼 일이오.

물이 밑으로 쫙쫙 빠지는 연못이니, 향기로운 수초 사이로 물고기들이 한가롭게 노니는 아름다운 연못이 아니라 가시덤불이 사방을 뒤덮고 울퉁불퉁 바윗덩이가 드러난 황무지 같은 곳이겠지요. 그 한가운데 처해 있으니, 앞길은 바위에 가로막히고 사방은 가시밭으로 둘러싸일 수밖에 없겠죠. 스스로 생각해보시오. 내 인생에서 무엇이 나를 가로막는 바윗덩이고 무엇이 나를 둘러싸고 있는 가시덤불인가를.

물이 빠지는 밑창, 바위, 가시밭, 이 세 가지 때문에 아마도 누님이 지금껏 연애도 한 번 못하고 있는 것이겠죠. 무언가를 소중하게 간직하는 대신 밑으로 쫙쫙 빠지게 내버려두고 있고, 연못 밖으로 내다 버려야 할 바윗덩이와 가시덤불을 방치하고 있으니, 연못이 아니라 황무지가 된 것이겠지요. 그 결과 집에 들어와도 배우자가 없는 상황이 되었소.

그런데 이런 상황이 미리 정해져 있어서 극복할 수 없는 팔자라는 뜻은 아니오. 당신이 만약에 간절하게 현재의 상황을 바꾸고 싶다면 이런 것들을 찾아내 바꾸어야 한다는 걸 보여주는 것이오. 밑창은 막고, 인생에서 걸리적거리는 바윗덩이와 가시덤불은 걷어내고 말이오. 고맙잖소? 아무리 친한 사이라 해도 입 밖에 꺼내기 힘든 이런 얘기들을 《주역》이 대신해서 시원시원하고 진솔하게 다 말해주니 말이오.

지금이라면 이렇게 말할 것 같다.

흉한 괘와 흉한 효가 나왔다고 해서 두려워할 필요는 없다. 무엇이 삶을 황무지로 만드는지는 자신이 가장 잘 안다.

사는 방식과 사람에 대한 태도와 가게의 분위기가 좀 더 유연했더라면 더 다양한 인연을 만날 수 있지 않았을까? 그러면 삶에서 무언가 다른 기회와 마주칠 가능성도 더 많아지지 않았을까?

가게에 정을 더 많이 붙이고 삶에서 다른 즐거움도 더 적극적으로 찾았더라면 일을 마친 뒤 포장마차에서 새벽까지 독한 소주를 찾아 마시는 일도 좀 덜 하지 않았을까? 그랬더라면 간암도 저승사자도 당분간은 그를 피해 지나가지 않았을까?

주역은 정해진 판결문이 아니다

《주역》은 미리 정해진 팔자를 보여주거나 미래를 예언하는 책이 아니다. 우리의 삶을 심판하는 판결문도 아니다. 정해진 운명을 듣는 태도로 《주역》을 읽는 것은 가장 어리석고 잘못된 독법이지만, 거의 대부분의 사람들이 《주역》을 이렇게 읽고 있다. 《주역》뿐 아니라 세상의 모든 점과 조언과 가르침이 그렇다. 어떤 것도 우리에게 운명이 이미 이렇게 정해져 있다고 선고를 내릴 자격이 없다. 결정된 운명이란 없기 때문이다.

나는 당시에 어리석게도 《주역》을 운명의 판결문으로 읽었기 때문에 주역점을 두고 그 누님과 아무런 생산적인 대화도 나누어볼 수 없었다. 내게 남아 있는 죄책감의 정체는 이것이다. 나의 미숙함에 대한 죄책감.

《주역》은 운명의 지도다. 지도는 길만 보여주지 않는다. 길이 아닌 곳도 함께 보여주어야 제대로 된 지도다. 《주역》은 그리로 가면 가시밭인데 왜 그리로 가느냐고 질문을 하는 책이다. 이것이 《주역》이 우리에게 주는 지혜의 본질이다. 그러나 길이 아닌 가시밭에 치명적인 유혹이 있는 것이 우리 인생이다.

《주역》은 우리의 어리석음에 대한 경고도 마다하지 않는다. 《주역》은 우리의 삶에 깊숙이 개입해 발언한다. 그렇기 때문에 절실하기도 하고 위험하기도 하다.

가령 공자는 "자기가 싫은 일은 남에게도 시키지 말라"고 했고, 소크라테스는 "너 자신을 알라"고 했으며, 예수는 "네 원수를 사랑하라"고 했다. 이런 지혜의 말씀은 사실 온건하다. 우리는 이런 말씀을 들으면 '참 좋은 말씀'이라고는 여기지만 당장 실천하지 않으면 큰일 나겠다고 긴장하지는 않는다.

《주역》은 이런 평범한 말투로 '참 좋은 지혜의 말씀'을 얘기하는 책이 아니다. 공자, 소크라테스, 예수의 말씀을 《주역》의 어투로 바꿔보자면 다음과 같을 것이다.

"네가 싫어하는 일을 남에게도 시키지 않는다면 사람들이 당신을 지지할 것이다. 그러나 그 반대라면 사람들이 당신과 맞설 것이다."

"너 자신을 제대로 알고 살아간다면 큰 허물이 없을 것이다. 그러나 그러지 못하고 멋대로 행동한다면 네 인생은 극심한 곤경에 빠질 것이다."

"네 원수를 사랑할 수 있다면 네 인생의 적지 않은 갈등을 종식시킬 것이다. 그러나 그러지 못한다면 네 인생은 갈등과 전쟁의 재앙에서 헤어나지 못할 것이다."

《주역》의 지혜는 이처럼 우리 삶 깊숙이 개입해 들어온다. 때문에 인간의 삶과 실천을 대입해 읽어야 비로소 그 지혜가 빛을 발한다. 그러나 이를 결정된 운명의 선고라고 받아들인다면 이 책을 위험한 방법으로 읽는 것이다.

《주역》의 지혜가 본디 이런 성질의 것이기 때문에 앞으로도 필요한 대목에서는 주역점의 실제 사례를 들어 이야기할 것이다. 그러나 이는 《주역》을 절실하게 읽기 위한 방편일 뿐이지, 점을 보라는 말은 아니다.

내가 그 누님을 위해 《주역》에서 얻은 효는 저주나 악담이 아니다. 무엇이 당신을 곤경에 빠뜨리는지 냉철하게 돌아보라고 따끔하게 권고하는 고마운 말씀이다. 그러나 나는 그때 그렇게 읽어내지 못했다.

《주역》에 대한 본격적인 탐구는 이 충격으로부터 시작되었다. 내가 지금까지 《주역》을 헛되이 읽었구나 하는 뼈아픈 각성으로부터…….

2장

길함과 흉함은
양파처럼 여러 겹이다

선술집 누님의 죽음이 내 머리를 강타하고 지나간 뒤, 《주역》을 대하는
눈을 바꿔놓은 또 다른 사건이 닥쳤다. 나는 교통사고를 당해 후유증으로
심각한 목 디스크를 얻었다. 물리치료도 받고, 침도 맞고, 양약 한약을 두
루 먹었지만 백약이 무효였다. 사고를 당한 후 1년 내내 지긋지긋한 병마
에 시달렸다. 젊은 사람이 짐 하나 못 들고 비실거린다는 것은 끔찍한 일
이다. "저, 이거 못 드는데요?" 이런 이상한 한국어를 입 밖에 내놓을 때
의 참담함은 겪어보지 못한 사람은 이해하기 어려울 것이다. 그때가 내
인생에서 가장 어두운 시절이었다.

불행이 약이 되려면

육신의 무기력과 정신의 우울에 빠져 있을 때 태기공太氣功 전수자인 황 도사를 만났다. 나와 동갑내기인 젊은 도사였다. 그는 나를 보자마자 내 몸에 기氣가 하나도 없다고 했다. 우리가 처음 나눈 것은 다음과 같은 황당한 문답이었다. 기가 없으면 어떻게 되는데요? 죽죠. 당시 나는 죽음의 문턱에 서 있었다.

그가 가르쳐준 것은 단전호흡법과 10가지 남짓한 스트레칭 동작이 다였다. 스트레칭 동작을 태기공에서는 '방송공放松功'이라 한다. 중국어로 '방송放松, 팡쏭'이란 말은 '긴장을 풀다', '느슨하게 하다'란 뜻이다. 황 도사는 매일 긴장과 스트레스만 제대로 풀어도 무병장수할 수 있다고 했다.

그의 가르침을 따라 한 지 일주일쯤 지나자 나를 씹어 먹을 듯 괴롭히던 통증이 완화되기 시작했다. 보름쯤 지나자 팔과 어깨의 저림이 거짓말처럼 사라졌다. 한 달 뒤에는 예전의 기력을 완전히 회복했다.

황 도사의 가르침은 단순 명쾌하고 과학적이다. 그는 우선 사람의 몸이 사과 궤짝과 같다고 말한다. 사과 궤짝 안에 사과가 가득 들었는데 궤짝이 찌그러지면 사과가 곯듯, 사람 몸도 자세가 안 좋으면 당연히 몸 안의 장기가 안 좋아진다. 자세만 고쳐도 많은 병을 치유할 수 있다.

그는 또 "자기 몸 안에 큼직한 부레가 하나 있다고 생각하라"고 말한다. 들숨을 쉬면 부레가 부풀어 온몸이 펴진다. 온몸을 다림질해서 구김살을 펴주는 것과 마찬가지다. 심호흡을 하면 단전까지 부레가 부풀어 기운이 온몸 구석구석까지 다 펴진다. 그래서 호흡이 중요하다는 것이다.

그러나 무엇보다 황 도사가 내게 준 가장 큰 가르침은 병과 함께 살아가라는 말씀이다. 건강을 자신하는 사람은 되레 제 수명을 다 살지 못하는 경우가 적지 않다. 자기를 너무 과신해서 무리하다 건강을 치명적으로 해칠 수 있기 때문이다. 그래서 옛날 도인들은 병을 인생의 동반자라고 생각했다. '적과의 동침'을 실천하는 지혜인 셈이다. 자기 몸 안에 병을 하나쯤 간직하고 있으면 그것 때문에 무리하지 않고 조심하게 되고, 그 덕분에 되레 천수를 누릴 수 있다는 것이다.

병과 함께 살아가라는 황 도사의 가르침은 우리 인생에서 궂은일이나 흉한 일이 되레 더 큰 재앙을 막아주는 호신부 구실을 할 수 있다는 《주역》의 가르침과 일치한다.

청년 시절 교통사고를 당해 목 디스크를 얻은 것은 인생이 끝장날 수도 있을 큰 불행이었지만 그 덕분에 나는 평생 몸의 긴장을 스스로 풀 수 있는 방법을 얻었고, 병을 인생의 동반자라 여기며 살아갈 수 있는 지혜를 얻었다. 불행이 때로는 약이 된다.

인생의 굽이마다 절박한 문제들이 돌멩이처럼 날아온다. 운명의 돌멩이가 날아들지 않는 인생은 그 어디에도 없다. 전직 대통령, 대기업 총수, 재벌의 자식, 유명 연예인 등 부러울 것 없어 보이던 이들조차 스스로 목숨을 끊는 비극적인 뉴스를 우리는 지금껏 얼마나 많이 보아왔던가.

돌멩이가 날아올 때 우리는 다른 생각을 할 겨를이 없다. 돌멩이를 피하든가, 맨손으로 잡아내든가, 아니면 방망이로 후려치든가 해야 한다.

그러나 어떤 돌멩이들은 내가 딛고 설 땅의 든든한 디딤돌이 되기도 한다.

길함은 남루한 차림으로 다가온다

인생에 돌멩이가 날아든다고 하면 불안한 느낌을 받을지 모르겠다. 그러나 길한 일이나 흉한 일이나 모두 우리가 깨닫지 못하는 사이에 우리 인생에 틈입해 들어온다. 명나라 때의 문인 육소형은 이렇게 말한다.

> 하늘이 사람에게 재앙을 내리고자 할 때는, 반드시 먼저 작은 복으로 그를 교만하게 만들어 그가 복을 받을 수 있는지를 본다. 하늘이 사람에게 복을 내리고자 할 때는 반드시 먼저 작은 재앙으로 그를 경계하도록 만들어 그가 재앙을 구해낼 수 있는지를 본다.[2]

작은 행운을 얻었을 때 교만에 빠지면 그 행운은 되레 큰 재앙을 불러들이는 통로로 변할 수 있다. 작은 재앙이 닥쳤을 때 정신을 바짝 차리고 방비를 하면 그 재앙이 되레 인생에 큰 복으로 변할 수 있다.

이런 관점은 "행복이 곧 불행이요, 불행이 곧 행복"이라거나 "삶이 곧 죽음이요, 죽음이 곧 삶"이라는 식의 궤변과는 다르다.

가령 갑자기 끔찍한 불행을 당한 이들의 면전에서 "불행이 곧 행복"이라고 한번 말씀해보라. "당신 말대로라면 당신이 얻어맞는 고통은 곧 당신의 쾌락일 것"이라며, 바로 귀뺨에 손바닥이 날아들 것이다.

역경과 시련이 우리를 단련시켜주는 것은 틀림없다. 그러나 저절로 단련되는 것은 아니다. 그것을 이겨내기 위한 노력은 순전히 역경을 만난 사람의 몫이다.

행복이 곧 불행이라는 식의 궤변과 역경이 우리를 단련시켜준다는 생각은 비슷한 것 같지만 둘 사이에는 근본적 차이가 있다. 행복이 곧 불행이라는 궤변은 어떤 실천을 해야 하는지를 일깨워주지 못한다. 그러나 역경이 우리를 단련시킨다는 생각은 결코 좌절하지 말라는 가르침이다.

《주역》은 행복이 곧 불행이라는 식의 궤변이 아니다. 유대인의 속담에 이런 것이 있다. "낯선 사람을 냉대하지 마라. 그들은 위장한 천사일 수도 있으니." 이 속담의 말투를 빌리자면 《주역》은 우리에게 이렇게 얘기해준다. 궂은일이 닥쳤다고 해서 낙담하거나 좌절하지 마라. 그 안에 당신의 삶을 근본적으로 바꾸어놓을 행운의 열쇠가 담겨 있을 수도 있으니. 작은 행운이 닥쳤다고 해서 너무 기뻐하거나 자만에 빠지지 마라. 그것이 당신을 거꾸러뜨리는 돌부리로 변할 수도 있으니.

남루한 차림으로 오는 행운을 어떻게 알아볼 것인가. 화려하게 치장하고 다가오는 재앙의 유혹을 어떻게 간파할 것인가. 《주역》은 바로 이런 안목을 계발하기 위해 고안해낸 책이라 해도 지나치지 않다.

인생에서 만나는 예순네 가지의 상황
|

평생 행운만 따라다니는 사람은 없다. 평생 불운만 따라다니는 사람도 없다. 잘 알려진 새옹지마塞翁之馬 이야기와 같은 것이 우리 인생이다. 새옹이 키우던 말이 집을 나간 것은 불행이지만 다른 야생마와 함께 돌아온 것은 행운이다. 그 야생마를 타다 새옹의 아들이 다리가 부러진 것은 불행이지만 그 덕분에 전쟁터에 끌려 나가 죽을 일을 면한 것은 행운이다. 새옹의 이야기처럼 행운과 불행, 길함과 흉함이 양파 껍질처럼 여러 겹으

로 둘러싸고 있는 것이 인생이다.

그러나 새옹지마 이야기에는 아쉬움이 없지 않다. 이 이야기에서 행운은 늘 자동적으로 불행을 불러들이고 불행은 늘 자동적으로 행운을 불러들이는 것처럼 보이기 때문이다. 여기에는 인간의 실천이 끼어들 여지가 없다. 우리가 운명에 관심을 가지는 까닭은 피할 수 있는 재앙은 피하고 취할 수 있는 행운은 잘 찾아내 손에 넣기 위해서다. 새옹지마 이야기는 우리가 재앙을 피하고 행운을 쟁취하기 위해 어떤 실천을 해야 하는가를 일러주지 못한다는 점에서 만족스럽지 못하다. 그래서 새옹지마 이야기에서는 인생이 여러 겹의 행운과 불행, 길함과 흉함으로 겹겹이 싸여 있다는 메시지만 취하는 것이 좋겠다.

《주역》에는 모두 예순네 가지 이야기가 실려 있다. 이 이야기들은 우리 인생의 한 단면을 베어내어 만든 것들이기 때문에 어떤 이야기든 예외 없이 길함과 흉함이 교차해 등장하는 상황을 보여준다. 《주역》은 어떤 면에서 예순네 가지의 새옹지마 이야기라고 할 수 있다. 다만 결정적인 차이가 있다면 《주역》은 반드시 인간의 실천을 전제로 한다는 점이다.

《주역》에서는 이 이야기 하나하나를 '괘卦'라고 부른다. 《주역》은 모두 64괘로 이루어져 있다. 각각의 괘는 우리가 인생의 어느 굽이에선가 만날 수 있는 구체적인 상황이다. 그 상황에서 우리는 어떤 행동이든 선택하게 마련이다. 기다리거나 아무 일도 하지 않는 것조차 선택이다.

그 가운데는 돌파해야 할 때가 있고 기다려야 할 때가 있다. 헌신해야 할 때도 있고 치밀하게 따져야 할 때도 있다. 전쟁을 불사해야 할 때도 있고 사랑으로 감싸야 할 때도 있다. 번개처럼 움직여야 할 때도 있고 산처럼 버텨야 할 때도 있다.

이런 각각의 상황에 대해 지당한 말씀만 깨알처럼 적어놓았다면 그건 《주역》이 아니다. 《주역》은 각 상황에서 인간이 어떻게 행동하면 길해 지고 허물을 피해갈 수 있는지, 어떻게 행동하면 어려움에 처하고 흉해질 것인지 보여주고자 한다.

길함과 흉함 사이에는 수많은 갈림길이 있다

예를 들어보자.

예수는 이렇게 말했다. "네 이웃을 네 몸과 같이 사랑하라." 또 이렇게 말했다. "네 원수를 사랑하라." 이웃은 물론 원수까지도 사랑하라는 것이 예수의 가르침이다.

《주역》에서 이와 유사한 맥락의 이야기를 찾자면 〈동인괘同人卦, 사람들과 함께함〉를 들 수 있다. 〈동인괘〉는 뜻을 함께할 수 있는 사람들을 모으는 상황에 관한 괘이다. 정치적 행동을 위해 그럴 수도 있고 사업이나 사회 활동을 위해 그럴 수도 있다. 이 괘에는 다음과 같이 서로 다른 형태로 사람들을 규합하는 상황이 등장한다.

(1) 피붙이들 사이에서 사람들과 함께하면 어려워질 것이다.

(2) 문밖에 나서서 사람들과 함께하면 허물이 없을 것이다.

(3) 교외에서 사람들과 함께하면 후회할 일이 없을 것이다.

(4) 벌판에서 사람들과 함께하면 형통할 것이다.[3]

네 가지 모두 사람들을 끌어모으는 상황이라는 점에서는 같지만 그 범위가 다르다.

첫 번째는 자기 피붙이들 사이에서 사람들을 모으는 경우다. 이것은 함께하는 범위가 가장 좁다. 예수는 "네 이웃을 네 몸과 같이 사랑하라"고 했는데, 이건 대문조차 나서지 못하고 자기 피붙이만 챙기는 경우다. 자기 이해관계를 조금도 벗어나지 못한 셈이다. 이런 식으로 일을 할 경우 '어려워질 것'이라고 〈동인괘〉는 말하고 있다.

두 번째는 문밖으로 나서서 사람들과 함께하는 상황이다. 첫 번째처럼 대문을 걸어 잠그는 것이 아니라 피붙이와 동아리 바깥의 사람들까지 챙기는 것이다. 함께하는 범위가 이웃까지 넓어졌다. 이렇게 하면 적어도 '허물이 없을 것'이다. 허물이 없으면 후회할 일이 생기지 않을 것이고, 그러면 길하고 형통할 수 있다. 이 말의 이면에는 이렇게 하지 못하면 허물을 얻을 수 있다는 뜻도 담겨 있다.

세 번째는 문밖으로 나서는 정도가 아니라 도시 지역 바깥인 교외에서 사람들과 함께한다. 이 경우 나라의 주요 인구를 모두 포용하므로, 이럴 수 있다면 '후회할 일이 없을 것'이다. 후회가 없는 상태를 지켜 나가면 길함을 얻을 수 있다. 이 말의 이면에는 이 정도 넓은 범위의 사람들과 함께하지 못한다면 후회가 생길 수 있다는 뜻도 물론 내포되어 있다.

네 번째는 교외보다 더 넓혀, 벌판에서 사람들과 함께한다. 이건 가장 광범위하게 사람을 모으는 것이다. 이렇게 한다면 '형통할 것'이다. 형통하면 길함을 얻을 수 있다. 피붙이나 이웃, 나라의 경계를 넘어서서 가장 광범위한 사람들과 뜻을 함께한다는 것은 "네 원수를 사랑하라"고 한 예수의 경지에 접근하는 것이라고도 볼 수 있다.

《주역》〈동인괘〉는 예수와 닮은 가르침을 주되, 당신이 피붙이의 동아리를 벗어나지 못하면 인생 항로가 어려울 것이고, 문을 열고 나와 이웃과 함께할 때 비로소 허물이 없을 것이며, 나라의 광범위한 사람들과 함께한다면 후회할 일이 없을 것이고, 경계를 넘어서 모든 사람들과 함께한다면 형통할 것이라고 했다. 이처럼 《주역》은 실천의 선택에 따른 길흉 사이의 다양한 스펙트럼을 보여준다.

《주역》은 왜 이렇게 길함에서 흉함까지 낱낱의 상황을 하나하나 보여주는 것일까. 어떤 실천이 길하고 흉한지 꿰뚫어볼 수 있는 안목을 길러주기 위해서다.

본디 피붙이들과 함께하면 따뜻하고 정겹고 포근하다. 그러나 그 따뜻함에만 젖어 헤어나지 못한다면 인생길은 어려워진다. 그래서 〈동인괘〉는 "피붙이들 사이에서 사람들과 함께하면 어려워질 것"이라고 했다. 피붙이들의 온정주의에 묻힐 경우 평생 마마보이나 마마걸로 살아가는 어려움을 당할 수 있다. 이 대목에서 《주역》은 따뜻한 얼굴로 다가오는 흉함에 대해 일깨워주고 있는 것이다.

또 벌판에서 이질적이고 마음이 맞지 않는 이들과 심지어 원수들까지 품에 안으려 한다면 얼마나 심한 마음고생이 따르겠는가. 그러나 모래를 품은 조개의 고통이 진주를 빚어내듯 자기 한계를 넘어서려는 고통 속에서 위대한 인물이 탄생한다. 그래서 〈동인괘〉는 "벌판에서 사람들과 함께하면 형통할 것"이라고 했다. 이 대목에서 《주역》은 고난의 가시밭길에 가려 잘 보이지 않지만 언젠가 그 고난을 다 이겨낸 이가 누릴 수 있는 보람과 행복을 일깨워주고 있는 것이다.

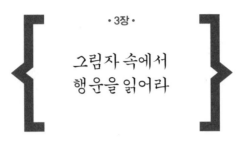

· 3장 ·

그림자 속에서
행운을 읽어라

남루한 차림으로 오는 행운을 어떻게 알아볼 것이며, 화려한 치장으로 다가오는 재앙의 유혹을 어떻게 간파할 것인가. 《주역》은 이를 간파하는 안목과 지혜를 기르기 위한 몇 가지 장치를 가지고 있다.

첫 번째 관문 : 그늘과 별

무협 소설에서 큰 스승의 가르침을 얻고자 하는 이는 우선 물동이를 진다거나 장작을 패는 등의 몇 가지 관문을 통과해야 한다. 《주역》의 지혜에 접근할 때도 그런 관문을 세 개쯤 통과해야 한다. 이제 사람들이 《주역》에 쉽게 접근하는 것을 막아온 관문을 통과해보기로 하자. 그것은 다음과 같은 막대 그림이다.

동인괘

　방금 읽은 〈동인괘〉 첫머리에는 이런 그림이 나온다. 《주역》이 궁금해 책을 펼쳤다가도 이런 그림이 나오면 바로 덮어버린 이들이 아마 적지 않을 것이다. 이 막대 그림이 무엇인지 이해하면 《주역》으로 가는 길을 막고 있는 가장 견고한 걸림돌을 깨뜨린 것이다. 사실은 별것 아니다.

　《주역》은 이 막대를 '효爻'라고 부른다. 《주역》에 쓰이는 막대는 두 가지밖에 없다. 하나는 음효이고 다른 하나는 양효다. 음양陰陽이라는 말이 친숙하기는 하지만 우리는 더 직접적으로 '그늘(음)'과 '볕(양)' 또는 '그늘 효'와 '볕 효'라고 부를 것이다. 음양이란 본디 그늘과 볕이란 뜻이다.

　《주역》은 그늘과 볕을 다음의 두 가지 획으로 표현했다. 가운데가 터진 것이 그늘이고, 터지지 않고 이어진 것이 볕이다.

　그늘 효(음효 陰爻)　　　　　볕 효(양효 陽爻)

　《주역》은 이 세상의 모든 것을 그늘과 볕으로 나눈다. 남성적이고 외향적인 것이 볕이고, 여성적이고 내향적인 것이 그늘이다.

　볕은 능동적 에너지다. 남성, 동물의 수컷, 식물의 수술, 불쑥 튀어나온 것, 양전자陽電子, 창, 공격, 홀수 같은 것들은 모두 볕이다. 볕의 힘을 일반화하면 남성적인 것, 드러난 것, 굳센 것, 앞서 나가는 것, 주도적인 것, 능동적인 것, 적극적인 것, 외향적인 것, 공격적인 것 등이다.

그늘은 수동적 에너지다. 여성, 동물의 암컷, 식물의 암술, 움푹 들어간 것, 음전자陰電子, 방패, 방어, 짝수 같은 것들은 모두 그늘이다. 그늘의 힘을 일반화하면 여성적인 것, 숨어 있는 것, 부드러운 것, 뒷받침해주는 것, 호응하는 것, 수용적인 것, 소극적인 것, 내향적인 것, 방어적인 것 등이다.

세상이 두 가지 힘으로 이루어졌다는 이분법은 인류의 역사만큼 오래되었다. 기독교, 이슬람교, 힌두교 등 대부분의 종교들은 세상을 선과 악의 싸움터로 본다. 하나는 좋은 것이고 다른 하나는 나쁜 것이다.

그러나 《주역》의 그늘과 볕은 어느 하나가 좋고 다른 하나가 나쁜 것이 아니다. 어느 하나가 늘 길하고 다른 하나가 늘 흉한 것도 아니다. 볕이라고 해서 늘 길하지도 않고 그늘이라고 해서 늘 흉하지도 않다.

가령 볕은 남성적이고 능동적인 에너지다. 어떤 상황에서는 남성적이고 능동적인 힘을 써서 돌파하는 것이 주효할 수 있지만 다른 상황에서는 사태를 악화시키거나 더 큰 반발을 사서 치명적인 반격을 당할 수도 있다.

반대로 여성적이고 수동적인 에너지는 어떤 상황에서는 사태를 주도하지 못하고 끌려다닐 수 있지만 다른 상황에서는 맞서는 두 세력의 긴장을 완화시키고 평화적으로 문제를 풀어가는 바탕을 마련할 수도 있다.

노자老子는 이렇게 말한다.

수컷다움을 알면서도 암컷다움을 지킨다. (…) 흼을 알면서도 검음을

지킨다. (…) 영예로움을 알면서도 욕됨을 지킨다.[4]

《주역》에서 그늘과 볕 가운데 어느 것이 일방적으로 길하거나 흉하지 않다는 것을 안다면 노자의 이 말을 잘 이해할 수 있다. 노자가 말한 수컷다움, 흼, 영예로움은 모두 드러난 것이고, 한마디로 볕이라 할 수 있다. 또 암컷다움, 검음, 욕됨은 모두 숨은 것이고, 한마디로 그늘이라 할 수 있다. 겉보기에 화려해도 그이가 마귀할멈일 수 있고, 겉보기에 남루해도 그이가 천사일 수 있음을 아는 우리들은 수컷다움, 흼, 영예가 겉으로는 좋아 보이지만 그것에만 현혹되지 않고, 때로는 암컷다움, 검음, 욕됨의 가치도 발휘할 수 있어야 함을 안다. 이런 안목을 기르기 위해 우리는 《주역》을 읽는 것이다.

두 번째 관문 : 네 가지 큰 것

《주역》의 첫 번째 관문은 세상이 그늘과 볕이라는 두 가지 에너지로 이루어져 있다는 생각이었다. 《주역》은 그것을 그늘 효--와 볕 효—의 두 가지 막대로 나타냈다. 《주역》의 두 번째 관문은 그늘과 볕 두 가지 막대로 세상 만물을 모두 표현할 수 있다는 생각이다.

《주역》을 만든 사람들은 인간이 자연의 일부라고 생각했다. 그래서 인간이 인생에서 만나는 모든 상황은 인간이 대자연 속에서 살아가는 일과 닮았다고 보았다. 가령 우리가 결혼하거나 전쟁을 치르는 것이 어떤 면에서는 큰물을 건너거나 높은 산을 넘는 일과 같다고 본 것이다.

그래서《주역》은 자연물을 주인공으로 삼았다.《주역》에는 하늘, 땅, 우레, 바람, 물, 불, 산, 연못 등 여덟 가지 자연물이 주인공으로 등장한다. 왜 하필 여덟 가지만 나오는 것일까?

고대 인도의 브라만교나 불교에서는 우주 만물이 지수화풍地水火風, 곧 땅, 물, 불, 바람 등의 네 가지 큰 것(四大)으로 구성되어 있다고 생각했다. 또 고대 그리스의 철학자인 엠페도클레스는 만물이 물, 공기, 불, 흙의 네 원소로 이루어졌다고 생각했다.

이것은 고대인들의 공통된 사고방식이다.《주역》을 만든 사람들도 공기(하늘), 흙(땅), 물, 불의 네 가지가 만물을 구성한다고 생각한 점에서 다르지 않다.《주역》지은이들은 이 네 가지 원소에도 각각 그늘과 볕의 성질을 부여했다.

네 가지 가운데 우선 하늘은 볕이고 땅은 그늘이다. 하늘은 위에서 세상을 덮고 있으면서 해와 달과 별을 굳세게 움직이기 때문에 볕이다. 땅은 아래에서 만물을 받쳐주고 있기 때문에 그늘이다.

다음으로 물은 볕이고 불은 그늘이다. 불이 볕이고 물이 그늘이 아닐까 싶을 수 있다. 그러나 물은 겉보기에는 부드럽지만 안에 강한 힘이 있어 홍수를 낼 수도 있고 강건하게 세상을 두루 흐르므로 볕이라고 보았다. 반면에 불은 겉보기에는 맹렬하지만 어딘가에 붙어 있어야만 존재할 수 있기 때문에 그늘이라고 보았다.

《주역》을 만든 사람들은 여기서 더 나아가 하나의 볕 안에도 그늘이 있고 그늘 안에도 볕이 있다고 보았다. 길함 안에 흉함이 있을 수 있고 흉함 안에 길함이 있을 수 있다는 생각과 통한다.

그래서 세상을 덮고 있는 기운인 하늘은 볕이지만 그 기운이 움직이는 바람은 그늘이다.

　물은 볕이지만 그것이 고여 있는 연못은 그늘이다.

　땅은 그늘이지만 그 기운이 불쑥 솟아 이루어진 산은 볕이다.

　불은 그늘이지만 그 불의 기운이 하늘에서 내리치는 우레는 볕이다.

　이런 생각에서 《주역》의 주인공은 모두 여덟 가지 자연물이 된 것이다.

볕	하늘	산	물	우레
그늘	바람	땅	연못	불

◆ 굵은 글씨로 표시한 것은 네 가지 기본 원소인 하늘, 땅, 물, 불.

　《주역》은 이 여덟 가지 자연물을 어떻게 표현할까? 앞에 나온 그늘 효 --와 볕 효—라는 두 가지 막대를 세 번 겹쳐 그려 여덟 가지 자연물을 표시한다. 세 번 그렸다는 뜻에서 이를 '삼획괘'라고 한다.

　이제 《주역》의 두 번째 관문을 쳐부수고 들어가는 순간이다. 이 여덟 가지 삼획괘를 음미해보면, 왜 이렇게 그렸는지도 얼마든지 이해할 수 있다.

　우선 하늘☰은 세 획이 모두 볕이다. 하늘은 가장 높은 곳에서 강건하게 운행하는 기운이기 때문에 세 획이 모두 볕이다.

　땅☷은 세 획이 모두 그늘이다. 땅은 가장 낮은 곳에서 세상을 받쳐주기 때문에 세 획이 모두 그늘이다.

　다음으로 우레☳, 물☵, 산☶ 등 볕의 삼획괘들은 세 획 가운데 볕의 효가 하나만 있다. 볕의 위치만 각각 다르다. 우레는 하늘에서 땅으로 내리치는 것이기 때문에 볕이 가장 아래에 있다. 물은 겉보기엔 부드럽지만

| 하늘 | 우레 | 물 | 산 |
| 땅 | 바람 | 불 | 연못 |

◆ 하늘, 우레, 물, 산은 볕이고 땅, 바람, 불, 연못은 그늘이다.

속에 강한 힘이 숨어 있기 때문에 두 그늘 사이의 중간에 볕이 있다. 산은 땅 위로 솟은 것이기 때문에 볕이 가장 높은 곳에 있다.

다음으로 바람☴, 불☲, 연못☱ 등 그늘의 삼획괘들은 세 획 가운데 그늘의 효가 하나만 있다. 그늘의 위치만 각각 다르다. 바람은 하늘에서 지상으로 불어오기 때문에 그늘이 가장 밑에 있다. 불은 겉보기엔 강렬하지만 어디에 붙어 있을 뿐 자기중심이 비어 있기 때문에 그늘의 효가 가운데 있다. 연못은 고여 있는 물이기 때문에 그늘의 위치가 맨 위에 있다.

삼획괘 여덟 가지는 각각의 자연물이 지니는 추상적인 성질을 가지고 있다. 하늘은 굳셈을, 땅은 유순함을, 우레는 움직임을, 바람은 들어감을, 물은 험난함과 빠짐을, 불은 밝음과 붙음을, 산은 멈춤을, 연못은 기쁨을 상징한다. 이 여덟 가지 삼획괘의 모양과 이름, 한자 이름, 성질, 그늘과 볕으로 나눔 등을 정리하면 다음의 표와 같다.

모양	이름	한자 이름	성질	나뉨
☰	하늘	건(乾)	굳셈	볕
☷	땅	곤(坤)	유순함	그늘
☳	우레	진(震)	움직임	볕
☴	바람	손(巽)	들어감	그늘
☵	물	감(坎)	험난함, 빠짐	볕
☲	불	리(離)	밝음, 붙음	그늘
☶	산	간(艮)	멈춤	볕
☱	연못	태(兌)	기쁨	그늘

◆ 여덟 가지 삼획괘의 이름과 상징.

 이 여덟 가지 자연물 또한 어떤 것이 일방적으로 길하거나 흉한 것은 아니다. 예를 들어 하늘은 굳셈이라는 성질을 지니고 있는데, 굳세게 돌파해야 하는 상황에서는 길하지만 부드럽게 대처해야 하는 상황에서 저돌적으로만 나오면 흉할 수 있다. 다른 일곱 가지 자연물과 그 성질 또한 마찬가지다.

 이런 의문이 생길 수 있다. 가령 물의 경우 추상적 성질이 '험난함'인데, 이 경우는 흉한 것이 아닐까? 그렇지 않다. 험난함에도 길흉이 함께 있다. 내가 가는 길이 험난한 물로 가로막혀 있다면 흉하겠지만 적군이 쳐들어왔을 때 험난한 물이 그들을 가로막아준다면 길한 상황이다. 그래서 험난함에 관한 괘인 〈감괘坎卦, 구덩이〉에 대한 풀이[5]에는 이런 이야기가 나온다.

하늘은 험난하여 오를 수 없고, 땅은 험난하여 산과 강과 크고 작은 언덕이 있으며, 군주는 험난함을 설치하여 자기 나라를 지킨다. 험난함을 때에 맞게 쓰는 것은 위대한 일이다.[6]

예를 하나 더 들어보자. 연못은 추상적 성질이 '기쁨'이다. 기쁨은 길한 것이 아닐까? 기쁨에도 흉함이 있을까? 물론이다. 마땅히 즐거워할 일에 기뻐한다면 그것은 길한 일이다. 그러나 기쁘게 즐길 상황이 아닌데 분수와 예의를 모르고 멋대로 즐기거나 자신의 기쁨을 너무 뽐낸다면 흉한 일이 될 수 있다. 그래서 기쁨에 관한 괘인 〈예괘豫卦, 기쁨〉의 첫째 그늘 효에서는 "편히 즐김을 겉으로 소리 내어 드러내면 흉할 것이다"[7]라고 하고 있다. 기뻐하는 것도 상황과 예의에 맞지 않으면 흉해질 수 있다.

그늘과 볕에도 길함과 흉함이 공존하고 있고, 이를 세 번 겹쳐서 얻은 여덟 가지 자연물에도 길함과 흉함이 공존하고 있다. 그럼 길흉은 어디서 생기는가.《주역》의 장치 안으로 한 단계 더 들어가보자.

세 번째 관문 : 뒤죽박죽 섞은 천지만물

지금까지《주역》이 그늘과 볕의 두 가지로 이루어져 있다는 것, 이 그늘과 볕을 세 번 겹치도록 해서 여덟 가지 자연물을 만들어냈다는 것을 이야기했다. 이제《주역》의 세 번째 관문을 통과하기로 하자.

《주역》은 이 여덟 가지 자연물을 위아래로 하나씩 배치해 인간이 부닥칠 수 있는 각종 상황을 표현했다.《주역》의 모든 괘는 두 가지 자연물을 결합해 하나의 상황을 상징한다.

예를 들어보자. 〈겸괘謙卦, 겸손함〉는 겸손함을 발휘해야 하는 상황이다. 〈겸괘〉는 여덟 가지 자연물 가운데 땅과 산으로 이루어져 있다. 땅이 위에 있고 산이 아래에 있는 것이 〈겸괘〉다. 세상에 땅 속에 있는 산은 없다. 모든 산은 땅 위로 솟아 있다. 얼마든지 위로 우뚝 솟을 수 있음에도 땅속에 스스로 파묻혔으니 얼마나 겸손한가. 그래서 산이 땅 밑에 있는 〈겸괘〉는 겸손함에 관한 괘가 된다.

땅

산

겸괘

◆ 땅 속에 산이 묻힌 이미지의 겸괘

《주역》의 괘는 삼획괘 두 개가 겹쳐진 것이다. 즉, 8개의 삼획괘가 두 번씩 겹치므로, 8×8=64개가 나온다. 이를 삼획괘와 구별해 '육획괘六劃卦'라고도 하고, 그냥 '괘'라고도 한다. 일반적으로《주역》에서 괘라고 할 때는 64개의 육획괘를 말한다.

육획괘는 모두 아래와 위, 두 부분으로 이루어진다. 아래를 '하괘下卦', 위를 '상괘上卦'라고 부른다. 〈겸괘〉를 예로 들자면 하괘가 산, 상괘가 땅이다.

삼획괘의 여덟 가지 자연물인 하늘, 땅, 우레, 바람, 물, 불, 산, 연못 가운데 하늘, 우레, 바람, 불은 대체로 위에 있거나 위로 올라가는 자연물이

다. 땅, 물, 산, 연못은 대체로 아래에 있거나 아래로 내려가는 자연물이
다. 전자가 위에, 후자가 아래에 있다면 그것은 자연 현상과 일치한다. 하
늘이 위에 있고 땅이 아래에 있는 〈비괘否卦, 막힘〉, 산 위로 바람이 부는
이미지인 〈점괘漸卦, 갖추어 시집을 감〉 등이 그런 예이다.

실제 자연계에 존재하지 않는 이미지도 있다. 앞에서 얘기한, 땅 속에
산이 파묻혀 있는 〈겸괘〉라든가, 땅이 위에 있고 하늘이 아래에 있는 〈태
괘泰卦, 태평함〉 같은 경우가 그런 예이다.

64괘에서 위에 있을 것이 위에 있고 아래에 있을 것이 아래에 있다고
해서 길한 것은 아니다. 또 위와 아래가 바뀌었다고 해서 흉한 것도 아니
다. 대표적인 예가 〈비괘〉와 〈태괘〉의 경우다. 두 괘는 서로 반대다.

◆ 하늘이 위에 있고 땅이 아래에 있는 〈비괘〉(왼쪽)와
땅이 위에 있고 하늘이 아래에 있는 〈태괘〉.

〈비괘〉는 하늘이 위에, 땅이 아래에 있는 괘다. 하늘은 위로 올라가려
하고 땅은 아래로 내려가려 하므로, 둘 사이는 벌어지기만 하고 아무런
교감도 생기지 않는다. 그래서 〈비괘〉는 불통의 세상을 상징한다.

반대로 태평성세를 상징하는 〈태괘〉의 경우는 땅이 위에, 하늘이 아래
에 있는 괘다. 자연계에서는 있을 수 없는 일이지만 《주역》에서 이들은
'상징'이기 때문에 이런 뒤죽박죽의 상황도 얼마든지 벌어질 수 있다. 위

에 있는 땅은 내려가려 하고 아래에 있는 하늘은 올라가려 하므로, 둘 사이에 적극적인 교통과 교감이 생긴다. 그래서 〈태괘〉는 위아래가 활발하게 소통해 태평성세를 이루어가는 세상을 상징한다.

정상적으로 하늘이 땅 위에 있는 〈비괘〉는 되레 불통의 상황이고 땅이 하늘 위로 올라간 〈태괘〉가 태평성세라는 것은, 《주역》의 지은이들이 자연물의 배치를 모두 상징적 의미로 사용했음을 보여주는 전형적인 예이다.

우리는 정상으로 보이는 배치 속에서 비정상을 발견할 수도 있고, 거꾸로 비정상으로 보이는 배치 속에서 되레 정상을 찾아낼 수도 있다. 이런 사고 훈련을 통해 행운 속에 불운의 씨앗이 있음을 보고, 불행 속에 재기의 발판이 있음을 본다. 겨울나무를 보면서도 봄꽃과 여름 열매를 보고, 낙엽 한 장이 떨어지는 것을 보고 차가운 겨울이 닥칠 것을 안다.

이런 훈련을 통해 우리는 관습으로 굳어진 일방적 판단이나 자기 합리화의 완고한 사고에서 벗어날 수 있다. 《주역》이 우리에게 줄 수 있는 안목과 지혜는 이런 것이다.

이 책에서 64괘를 다 보기는 어려우므로, 우리는 〈관괘觀卦〉, 〈혁괘革卦〉, 〈쾌괘夬卦〉, 〈건괘乾卦〉, 〈곤괘坤卦〉 등 다섯 가지 괘를 최대한 충실히 들여다볼 것이다. 이 다섯 괘는 《주역》의 지혜를 비교적 전형적으로 보여주기 때문에 골랐다.

먼저 어떻게 세상과 운명을 볼 것인지 말해주는 괘가 있다. 〈관괘〉가 그것이다. 〈관괘〉를 통해 우리는 《주역》이 우리에게 어떤 안목을 요구하는지 읽을 수 있다.

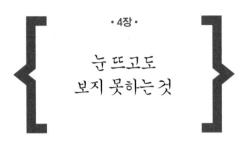

·4장·

눈 뜨고도
보지 못하는 것

톨스토이의 민화 〈사람에게는 얼마만큼의 땅이 필요한가〉에서 주인공인 바흠은 땅 사들이기에 안달이 난 농부다. 그는 "땅만 많으면 악마도 무섭지 않다"고 서슴없이 외친다. 어느 날 평범한 농부가 손님으로 찾아온다. 이 농부는 볼가 강 건너에 싸고 비옥한 땅이 있다고 알려준다. 바흠은 강을 건너갔다. 농부의 말은 틀리지 않았다. 바흠은 그곳에서 적지 않은 땅을 차지했지만 그의 마음은 아직 만족스럽지 않았다.

행운은 어떻게 재앙이 되는가

어느 날 상인 한 사람이 찾아와 훨씬 더 좋은 조건으로 비옥한 땅을 살 수 있는 곳을 알려준다. 이민족 거주지였다. 이 상인의 말도 틀리지 않았다.

이민족 족장은 바훔에게 '하루어치'의 땅을 헐값에 주겠다고 했다. 하루어치란 땅을 살 사람이 새벽부터 해 지기 전까지 하루 종일 걸어서 둘레를 표시한 넓이만큼의 땅이다. 단, 해 지기 전까지 출발점으로 돌아오지 못하면 한 뼘의 땅도 차지할 수 없다. 바훔은 흑토, 목초지, 늪지대, 언덕 등 탐나는 곳들을 눈에 띄는 대로 자기 영토 안에 포함시키고 싶어 욕심껏 달리다 결국 해 질 무렵 출발점을 코앞에 두고 지칠 대로 지쳐 숨을 거둔다. 그가 죽어서 묻힌 땅은 겨우 두 평 남짓이었다.

이 작품에서 가장 섬뜩한 대목은 하루어치의 땅을 차지하러 나가기 전날 밤에 꾼 바훔의 꿈이다. 이민족의 천막에서 잠든 바훔은 웃음소리에 눈을 뜬다. 족장이 허리가 부러져라 웃고 있었다. 가만히 보니 그는 이민족에 대해 알려준 상인처럼 보였다. 눈을 씻고 다시 보니 그는 볼가 강 건너편의 비옥한 농토에 대해 들려준 농부였다. 깜짝 놀라 다시 보니 발톱이 길고 뿔이 난 악마가 킬킬거리며 웃고 있었다. 그 옆에는 남자 하나가 지쳐 쓰러져 죽어 있었다. 죽은 이의 얼굴을 들여다보니 바로 바훔 자신이었다.

이 섬뜩한 꿈 이야기를 통해 톨스토이는 사람들이 보지 못하는 것이 무엇인지 보라고 말한다. 우리를 파멸시킬 수도 있는 재앙이 언제나 악마의 얼굴로 달려드는 것은 아니다. 재앙은 다정다감하고 평범한 이웃의 얼굴과 친절하고 달콤한 이야기 속에 몸을 숨기고 살그머니 다가온다. 욕심과 집착, 아집과 오만에 가려지면 우리는 두 눈을 멀쩡하게 뜨고도 보아야 할 것을 제대로 보지 못한다.

주역을 구성하는 네 가지

《주역》 64괘 가운데는 세상을 어떻게 보아야 할 것인가를 말하는 괘가 하나 있다. 스무 번째 괘인 〈관괘觀卦, 바라봄〉가 그것이다. 첫 괘는 아니지만 《주역》 공부의 첫머리에 읽기 좋은 이야기다.

이 이야기를 통해 《주역》의 각 괘가 어떤 짜임새를 지니고 있는지도 함께 들여다보자. 각 괘는 아주 짧고 상징적인 한 편의 이야기다. 짜임새는 간단하다. 《주역》의 이야기는 예외 없이 이미지, 제목, 큰 줄거리, 상세한 줄거리의 네 부분으로 이루어져 있다.

가장 먼저 여덟 자연물 가운데 두 가지가 서로 만나 만들어내는 이미지가 나오고, 하괘와 상괘가 무엇인지 나온다. 이 이미지를 '괘상卦象'이라고 한다. 〈관괘〉의 경우 먼저 육획괘 이미지 ䷓를 보여주고 그 아래에 "아래 땅, 위 바람"이라고 나온다. 땅이 아래에 있고 바람이 위에 있다는 뜻이다. 그래서 〈관괘〉의 이미지는 '땅 위를 쓸고 가는 바람'이다.

이미지를 설명한 다음에 제목이 나온다. 이걸 '괘명卦名'이라고 한다. 〈관괘〉는 '관觀'이 제목이다.

다음에는 괘 전체에 대한 큰 줄거리가 나오고 이어서 상세한 줄거리가 나온다. 큰 줄거리를 '괘사卦辭'라고 하고 상세한 줄거리를 '효사爻辭'라고 한다. 간단히 말해 《주역》의 한 괘는 괘상(이미지), 괘명(제목), 괘사(큰 줄거리), 효사(상세한 줄거리)의 네 가지로 이루어져 있다.

이제 〈관괘〉가 무슨 이야기를 하는지 들어보자. 《주역》의 내용을 현대 우리말로 옮기면 다음과 같다.

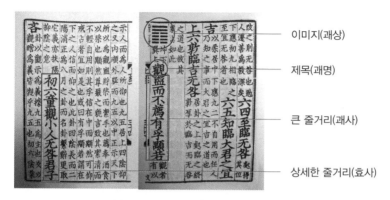

이미지(괘상)

제목(괘명)

큰 줄거리(괘사)

상세한 줄거리(효사)

◆ 이 그림에서 굵은 글씨만이 《주역》 본문이고 작은 글씨는 《주역》에 대한 풀이임.

관괘

괘상 :

아래 땅, 위 바람

괘명 : 바라봄

괘사 : 제사를 드릴 때 손을 씻고 난 직후, 아직 제물을 바치기 전, 처음 시작할 때의 경건함을 그대로 지니고 있으면 미더움이 있어서 바라보는 이들이 마음을 다해 우러러볼 것이다.

효사 :

첫째 그늘 : 어린아이처럼 바라보니, 소인이라면 허물이 없을 것이나 군

자라면 어려워질 것이다.

둘째 그늘: 문틈으로 엿보듯 바라보니, 여인이 몸가짐을 바르게 하는 데에는 이로울 것이다.

셋째 그늘: 나에게서 나오는 것을 보고 나아가거나 물러난다.

넷째 그늘: 나라의 빛을 바라볼 수 있는 사람이니, 임금이 손님의 예우로 대하는 신하로 쓰이면 이로울 것이다.

다섯째 볕: 나에게서 나오는 것을 보니, 군자라면 허물이 없을 것이다.

맨 위 볕: 그로부터 나오는 것을 보니, 군자라면 허물이 없을 것이다.[8]

바람의 눈으로 세상을 보라

〈관괘〉는 세상과 운명을 어떻게 바라볼 것인가가 주제다.

우선 〈관괘〉의 이미지는 아래가 땅, 위가 바람으로, '땅 위를 쓸고 지나가는 바람'이다. 왜 바람이 바라봄과 연결될까. 경치를 볼 때 낮은 곳보다는 높은 곳에서 보아야 시야가 트이고 큰 그림을 볼 수 있다. 바람은 높은 하늘에서 내려오는 것이다. 또한 바람은 세상 구석구석 어디도 미치지 않는 곳이 없다. 옛날 사람들은 하늘에서 내려와 온 세상 구석구석 두루 훑고 지나가는 바람의 눈으로 볼 때 세상을 가장 잘 볼 것이라고 생각했다. 한마디로 바람의 눈으로 세상을 보라는 것이다. 그래서 땅 위를 쓸고 지나가는 바람이 '바라봄'을 상징하는 이미지가 되었다.

〈관괘〉에는 내가 세상을 보는 문제도 나오지만 거꾸로 내가 어떻게 보이는가 하는 문제도 나온다. 《주역》에는 이렇게 서로 다른 관점의 이야기가 섞인 경우가 흔하다. 한 사람의 얼굴을 정면과 측면에서 함께 그린 피카소의 그림처럼 여러 관점을 동시에 보여주는 것이 《주역》의 특징 가운데 하나다. 이것은 한 상황을 여러 각도에서 보기 위한 장치다.

〈관괘〉의 괘사는 "제사를 드릴 때 손을 씻고 난 직후, 아직 제물을 바치기 전, 처음 시작할 때의 경건함을 그대로 지니고 있으면 미더움이 있어서 바라보는 이들이 마음을 다해 우러러볼 것"이라고 했다. 당시 사람들에게 제사는 가장 중요한 일이었다. 요점은 당신이 가장 중요하게 여기는 일에 대한 초심을 잃지 말라는 얘기다.

제사를 시작할 때 가장 먼저 손을 씻는 의식을 한다. 이때는 누구나 매우 진지하게 제사에 임한다. 손 씻는 의식은 초심의 시간이다. 그러나 시간이 흐름에 따라 사람들은 이것이 무슨 제사인지도 잊어먹고 잡념과 잡담에 빠진다. 만약 내가 지금 하는 일의 본래 목적에 충실하게 초심을 잃지 않고 실천한다면 세상도 나를 긍정적으로 보지 않을 리 없다. 〈관괘〉의 괘사가 하려는 얘기는 이런 것이다.

괘사 다음에는 효사가 나온다. 각 괘는 모두 여섯 개의 막대, 효로 이루어지기 때문에 효사는 늘 여섯 개다. 《주역》에서 효를 읽는 순서는 좀 독특하다. 책은 위에서 아래로 읽지만 《주역》의 괘는 아래에서 위로 읽어 올라간다. 그래서 여섯 효 가운데 맨 밑에 있는 효가 첫 번째 효이고, 맨 위에 있는 효가 마지막 효이다.

〈관괘〉는 밑에서 첫 번째부터 네 번째까지는 그늘 효이고, 다섯째와 맨 위는 볕 효이다. 그래서 이들은 밑에서부터 순서에 따라 첫째 그늘, 둘째 그늘, 셋째 그늘, 넷째 그늘, 다섯째 볕, 맨 위 볕으로 불린다.[9]

〈관괘〉의 괘사는 내가 어떻게 보여야 하는가에 관한 이야기인데 반해

효사는 모두 내가 세상을 보는 것에 관한 이야기다. 〈관괘〉의 여섯 효사 가운데 앞의 세 가지에는 세상을 보는 서로 다른 방식이 매우 전형적으로 나온다.

> **첫째 그늘** : 어린아이처럼 바라보니, 소인이라면 허물이 없을 것이나 군자라면 어려워질 것이다.
> **둘째 그늘** : 문틈으로 엿보듯 바라보니, 여인이 몸가짐을 바르게 하는 데에는 이로울 것이다.
> **셋째 그늘** : 나에게서 나오는 것을 보고 나아가거나 물러난다.

〈관괘〉에 등장하는 세상을 보는 세 가지 방식을 하나씩 음미해보자.

어린이의 눈으로 보는 사람

첫째는 어린아이의 눈이다. 여기서 어린아이의 눈을 얘기하는 것은 천진함을 찬양하기 위해서가 아니다. 어린아이의 눈은 아직 성숙하지 않은 눈이다. 어린아이는 세상과 운명을 아직 잘 모른다. 책임과 의무도 잘 모른다. 어린아이의 눈으로는 세상을 정확하고 용기 있게 바라보기 어렵다.

〈관괘〉에서 "어린아이처럼 바라본다"고 할 때 어린아이의 눈이란 나이가 어린 사람의 눈이 아니라, 인간과 세계를 원숙하게 볼 수 없는 눈을 말한다. 이런 눈은 늘 보아야 할 핵심을 놓친다.

〈관괘〉는 이렇게 세상을 바라볼 경우 "소인이라면 허물이 없을 것이나 군자라면 어려워질 것"이라고 말한다. 다른 사람의 삶에 크게 영향을 끼칠 일이 없는 소인이라면 크게 허물이 되지 않을지 모르지만 리더 노릇을 해야 하는 군자가 이렇게 성숙하지 않은 눈으로 세상을 본다면 그건 곤란하다. 자신과 공동체가 함께 어려움을 겪을 것이다.

삼국시대 유비劉備의 아들 유선劉禪은 촉한의 두 번째이자 마지막 황제다. 그는 위나라 등애鄧艾의 기습공격으로 수도가 함락 위기에 처하자 바로 항복했다. 위나라 황제는 촉한을 멸망시킨 뒤 유선을 아무런 실권도 없는 '안락공安樂公'으로 봉해 위나라의 수도인 낙양으로 이주시켰다. 유선은 자기 한 몸이 편해지자 나라가 망한 것을 잊었다.

위나라의 실권자인 사마소司馬昭는 낙양에서 유선을 위해 만찬을 베푼 뒤, 일부러 촉한의 음악을 연주하도록 했다. 유선의 신하들은 조국의 음악을 들으니 망국의 설움과 고향 생각이 북받쳐 올라 분한 눈물을 삼켰다. 그러나 유선은 희희낙락할 뿐이었다. 사마소가 유선에게 물었다. "촉한에서 왕 노릇하던 시절이 생각나지 않습니까?" 그러자 유선은 서슴지 않고 대답했다. "지금 여기가 너무 즐겁기 때문에 촉한 생각이 나지 않습니다."

나라를 말아먹고 새장 안에서 사육당하면서도 유선은 좋은 음식과 풍악만 있으면 즐거워했다. 유선은 군주의 책임이 무언지 모르는 사람이었다. 그는 성숙한 눈으로 나라와 자기 운명을 바라볼 수 없는 사람이었다. 이런 사람들은 그가 누구이고 무슨 일을 하든 전형적인 소인배이다. 이런 사람들은 세상을 어린아이처럼 보고 있는 것이다.

엿보아서는 제대로 보지 못한다

둘째는 엿보는 눈이다.

《주역》이 만들어지던 시절의 여성은 사회적 지위가 낮았다. 여성은 대문을 활짝 열고 세상을 볼 수 없었고, 반쯤 열린 규방의 문 뒤에 숨어서 세상을 보아야 하는 존재였다. 문 뒤에 숨는다면 세상의 구설로부터 안전할지는 모르지만 실상을 제대로 볼 수는 없다.

엿보듯 바라보는 사람들은 비평만 하는 사람들과 닮았다. 이런 이들은 콜럼버스가 미지의 대륙을 밟고 돌아왔을 때 그건 누구나 할 수 있는 일이었다고 깎아내렸던 사람들과 같다. 그들은 영원히 자기 생각으로는 달걀을 세울 수 없는 사람들이다.

힐끔 본, 정확하지 않은 판단이 비극을 부르는 경우는 적지 않다. 항우項羽는 아직 완전히 절망할 때가 아님에도 유방劉邦의 '사면초가四面楚歌' 계략에 빠져 서른 살의 젊은 나이에 자결했다. 조조曹操의 아들 조웅曹熊은 형 조비曹丕가 왕위에 오르자 탄압받을 것을 지레 우려해 자살했다. 로미오는 기절한 줄리엣이 죽은 줄 알고 자살했다. 힐끔 본 것을 바탕으로 자기 운명을 결정한 것이다.

임진년(1592년) 왜가 조선을 침략하기 전, 수신사로 일본에 다녀온 정사 황윤길과 부사 김성일은 서로 다른 주장을 했다. 도요토미 히데요시 앞에서 겁에 질렸던 황윤길은 왜가 반드시 쳐들어올 것이라고 했고, 나름 흔들리지 않으려 애썼던 김성일은 되레 왜가 쳐들어오지 못할 것이라고 했다. 김성일은 훗날 백성들의 동요를 막기 위해 그렇게 말했다고 변명했다. 두 사람은 힐끔 본 것을 가지고 일면적인 주장을 하는 데 그쳤다. 결과적으로 조선은 왜의 침략에 앞서 적절한 대비를 못하고 일방적으로 당하기만 했다. 힐끔 보고 내린 판단이 얼마나 많은 사람들의 운명을 비참하게 만들었는가.

반성적으로 보는 눈

셋째는 반성적으로 보는 눈이다.

우리의 안목이 좀더 온전해지기 위해 가장 중요한 것은 자기반성이다. 어린아이처럼 핵심을 놓치고 있는 것은 아닌지 혹은 엿보는 것처럼 불충분하게 세상을 보고 있는 것은 아닌지 끊임없이 돌아보아야 한다. 자기반성은 스스로를 솔직하게 볼 수 있을 때 가능하다. 〈관괘〉에서 "나에게서 나오는 것을 보고 나아가거나 물러날 것"이라고 한 것은 바로 이런 말이다.

나에게서 나오는 것이란 나의 행위다. 나에게 그보다 더 솔직하고 명확한 것은 없다. 다른 사람의 즐거움이나 고통은 짐작만 할 수 있을 뿐이다. 공자는 이렇게 말한다.

> 내가 싫어하는 일은 남에게도 시키지 않는다.[10]

> 내가 일어서고 싶으면 다른 사람을 먼저 세워주고, 내가 도달하고 싶
> 으면 다른 사람이 먼저 도달하도록 해준다.[11]

내가 바라지 않는 것은 다른 사람도 바라지 않는다. 내가 원하는 것은 다른 사람도 원한다. 개인마다 취향의 차이는 있지만 인간의 욕망에는 보편성이 있다. 살기를 원하고 죽기를 싫어하는 것, 잘 살기를 원하고 못 살기를 싫어하는 것, 더 잘 살기를 원하고 더 못해지기를 싫어하는 것은 누구에게나 보편적인 진실이다.

〈관괘〉에서 "나에게서 나오는 것을 보고 나아가거나 물러날 것"이라고 한 것은 공자의 말과 일맥상통한다. 이는 자기 욕망을 조절할 줄 안다는 말이다. 톨스토이의 민화에서 땅만 눈에 들어온 농부 바흠이 실패한 것은 바로 자기 욕망의 조절이다.

순풍이든 역풍이든 항해는 계속된다

〈관괘〉에 담겨 있는 메시지는 이런 것이다. 어린아이처럼 보거나 힐끔 보는 것은 어리석은 일이다. 자기 욕망을 솔직히 바라보고 자기 욕망을 조절할 줄 아는 사람이 세상과 운명을 지혜롭게 볼 수 있다.

내가 선술집 주인에게 주역점의 결과를 솔직하게 이야기해주지 못한 것은 운명을 어린아이의 눈으로, 혹은 힐끔 보았기 때문이었다. 나는 거센 파도가 일고 있는 그의 운명을 보고 어린아이처럼 책장을 덮고 커튼 뒤로 숨었다.

《주역》의 대가 왕부지王夫之는 말한다.

눈을 뜨고도 보지 못하는 것이 있는데, 색깔이 없어서 그런 것이 아니

다. 귀가 있어도 듣지 못하는 것이 있는데, 소리가 없어서 그런 것이 아
니다. 말을 해도 통하지 못하는 것이 있는데, 그 말에 뜻이 없어서 그런
것이 아니다.[12]

눈이 어두워도 보이지 않지만 마음이 어두워도 보지 못한다. 성숙하게
세상과 운명을 볼 수 있는 마음이 없으면 우리는 보아야 할 것을 다 보지
못한다.

어떤 이의 운명에 불고 있는 역풍은 항해에 어려움이 따를 것에 대비하
라는 뜻이지, 항해가 불가능하다는 것도 아니고 항해를 포기하라는 뜻도
아니다.

사람들이 점을 치고 《주역》을 읽는 이유는 인생의 여로에 불어올 순풍
과 역풍에 대비하기 위해서다. 대담한 눈으로 폭풍우 휘몰아치는 바다를
바라보고 항해 계획을 세워야 하고, 그 계획을 실행에 옮겨 원하는 곳으
로 가야 하는 것이 우리의 인생이다.

《주역》에서 잘될 거라고 해도 그 일이 저절로 이루어지는 않는다. 그
것은 순풍일 뿐이다. 순풍이 불어도 내가 닻을 끌어올리고 돛을 활짝 펴
항해를 시작하지 않으면 어떤 좋은 일도 저절로 내 것이 되지는 않는다.

우리 인생에는 왜 순풍과 역풍이 번갈아 불어오는가. 어떻게 순풍은 역
풍으로 바뀌기도 하고 역풍이 다시 순풍으로 바뀌기도 하는가. 이제 그
이야기를 해보자.

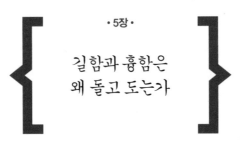

길함과 흉함은
왜 돌고 도는가

인생은 왜 새옹지마 이야기처럼 행운이 불행의 씨앗이 되고, 불운이 행복
의 계기가 되는 일을 되풀이해야 하는가. 《주역》은 행운이 뒤집혀 불운이
되고 불운이 뒤집혀 행운이 되는 것이 우주의 법칙이라고 본다. 이를 '물
극필반物極必反'이라고 한다. 어떤 상황이 극점에 이르면 그와 반대되는
상황으로 변한다는 말이다.

극점에 이르면 반대로 변한다

불교의 《백유경百喩經》에는 다음과 같은 이야기가 나온다.

어떤 바보가 매우 배가 고파서 떡 가게에 들어가 떡을 사 먹었다. 하나를 먹어도 배가 안 부르고 두 개를 먹어도 여전히 배가 고팠다. 마구 먹다보니 여섯 개를 먹었다. 그래도 아직 양이 안 찬 것 같았다. 바보는 일곱 개째 떡을 사서 먹었다. 절반쯤 먹는데 갑자기 포만감이 느껴졌다. 바보는 이렇게 말했다. "아! 이 떡은 절반만 먹어도 배가 부른데, 앞의 여섯 개는 괜히 먹었다! 먼저 이것만 먹었더라면 절반만 먹고도 배가 불렀을 텐데……."

어떤 멍청이가 손님으로 초대를 받아갔다. 주인이 내놓은 음식은 너무 담백하고 싱거워 맛이 없었다. 멍청이가 별로 맛이 없다는 내색을 하자 주인은 소금을 내놓았다. 멍청이는 음식에 소금을 조금 치니 먹을 만해졌다고 느꼈다. 조금 더 치니 훨씬 더 맛이 살아났다. 멍청이는 소금을 넣으면 넣을수록 더 맛있어진다고 생각해서 음식에 소금통의 소금을 다 털어 넣어버렸다. 그랬더니 음식이 짜고 써서 도무지 먹을 수 없는 것으로 변했다.

이 두 이야기는 매우 단순하지만 중요한 진실을 얘기해준다.

바보는 일곱 번째 먹은 떡의 반쪽이 배를 부르게 했다고 생각했다. 배고픔과 배부름은 서로 반대되는 상황이다. 떡을 먹는 것이 쌓이면 어느 순간 배고픔의 상태가 배부름의 상태로 변한다. 그러나 떡 반쪽만으로 배고픔이 배부름으로 바뀐 것은 아니다. 그 이면에는 먼저 먹은 여섯 개의 떡이 쌓여 있다.

우리는 이 바보가 왜 틀렸는지는 알지만, 우리도 일상에서 이런 오류를 저지르고 있는 것은 잘 깨닫지 못한다. 어떤 사람이 무언가 이뤄냈을 때 우리는 성공의 이면에 숨어 있는 피땀과 분투는 보지 않고, 그의 행운만 부러워한다. 운 좋고 손쉬운 성공을 기대하는 것은 여섯 개의 떡을 생략한 채 마지막 절반의 떡만 먹으면 배부를 것이라고 하는 것과 다를 바 없다. 그래서 순자는 말한다. "작은 발걸음을 쌓지 않으면 천리 길을 갈 수 없고, 작은 실개천이 모이지 않으면 강물과 바다를 이룰 수 없다."[13]

멍청이 이야기는 물극필반의 진실을 정확하게 보여준다. 싱거운 음식에 소금을 조금 넣으면 맛을 돋운다. 그러나 소금을 통째 넣으면 음식은 짜고 써서 먹을 수 없는 것으로 변한다. 짠맛이 적당할 때는 입맛을 돋우지만 극한에 이르면 고통으로 변한다. 이것이 바로 물극필반이다.

행운이 불행으로, 불운이 행복으로 전화하는 과정은 물극필반의 전형이다. 작은 행운을 얻으면 인간은 누구나 기쁘다. 좋은 일이 이어져 큰 행복이 되면 앞으로도 계속 그럴 것이라고 여겨 점점 마음이 풀리고 교만해진다. 이렇게 해이해지고 교만해진 마음이 바로 불운의 씨앗이다. 이 불운의 씨앗이 자라 결국 그 사람을 거꾸러뜨린다.

반면에 불운에 빠진 사람은 누구나 정신이 번쩍 든다. 그리고 그 불운에서 빠져나오기 위해 각고의 노력을 한다. 이 정신 차림과 각고의 노력이 바로 행운을 쟁취하는 계기다. 때문에 우리 인생에서 행복과 불행은 다음과 같은 원을 그린다.

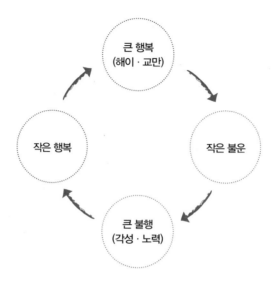

《주역》은 우리 인생이 이런 동그라미 운동 안에 들어 있다는 이야기를 하고 있다. 이는 객관적 현실에 대한 냉엄한 통찰이다. 아무리 잘나가는 당신이더라도 오만과 해이가 당신을 거꾸러뜨릴 수 있음을 잊지 말라는 경고이자 아무리 지옥의 밑바닥에 떨어진 것처럼 느껴지더라도 당신이 분투한다면 지옥에서 걸어 나올 수 있으니 결코 좌절하지 말라는 격려다.

그늘과 볕은 서로 자리를 바꾼다

주역점은 바로 이 동그라미 운동을 원리로 삼고 있다.

《주역》은 본디 점을 치기 위해 만들었다. 때문에 주역점을 어떻게 치는지 대강은 알아야 《주역》의 메시지를 제대로 이해할 수 있다. 주역점은 산가지를 셈해서 점괘를 뽑는데, 산가지 대신 동전이나 카드로도 할 수 있다. 주역점을 치는 방법은 이 책의 맨 뒤에 부록으로 상세히 소개해두었다. 여기서는 필요한 내용만 살펴보자.

《주역》은 세상의 모든 것을 그늘 아니면 볕으로 나눈다. 그늘과 볕은 고정되어 있지 않고 끊임없는 운동의 과정 속에 있다. 이 그늘과 볕의 운동 또한 물극필반의 법칙을 따른다.

그늘이 발전하면 그 힘이 점점 강해진다. 그러다 극한에 이르면 그늘이 마침내 볕으로 변한다. 볕도 마찬가지다. 볕이 발전하면 그 힘이 점점 강해진다. 그러나 볕의 극한에 이르면 볕이 마침내 그늘로 변한다.

주역점을 칠 때 그늘은 젊은 그늘〔少陰〕과 늙은 그늘〔老陰〕로 나뉘고, 볕은 젊은 볕〔少陽〕과 늙은 볕〔老陽〕으로 나뉜다. 젊은 그늘은 강해지면 늙은 그늘이 된다. 젊은 그늘도 변하긴 변하지만 '그늘'이라는 테두리는 벗어나지 않는다. 마치 바보가 떡 여섯 개를 먹을 때까지 '배고픔'이라는 테두리를 벗어나지 못한 것과 마찬가지다.

그런데 늙은 그늘은 다르다. 이것은 이미 극한까지 와 있는 그늘이다. 그늘 안에서는 더 갈 곳이 없는 상태인 것이다. 그래서 이것은 한번 변하면 그늘에서 볕으로 바뀐다. 일곱 번째 떡을 반쪽 먹음으로써 갑자기 '배고픔'의 상태가 '배부름'의 상태로 바뀌는 것과 마찬가지다.

그늘에서 막 볕으로 바뀌면 젊은 볕이 된다. 젊은 볕은 성장해 늙은 볕으로 변한다. 변하긴 변하지만 아직 '볕'이라는 테두리는 넘어서지 않는다. 그런데 늙은 볕은 볕의 극한까지 온 것이기 때문에 한번 변하면 볕에서 그늘로 바뀐다. 그래서 젊은 그늘이 된다.

젊은 그늘과 젊은 볕은 변화의 과정 안에 있긴 하지만 아직 그늘 또는 볕이라는 각자의 테두리를 벗어나지는 않는다. 즉, 이 변화는 '양적 변화 quantitative change'로서 성질이 변하지는 않는다. 주역점에서는 이를 변하지 않는 효라는 뜻에서 '불변효不變爻'라고 부른다.

반면에 늙은 그늘과 늙은 볕은 자기 테두리를 넘어서 변한다. 이렇게 테두리를 넘어서는 변화는 '질적 변화qualitative change'라고 한다. 주역점에서는 이를 변하는 효라는 뜻에서 '변효變爻'라고 부른다.

주역점을 치면 산가지를 셈해서 6, 7, 8, 9라는 네 가지 숫자 중 하나를 얻는다. 여기서 짝수인 6과 8은 그늘이고 홀수인 7과 9는 볕이다. 그늘은 뒤로 물러나기 때문에 8이 젊은 그늘이고, 그보다 더 물러난 숫자인 6이 늙은 그늘이다. 볕은 앞으로 전진하기 때문에 7이 젊은 볕이고, 그보다 더 앞으로 나간 숫자인 9가 늙은 볕이다.

이 과정을 그림으로 나타내면 아래와 같다.

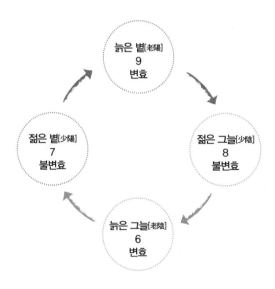

《주역》의 모든 괘는 예외 없이 이 동그라미 운동의 전체 또는 일부를 포함하고 있다.

주역점 읽는 법

《주역》은 변화를 중시하기 때문에 점을 칠 때 변효를 가지고 친다. 예를 들어 점을 쳤는데 다음과 같은 숫자를 얻었다고 하자. 어떤 괘일까.

8-8-8-8-7-7

8은 그늘이고 7은 볕이므로 이 괘는 아래의 네 효가 그늘이고 위의 두 효가 볕인 〈관괘〉가 된다.

이 경우는 그늘인 8과 볕인 7이 모두 변효가 아니므로, 변효가 하나도 없는 〈관괘〉가 된다. 이럴 때는 〈관괘〉의 괘사가 점을 쳐서 얻은 결과가 된다.

그런데 산가지를 셈해 다음과 같은 숫자들을 얻었다면 어떻게 될까.

8-8-6-8-9-9

아래의 네 효는 그늘(6과 8)이고 위의 두 효는 볕(9)이므로, 이 괘도 〈관괘〉다. 하지만 이 〈관괘〉는 앞에서 나온 〈관괘〉와 다르다. 6과 9가 변효이므로, 이 변화를 반영해보자. 변효는 회색으로 표시해보자. 그리고 변효인 그늘을 볕으로, 변효인 볕을 그늘로 바꾸어보면 〈관괘〉가 〈겸괘〉로 변한다.

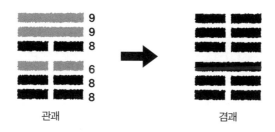

관괘　　　　　　　　　　겸괘

주역점에서 어떤 괘를 얻었을 때 그 괘는 모두 예순네 가지의 변화 가능성을 지닌다. 〈관괘〉를 예로 들자면, 여섯 효가 모두 불변효라면 이 괘는 〈관괘〉 그대로 있겠지만 몇 개의 효, 몇 번째의 효가 변효냐에 따라서 〈관괘〉는 나머지 63개의 괘 가운데 어떤 것으로도 변할 수 있다. 그래서 주역점을 쳐서 나올 수 있는 경우의 수는 모두 64×64=4,096개이다.

복잡하게 여기지 말자. 다만 주역점을 칠 때 그늘과 볕에는 각각 변하는 효와 변하지 않는 효가 있다는 것, 괘를 얻은 뒤에도 그 괘가 다른 괘로 변할 수 있다는 것만 기억하자.

주역점 해석의 예

A를 위해 주역점을 쳤던 실제 결과를 예로 들어보자.

A는 보신탕집 주인이다. 그는 30년 가까이 해온 이 장사를 계속할 것인지 말 것인지 심각한 고민에 빠져 있었다. 88서울올림픽을 앞두고 보신탕이 '야만스러운 불법 음식'으로 단속을 당하던 삼엄한 시절에도 가정집으로 위장해 장사를 했던 사람이다. 이 장사로 아들과 딸, 두 아이 모두 대학까지 무사히 마치도록 뒷바라지를 해줄 수 있었다.

그가 회의에 빠진 것은 딸이 너무도 강력하게 이 장사를 반대하기 때문이다. 아들도 달가워하지는 않지만 특히 딸은 아버지가 보신탕집을 한다는 사실을 너무나 부끄럽게 여긴다. 아예 가게 근처에는 얼씬도 하지 않는다. A는 딸이 어릴 때 개고기를 '사슴 고기'라고 속여 먹인 적이 있다. 딸은 그 기억까지 들먹이며 아버지를 공격한다.

딸이 이렇게 강력하게 반대하니, 자신도 마음이 떳떳하지가 않다. 한편으로는 남들이 달가워하지 않는 장사를 해서 자식들을 대학까지 마치게 했는데, 이제 와서 딸이 저러니 아버지는 서운하고 마음이 아프다.

주변 사람들은 그가 오랫동안 장사해서 큰돈을 벌었을 거라고 짐작하지만 그는 아직도 세 들어서 가게를 하고 있다. 사실은 보신탕집이 아닌 다른 음식점을 해보려고 두 차례나 시도했었다. 그러나 두 번 다 실패로 끝났다. 처음에는 고깃집을 크고 번듯하게 차렸다가 외환위기가 닥치면서 큰돈을 까먹었다. 두 번째는 삼계탕집을 차렸는데, 그것도 조류독감 때문에 돈만 까먹고 보신탕집으로 되돌아왔다. 보신탕집은 잘되는데, 이상하게 다른 음식점을 차리면 파리만 날린다. 다른 일을 할 생각이 없지는 않지만 두 차례나 실패했기 때문에 지레 겁이 난다.

마디 지음의 틀

《주역》은 과연 '보신탕집 주인'이라는 멍에를 벗어던지고 싶은 A에게 어떤 메시지를 들려줄까? A를 위해 주역점을 쳐서 다음과 같은 결과를 얻었다.

　　9-7-6-6-7-8

아래에서부터 효를 그으면, 이 점괘는 다음과 같은 괘를 보여준다.

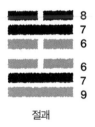

절괘

밑에서 첫 번째(9), 두 번째(7), 다섯 번째(7) 자리에는 볕 효━를 그렸고 세 번째(6), 네 번째(6), 여섯 번째(8) 자리에는 그늘 효━━를 그렸다. 변효인 9와 6은 회색으로 표시했다.

이것은 하괘는 연못☱이고 상괘는 물☵인 〈절괘節卦, 절제〉다. 연못 위에 물이 있으므로 〈절괘〉는 연못 안에 물이 담겨 있는 이미지다. 물은 연못이라는 경계를 넘어서면 안 된다. 이 괘는 세상사에 일정한 한계와 제약이 있음을 말해주는 괘다. 그래서 이 괘의 이름은 '절제'다.

A의 점괘는 〈절괘〉에서 변효인 첫 번째 늙은 별과 세 번째, 네 번째의 늙은 그늘 등 세 효를 봐야 한다. 그림에서 회색으로 표시한 세 효가 변효다. 〈절괘〉의 첫 번째, 세 번째, 네 번째 효사는 다음과 같다.

> 첫째 볕 : 집 뜰을 나가지 않으면, 허물이 없을 것이다.
>
> 셋째 그늘 : 절제하지 못하여 뉘우치면, 허물이 없을 것이다.
>
> 넷째 그늘 : 절제함을 편안하게 여기면, 형통할 것이다.[14]

A가 처한 상황과 연결 지어 이를 해석하면 그는 지금 절제라는 틀에서 자기 사업을 바라볼 필요가 있다.

"집 뜰을 나가지 않으면, 허물이 없을 것"이라고 한 것은 자신에게 익숙한 환경에서 사업을 계속한다면 크게 실패하지 않을 것이라는 얘기로 해석할 수 있다.

세 번째와 네 번째 그늘 효는 그에게 절제가 더욱 필요함을 역설하고 있다. 세 번째 그늘 효는 지금이라도 절제가 부족했음을 뉘우쳐야 허물이 없을 것이라고 하고 있다. 네 번째 그늘 효는 절제를 잘 받아들여 편안하게 여긴다면 일이 잘 풀려갈 것이라고 하고 있다. 그가 원하는 바가 지금 하는 일에서 벗어나는 것이라면 단단한 각오로 더욱 절제된 생활을 해야 한다. 그래야 순조롭게 지금 하는 일의 업보에서 벗어날 수 있다.

대들보가 휘어지는 위기

이것이 다가 아니다. A가 얻은 괘는 〈절괘〉에서 첫째, 셋째, 넷째가 변효다. 변효 세 개가 다 변했을 때 어떤 괘가 되는지를 보자. 이 경우에는 〈절괘〉가 〈대과괘大過卦〉로 변한다. 본래 나온 괘를 '본괘本卦'라고 하고, 변효가 변하여 이루어진 괘를 '지괘之卦'[15]라고 부른다. 여기서는 〈대과괘〉가 지괘이다.

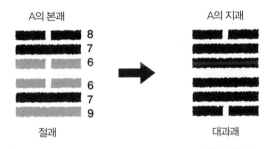

A가 점쳐 물은 내용은 결국 〈절괘〉의 세 변효가 말해주는 상황에서 궁극적으로 〈대과괘〉로 변해가는 과정이라고 할 수 있다. 〈대과괘〉의 괘사는 다음과 같다.

대들보가 휘어지니, 행동하는 것이 이로울 것이며, 형통할 것이다.[16]

〈대과괘〉의 괘사는 우선 "대들보가 휘어진다"고 말한다. 대들보는 지붕을 받치는 구조물이다. 대들보가 휜다는 말은 집안에 감당하기 어려운 일이 닥칠 것이라는 말이다. "행동하는 것이 이롭다"고 한 것은 그런 어려운 일이 닥치기 전에 변화를 도모하는 편이 바람직하다는 뜻이다. 그러면 형통할 것이라는 얘기다.

A가 물은 내용에 대한 《주역》의 답을 종합해보자. A는 먼저 '절제'라는 틀을 통해 자기 사업을 볼 필요가 있다. 익숙한 환경에서 사업을 이어간다면 크게 실패는 하지 않겠지만 지금 하는 일에서 벗어나고 싶다면 절제가 필요하다. 절제가 부족했다면 그것을 철저하게 반성하고 절제의 필요성을 받아들여 실천하라. 곧 집안에 견디기 어려운 일이 닥칠 수 있다. 대들보가 휘어질 정도일 수도 있다. 그에 대비해 미리미리 변화를 도모해야 한다. 그러면 형통할 것이다.

주역점이 A에게 준 메시지는 '절제'라는 틀로 과거사와 현재 상황을 한번 돌아보라는 것과 "곧 대들보가 휠 정도의 어려움이 닥칠 수 있으니, 그에 대한 대비를 하라"는 것이었다.

A는 주역점의 결과를 심각하게 받아들였다. 아마도 절제와 위기의 프레임으로 자기 사업을 재점검했을 것이다. 나는 모르지만 그 자신은 무엇을 절제해야 하는지 잘 알 것이다. 나중에 들은 이야기지만 그는 우선 잦은 해외 골프 모임 등 씀씀이가 큰 인간관계를 어렵게 정리했다. 그리고 몇 년 동안 뼈를 깎는 절제를 통해 다시 여유 자금을 마련할 수 있었고, 보신탕집 대신 동네 할인 마트의 주인으로 변신하는 데 성공했다.

주역은 거울이자 창문이다

《주역》의 괘들은 각각 서로 다른 상황을 보여준다.

어떤 괘는 정치적 상황을 보여주고 어떤 괘는 개인적 상황을 보여준다. 그런데 점을 쳐서 나오는 괘는 무작위이기 마련이다. 예를 들어 개인 사업에 관해 점을 쳤는데 정치적 상황에 관한 괘가 나올 수도 있다. 농사짓는 일에 대해 점을 쳤는데, 전쟁과 관련한 괘가 나올 수도 있다. 이런 경우 어떻게 해석할 것인가.

《주역》에서 괘란 '프레임frame'이다. 그 프레임을 통해 사유해보라고 권하는 것이다. 예를 들어 앞에서 A가 물어본 것은 사업을 계속할 것인지 말 것인지였는데, 주역점에서는 〈절괘〉가 나왔다. 이는 자기 문제를 '절제'라는 프레임을 통해 생각해보라는 뜻이다.

만약 같은 문제를 두고 점을 쳤는데, 군사 행동에 관한 괘인 〈사괘師卦〉가 나왔다면 어떻게 해석해야 할 것인가. 군사 행동이라는 프레임에 넣어서 그 문제를 사고해보라는 뜻이다.

《주역》이 전복적 사유와 상상력을 자극하는 것은 이런 뜻밖의 프레임을 제공하기 때문이다.

그렇다면 프레임이란 무엇인가. 프레임은 두 가지 구실을 한다. 하나는 거울 구실이고 다른 하나는 창문 구실이다. 앞에서 절반만 본 〈관괘〉의 뒷부분 세 효사를 가지고 이야기해보자.

넷째 그늘 : 나라의 빛을 바라볼 수 있는 사람이니, 임금이 손님의 예우로 대하는 신하로 쓰이면 이로울 것이다.

다섯째 볕 : 나에게서 나오는 것을 보니, 군자는 허물이 없을 것이다.

맨 위 볕 : 그로부터 나오는 것을 보니, 군자는 허물이 없을 것이다.[17]

〈관괘〉의 이 세 효에서 보는 것은 크게 두 가지이다. 하나는 '나에게서 나오는 것'을 보는 것이다. 이때《주역》은 자기를 돌아보는 거울 구실을 한다.

다른 하나는 나의 바깥 세계에 있는 것, 타자, 또는 세계를 보는 것이다. 〈관괘〉에서는 이를 '그로부터 나오는 것'과 '나라의 빛'이라고 표현했다. 이때《주역》은 창문틀과 같은 프레임 구실을 한다.

우리는《주역》을 거울 삼아 자기를 비춰볼 수도 있고《주역》을 창문틀 삼아 세상을 내다볼 수도 있다. 이것이《주역》의 메시지를 가장 잘 소화해내는 방법이다. 우리는 거울만 보아도 자기 얼굴에 묻은 검댕을 지우고 자기를 변화시킬 수 있다. 우리는 또 어떤 창문으로 보느냐에 따라 세상에서 전혀 새로운 풍경을 발견할 수 있다.

《주역》의 괘는 거울이자 창문 구실을 하는 프레임이다. 그래서 나는《주역》의 '괘'를 한글로는 '틀'이라고 옮긴다. 괘라는 말이 이미 친숙하기 때문에 이 표현을 쓰되, 괘가 자신과 세상을 보는 틀이라는 의미를 살리기 위해 괄호 안에는 괘의 우리말과 함께 '틀'이라는 표현을 쓸 것이다. 가령 〈절괘〉란 '절제의 틀'이다.

프레임이 정말 그렇게 큰 힘을 발휘할까? 프레임의 차이가 얼마나 다른 결과를 낳는지 말해주는 이야기들이 있다.

아판티의 꿈 해몽
|

옛날 초원 제국의 대왕이 뒤숭숭한 꿈을 꾸었다. 이빨이 다 빠지고 어금

니 하나만 남는 꿈이었다. 무언가 불길했다. 그래서 가장 지혜로운 대신에게 물었다. 대신은 이렇게 해몽했다.

"아뢰옵기 황송하오나, 꿈속에서 이빨은 가족을 뜻하옵니다. 어금니는 전하이옵니다. 어금니만 남고 다른 이는 다 빠졌으니, 이 꿈은 전하의 가족들은 모두 죽고 전하만 살아남을 것이라는 뜻이옵니다."

대왕은 불같이 화를 냈다.

"뭐라고? 내 가족들이 다 죽는다고? 이런 발칙한 것! 저자의 목을 당장 베어라!"

대신은 꿈 해몽 한 번 하고 목숨을 잃었다.

대왕은 다시 백성들 사이에서 가장 현명한 이로 알려져 있는 아판티를 왕궁으로 불러들여 이 꿈을 해몽하도록 했다. 아판티는 이렇게 해몽했다.

"아뢰옵기 황송하오나, 꿈속에서 이빨은 가족을 뜻하옵니다. 어금니는 전하이옵니다. 어금니만 남고 다른 이는 다 빠졌으니, 이 꿈은 전하의 가족들 가운데 전하께서 가장 장수하실 것이라는 뜻이옵니다."

대왕은 기분이 좋아 호탕하게 웃으며 말했다.

"과인이 그렇게 장수한다고? 허허허, 이 현자에게 큰 상을 내리도록 하시오!"

아판티는 꿈 해몽 한 번으로 큰 부자가 되었다.

이 이야기는 위구르족의 민담이다. 대신과 아판티의 꿈 해몽은 같았다. 그러나 한 사람은 죽임을 당했고 한 사람은 큰 부자가 되었다. 두 사람의 차이는 어디에 있을까? 차이는 오로지 프레임에 있다.

대신의 프레임으로 꿈을 보면 대왕은 매우 불행한 사람이다. 앞으로 그에게 남은 것은 가족을 하나하나 잃어가는 불행과 비탄밖에 없다. 그는 남은 가족이 있더라도 그들이 곧 죽을 것이라는 비통스러운 눈으로 그들을 바라보아야 한다. 그는 상실에 슬픔이 더해지는 프레임으로 이 사태들을 지켜볼 것이다.

아판티의 프레임으로 꿈을 보면 대왕은 행복한 사람이다. 비록 가족들은 하나둘 세상을 뜨겠지만 대왕은 천수를 누릴 것이다. 사랑하는 가족들을 하나둘 잃어가는 것이 슬프지 않을 수는 없지만, 그래도 대왕은 자신이 마지막까지 살아남을 것이라는 생각에 위안을 얻는다. 그는 상실에 대해 위안을 얻는 프레임으로 이 사태들을 바라볼 것이다.

《주역》은 지금 자신이 골몰해 있는 문제를 아판티처럼 다른 프레임으로 볼 수 있도록 이끈다.

바뀐 프레임의 힘

청나라 말 농민군 지도자 홍수전洪秀全이 태평천국을 세우고 청 왕조에 반대하는 봉기를 일으켰을 때였다. 진압군을 지휘한 증국번曾國藩은 태평천국군과 격렬하게 싸웠으나 번번이 패했다. 그러나 증국번은 전혀 전의를 상실하지 않고 있었다. 그의 부하가 황제에게 보내는 보고서에서 "우리는 거듭 싸웠지만 거듭 패하고 있다〔我們屢戰屢敗〕"고 썼다. 이를 본 증국번은 이 문장을 "우리는 거듭 패했지만 거듭 싸우고 있다〔我們屢敗屢戰〕"로 바꾸었다. 부하가 쓴 보고서의 문장은 패배만을 강조했다. 증국번은 문구의 위치만 바꾸어 비록 거듭 패하고 있지만 아직 전의가 불타고 있다는 보고로 바꾸었다. 황제는 그를 계속 신임했고 증국번은 끝내 홍수

전의 태평천국군을 진압했다.

중국에서 국공 내전이 격렬하던 1940년대 말 중국국민당 특무기관(비밀정보기관)이 쿤밍昆明에서 장제스蔣介石에 반대하는 활동을 해온 반정부 운동가를 체포했다. 그는 장제스가 교장으로 있던 황포군관학교 출신으로, 장제스와는 사제 관계였다. 특무기관은 그를 어떻게 처리할 것인지 장제스에게 전보로 물었다. 장제스는 "인정상 용서할 수 있으나 죄를 사할 수는 없다〔情有可原, 罪不可赦〕"라고 회신하라고 지시했다. 이는 처형하라는 뜻이었다. 반정부 운동에 동조하고 있던 전보 담당자는 장제스의 문장 앞뒤를 바꾸어 "죄를 사할 수는 없으나 인정상 용서할 수 있다〔罪不可赦, 情有可原〕"라고 타전했다. 특무기관은 석방하라는 뜻으로 해석해 그 운동가를 풀어주었다.

전국시대 제나라의 장군 전기田忌는 제나라의 공자들과 자주 황금을 걸고 말달리기 시합을 벌였다. 각각 세 대의 마차를 출전시켜 세 번 경주해서 3전 2승을 거둔 쪽이 이기는 경기였다. 세 대의 마차는 잘 달리는 정도에 따라 상등·중등·하등으로 나뉘었다. 전반적으로 왕실의 마차가 더 우수했기 때문에 전기는 번번이 질 수밖에 없었다.

전기의 신임을 받고 있던 뛰어난 전략가인 손빈孫臏은 필승 전략이 있다며 전기에게 많은 황금을 걸라고 했다. 손빈은 왕실의 상등 마차가 나왔을 때 전기의 하등 마차를 내보냈다. 당연히 졌다. 그러나 왕실의 중등 마차가 나왔을 때는 전기의 상등 마차를 내보내 이길 수 있었고 왕실의 하등 마차가 나왔을 때는 전기의 중등 마차를 내보내 또 이길 수 있었다. 결과는 3전 2승으로 전기가 승리했다. 《사기》〈손자오기열전孫子吳起列傳〉에 나오는 이야기이다.

증국번의 보고서와 장제스의 전보 이야기는 프레임을 바꾸는 것이 얼마나 큰 힘을 발휘하는지 잘 보여주는 사례다. 전기의 말 경주 이야기는 구도의 재배치가 얼마나 큰 차이를 이끌어낼 수 있는지를 여실히 보여준다.

석탄과 다이아몬드는 똑같이 탄소로 구성되어 있다. 탄소의 배치 구조만 다를 뿐이다. 프레임을 달리 하는 것만으로도 우리는 우리를 둘러싼 상황을 적대적인 것에서 우호적인 것으로, 불리한 것에서 유리한 것으로, 필패에서 필승으로, 심지어는 사망의 음침한 골짜기로 걸어 들어갈 운명에서 활로가 열리는 것으로 바꿔낼 수 있다.

만약 당신이 지금 이 순간 운명이 걸린 중대한 보고서를 써야 하거나 타전을 해야 하거나 인터뷰를 해야 하거나 최후 진술을 해야 한다면, 지금까지 준비해온 메시지의 프레임을 한 번쯤 머리끝에서 발끝까지 발칵 뒤집어보라. 메시지를 재구성해봄으로써 전혀 다른 시각이나 강력한 새로운 반박 논리나 매혹적인 설득력을 갖춘 이야기를 생산해낼 수도 있다.

인간은 지금까지 익숙했던 길로부터 과감하게 자발적으로 벗어나는 것이 거의 불가능한 존재다. 인지과학자들은 인간의 뇌가 익숙한 방식으로 빨리 결론을 내리는 것을 편하게 여기도록 진화해왔다고 지적한다. 그러지 않으면 인간의 뇌는 불안한 상태에 빠진다. 뇌는 창의적인 사고를 결코 편하게 여기지 않는다. 창의적 인간이 극소수인 까닭은 여기에 있다.

《주역》은 우리가 골몰하고 있는 문제에 대해 전혀 다른 프레임으로 보도록 유도한다. 이것이 《주역》을 읽는 매력이다.

운명을 바꾸고 싶다면

쾌괘와 혁괘

우리의 운명을 쥐고 있는 것은 별들이 아니라
우리 자신들이다.

_ 윌리엄 셰익스피어

노력으로 바꿀 수 없는 것만 특별히 '숙명'이라 부르자.

그러나 숙명이 아니라면, 고치지 못할 운명은 없다.

그렇다면 어떻게 변화를 만들어 낼 것인가, 어떻게 변화의 조짐을 읽을 것인가.

또 다가오는 변화에 대비하여 나 자신은 어떻게 바뀌어야 하고,

어떤 선택을 해야 하는가.

《주역》은 호랑이처럼 변하고 표범처럼 변할 것을 요구한다.

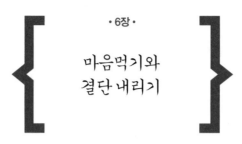

· 6장 ·

마음먹기와
결단 내리기

이제 《주역》을 어떻게 삶에 도움이 되는 도구로 쓸 것인지에 대해 이야기
할 것이다. 먼저 매우 힘겹게 운명을 헤쳐 나가야 하는 이들에 대한 주역
점 이야기를 하나 해두고 싶다.

누구에게나 힘에 부치는 짐이 있다

B는 매우 유능한 여성이다. 업무와 관련한 수상 경력도 화려하다. 그에게
는 단짝처럼 붙어 지내는 남성 회사 동료 C가 있다. 주변 사람들은 둘이
사귄다고 알고 있을 정도다. C는 공식적으로 사귀는 여성이 있다. 그럼에
도 C가 B와 붙어 지내기 때문에 회사에서는 C가 바람기 있는 남성으로
소문이 나 있다.

B는 레즈비언이고 C는 게이다. C에게는 공식적으로 사귀는 여성이 있지만 주변의 시선을 피하기 위한 위장이다. C에게는 20대의 젊고 재력있는 남성 애인이 있다.

C는 B에게 이 모든 비밀을 다 털어놓은 뒤, 위장 결혼을 제안했다. 삼대 외동아들인 C는 집에서 결혼 압력을 매우 강하게 받고 있다. 그러나 커밍아웃할 생각은 전혀 없다. 만약 C가 커밍아웃한다면 그는 보수적인 직장 분위기 때문에 직업을 잃을 가능성이 매우 높다. 집안의 충격을 감당할 자신 또한 없다.

B도 집에서 결혼 압박을 심하게 받고 있다. 그도 집에 레즈비언이라고 커밍아웃할 생각은 전혀 없다. 집안의 충격과 직장의 시선을 감당할 자신이 없기 때문이다.

C는 B에게 일단 위장 결혼해서 주위의 시선을 피하고 각자 편하게 살다가 적당한 때에 이혼해 서로 자기 갈 길을 가면 되지 않겠냐는 제안을 한 것이다. B는 C의 제안이 솔깃하긴 하지만 많은 주변 사람들을 새까맣게 속이는 행동을 선뜻 할 자신이 없다.

어떤 조언도 할 수 없을 때

막장 드라마처럼 읽힐 수도 있겠지만 실제 상황이다.

B에게는 어떤 조언도 하기 어려웠다. 커밍아웃을 하라고 권유할 수도 없었고, 부모와 친지들을 모두 속이는 위장 결혼을 하라고 할 수도 없었다. 그렇다고 그냥 저냥 한평생 살다 가라고 할 수도 없는 노릇 아닌가.

이런 심각한 사안을 두고 주역점을 치고 싶지도 않았다. 혹시라도 주역점이 그들의 중차대한 결정에 조금이라도 영향을 끼친다면 나중에 결과를 두고 감당해야 할 마음의 부담이 너무 클 것이기 때문이다. 그러나 누가 주역점이라도 한 번 쳐보고 싶다고 할 때는 대개 이 정도로 절박한 일이 닥쳤을 때이다.

어떤 인물을 접하거나 어떤 사안을 들으면, 그에 걸맞은 《주역》의 괘가 머릿속에 떠오른다. 이렇게 떠오른 괘는 이성적 판단만으로도 조언을 할 수 있는 내용이다. 그런데 그 사안을 두고 주역점을 쳤을 때 내 머릿속에 떠올랐던 바로 그 괘가 나오는 법은 거의 없다. 물론 내가 생각했던 괘가 나와서 전율한 적도 없었던 것은 아니다. 하지만 전혀 엉뚱한 프레임을 제시함으로써 문제를 뒤흔들어놓고 바라보게 해주는 것이 주역점의 가장 큰 미덕이다.

이 사안을 들었을 때 자기 운명을 바꾸는 내용을 담고 있는 〈혁괘革卦, 바꿈의 틀〉䷰가 떠오르긴 했다. 그러나 《주역》이 과연 적절한 조언을 해줄 수 있을지에 대해서는 확신이 없었다.

결단의 틀 : 연못이 하늘 위로 오르다

B가 C와 위장 결혼을 해야 할 것인가 말 것인가를 두고 주역점을 친 결과, 〈쾌괘夬卦, 결단의 틀〉에서 〈관괘觀卦, 바라봄의 틀〉로 변해가는 괘를 얻었다. 다음 그림을 보면 알 수 있듯 〈쾌괘〉가 〈관괘〉로 변하려면 무려 다섯 개의 변효가 나와야 한다. 매우 극적인 변화다.

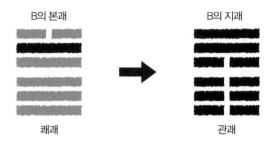

B의 본괘   B의 지괘

쾌괘   관괘

〈쾌괘〉는 상괘가 연못☱이고 하괘가 하늘☰이다. 연못이 하늘 위로 올라간 이미지가 〈쾌괘〉이다. "연못이 하늘 위에 있다〔澤在天上〕"고 하지 않고 "연못이 하늘 위로 올라갔다〔澤上於天〕"[1]고 한 까닭은 연못이 그렇게 높이 올라가면 곧 툭 터져 물이 쏟아질 것 같은 이미지를 주기 때문이다. 그래서 〈쾌괘〉는 무언가가 곧 터질 것만 같은 상황이며, 중차대한 결단을 내려야만 하는 상황에 관한 괘이다.

이 경우처럼 변효가 다섯 개나 나왔다면 본괘인 〈쾌괘〉 전체의 의미를 곱씹어 참조하고 지괘인 〈관괘〉의 괘사를 중심으로 해석을 해야 한다.

먼저 〈쾌괘〉의 괘사와 효사는 다음과 같다.

쾌괘

아래 하늘, 위 연못

결단함

결단함은 왕의 뜰에서 드날리는 것이니, 미더움으로 부르짖더라도 위태로움이 있을 것이다. 자기 마을에서부터 고할 것이요, 무기를 드는 것은 이롭지 않을 것이다. 행동하는 것이 이로울 것이다.

첫째 별: 발을 앞으로 내디디는 데 힘을 쓰니, 가면 이기지 못할 것이며, 허물이 될 것이다.

둘째 별: 경계하며 부르짖으니, 저문 밤에 군사 행동이 있더라도 두려워하지 않을 것이다.

셋째 별: 광대뼈에 힘을 쓰면 흉한 일이 있을 것이다. 군자가 결단해야 할 일을 결단하여 홀로 행하다 비를 만나 젖은 듯하고, 그로 인해 화를 내는 이도 있을 것이나 허물이 없을 것이다.

넷째 별: 볼기에 살갗이 없어 가는 것이 어렵다. 양을 끌고 오면 뉘우칠 일이 없어질 것이나 말을 들어도 믿지 아니할 것이다.

다섯째 별: 비름나물을 뜯듯이 결단할 바를 쉽게 결단하되 중용의 길을 행하면 허물이 없을 것이다.

맨 위 그늘: 부르짖어도 쓸모가 없으니, 마침내 흉함이 있을 것이다.[2]

무슨 소리인지 알쏭달쏭하겠지만 조금만 참고 이야기를 이어가 보자. 각 효사는 나름대로 다 맥락이 있어서 분명하게 해석할 수 있는 이야기들이다.

〈쾌괘〉를 상·하괘로 나누지 않고 여섯 효를 통째로 보면 맨 위의 한 효만 그늘 효이고 나머지 다섯 효는 모두 별 효다. 앞에서 《주역》의 괘는 밑에서부터 위로 그어 올라간다고 했다. 〈쾌괘〉는 밑에서부터 볕 효가 자라 올라와 다섯 효를 다 채우고, 마지막 하나의 그늘 효만을 남겨두고 있는 상황이다. 당장에라도 다섯 볕 효가 하나 남은 그늘 효를 결딴낼 기세의 순간이다. 그래서 〈쾌괘〉는 '결단의 틀'이라고 옮긴다.

열두 달과 열두 벽괘

《주역》의 64괘 가운데에는 1년 열두 달을 나타내는 괘가 모두 12개 있다. 그걸 '열두 벽괘[十二辟卦]'라고 부른다. 〈쾌괘〉도 열두 벽괘 가운데 하나 이다. 열두 벽괘에서 〈쾌괘〉의 자리를 알면 그 성질을 좀 더 잘 알 수 있 다. 열두 벽괘를 표로 나타내면 다음과 같다.

월	자(11월)	축(12월)	인(1월)	묘(2월)	진(3월)	사(4월)
괘	(복)	(임)	(태)	(대장)	(쾌)	(건)
월	오(5월)	미(6월)	신(7월)	유(8월)	술(9월)	해(10월)
괘	(구)	(둔)	(비)	(관)	(박)	(곤)

◆ 열두 벽괘(괄호 안은 음력).

복잡해 보일지 모르지만, 매우 쉬운 표이다. 열두 달이 있는 달력과 같 다. 《주역》이 만들어지던 시절 주나라의 달력에서는 오늘날의 음력 11월이 한해의 첫 달이었다. 그래서 열두 간지 가운데 처음인 자子자를 써서 '자월子月'이라고 불렀다.

자월인 〈복괘復卦〉를 보면, 여섯 효 가운데 맨 밑에 볕 효가 하나 생겼다. 둘째 달에는 밑에 볕 효가 두 개 생겼고, 셋째 달에는 세 개가 되었다. 이렇게 볕 효가 밑에서부터 하나씩 늘어가다가, 여섯 번째인 〈건괘乾卦〉가 되면 여섯 효가 모두 볕 효가 된다.

그 다음에는 볕 효들 밑에서 그늘 효가 하나씩 자라나기 시작한다. 그늘 효가 맨 밑에 하나가 생긴 〈구괘姤卦〉를 지나면 다음엔 그늘 효가 두 개 생기고, 다음엔 셋이 된다. 이렇게 그늘 효가 계속 자라나다보면, 열두 번째 달인 〈곤괘坤卦〉에서는 여섯 효가 모두 그늘 효가 된다. 음으로 꽉 찬 것이다. 그러면 다시 그늘 효들 밑에서 볕 효가 하나 자라난다. 그것이 〈복괘〉이다.

이 열두 벽괘는 변화에 관한 《주역》의 생각을 매우 잘 보여준다.

한겨울에도 따뜻한 볕의 기운 하나가 자라나[復卦] 결국은 봄을 만들어내고 무성한 여름[乾卦]을 만들어낸다. 한여름에도 서늘한 그늘의 기운 하나가 자라나[姤卦] 결국은 가을의 추풍낙엽을 휘몰아치게 만들고 엄동설한의 겨울[坤卦]이 닥치게 만든다. 열두 벽괘를 그림으로 나타내면 다음과 같다.

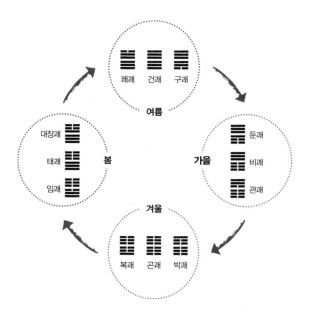

이 봄→여름→가을→겨울의 사이클은 우리가 앞에서 본, 작은 행운→큰 행복→작은 불운→큰 불행이라는 사이클이나, 젊은 볕→늙은 볕→젊은 그늘→늙은 그늘의 사이클과 일맥상통한다.

B에게 중요한 〈쾌괘〉는 열두 벽괘 가운데 초여름의 괘다. 여름의 절정을 코앞에 두고 마지막 하나 남은 그늘의 세력이 최후의 저항을 하고 있다. 〈쾌괘〉는 이 그늘의 세력을 결정적으로 제거해야 하는 상황을 보여주는 괘이다.

이미 볕 효가 다섯 개나 자라났고 그늘 효는 맨 위에 하나밖에 없다. 다섯 볕 효가 하나 남은 그늘 효를 제거하는 일은 식은 죽 먹기처럼 쉬워 보인다. 그러나 세상에 그렇게 만만한 일은 하나도 없다. 《주역》은 가장 쉬워 보이는 일에 대해서도 신중과 경계를 늦추면 안 된다고 강조한다.

〈쾌괘〉는 하나 남은 그늘 효를 제거하는 일에 얼마나 신중을 기해야 하는 지에 대해 거듭 강조하는 내용으로 가득 차 있다. 다른 말로 하면 〈쾌괘〉 는 결론을 내리고 행동에 옮기기가 매우 어려운 상황에 관한 괘이기도 한 것이다.

B의 상황에 견주어 해석하면 〈쾌괘〉는 동성애자로 살아가는 일과 커밍아 웃의 어려움을, 〈관괘〉는 위장 결혼의 어려움을 말해주는 것으로 보였다.

결이화 : 결단을 내리되 조화롭게

〈쾌괘〉의 괘사는 이렇게 말한다(번호는 글쓴이가 붙인 것이다).

(1) 결단함은 왕의 뜰에서 드날리는 것이니, (2) 미더움으로 부르짖

더라도 위태로움이 있을 것이다.

(3) 자기 마을에서부터 고할 것이요, (4) 무기를 드는 것은 이롭지 않

을 것이다.

(5) 행동하는 것이 이로울 것이다.

"(1)왕의 뜰에서 드날린다"는 것은 맨 위에 남은 그늘 효 하나를 결단

해 제거하기가 매우 쉽지 않음을 표현한 말이다. 이 그늘 효는 높은 지위

에 있어서 쉽게 제거할 수가 없다. 매우 높은 자리까지 오른 대신을 처결

하는 일만큼이나 쉽지 않은 일이다. 왕의 뜰에서, 왕의 면전에서, 왕의

신뢰를 얻어서 높은 자리에 있는 대신을 단죄하는 일만큼이나 어렵다는

얘기다.

B의 상황에서 결단이란 자신의 성정체성을 공개하는 일이거나 또는 위장 결혼을 해서 한동안 살아가겠다고 마음을 먹는 일이다. 보수적인 한국 사회에서 이런 결단을 내린다는 것은 이성애가 절대적이라고 믿는 이들 앞에서 동성애라는 운명을 타고난 이들도 있음을 깨우쳐주어야 하는 일이다. 그것은 왕의 뜰에서 왕이 절대적으로 신뢰해온 대신이 사실은 간신이라고 단죄하는 일만큼 힘겹고 고통스러운 일이다.

그래서 "(2)미더움으로 부르짖더라도 위태로울 것"이라고 했다. 진실을 다 말한다고 해서 통하는 것이 아니라, 진실이 받아들여지고 이해되는 과정에서 매우 험난한 상황을 겪을 수밖에 없다는 말이다.

"(3)자기 마을에서부터 고할 것이요, (4)무기를 드는 것은 이롭지 않을 것"이라고 한 것은 마지막 남은 그늘 효 하나를 제거하는 일이 쉬워 보이지만 사실은 매우 쉽지 않은 일이므로 자신과 가까운 곳에서부터 신뢰를 얻어 일을 진행해야지, 우격다짐이나 무력에 호소해서는 안 된다는 얘기다.

《역경》을 풀이한 책인 《단전》을 보면 〈쾌괘〉의 상황에서는 "결단을 내리되 조화를 잃지 않는 것"[3]이 중요하다고 말한다. 매우 중요한 얘기다. B의 상황에서 이 얘기를 풀어보자면, 커밍아웃을 한다면 가족처럼 가까운 사람들에게서 시작하는 것이 바람직하며, 자기 정당성을 싸움하듯이 주장하는 것보다는 온건하게 이해를 구하는 것이 갈등을 줄이는 길이라고 해석할 수 있다.

마지막에 "(5)행동하는 것이 이로울 것"이라고 한 것은 지금의 상황에 머물지 말고 변화를 꾀하라는 뜻이다. 아무리 결단이 어렵다고 해서 이 문제를 회피하거나 묻어둘 수는 없다. 어떤 형식이든 해결 방법을 찾아야 한다는 뜻이다.

〈쾌괘〉의 괘사가 준 의견을 종합하면, 요점은 "결단을 내리되 조화를 깨뜨리지 않도록 하라"는 것이다. 커밍아웃을 하든 위장결혼을 하든.

결단하는 사람들의 여덟 가지 유형

이 의뢰인의 문제에 대한 《주역》의 답을 충분히 검토하려면 〈쾌괘〉 괘사에 이어 효사도 보아야 한다. 〈쾌괘〉의 괘사와 효사는 관점이 일치한다. 〈쾌괘〉의 여섯 효사에는 결단에 임하는 사람들의 모습이 무려 여덟 가지나 나온다.

우선 결단을 내리되 부정적인 경우가 다섯 가지 있다.

"발을 앞으로 내디디는 데 힘을 쓰는" 첫째 별은 '저돌 돌격형'이다. B의 사례에 견주자면, 무작정 커밍아웃하거나 별 생각 없이 위장 결혼에 선뜻 동의하는 경우다.

셋째 별의 앞부분에 나오는 "광대뼈에 힘을 쓰는" 경우는 '발끈형'이다. 자신의 문제를 두고 좌충우돌하며 자기 주장만 내세우는 경우다.

"볼기에 살갗이 없어 가는 것이 어려운" 넷째 별은 '역량 결핍형'이다. 볼기에 살갗이 없으면 근력이 부족해 걸음을 걷기 어렵다. 자기 문제에 대해 제대로 대응할 의지나 신념이 부족한 경우라 할 수 있다.

넷째 별에는 또 다른 부정형이 하나 더 나온다. "말을 들어도 믿지 않는" 경우는 '옹고집형'이라 할 수 있다. 역량이 부족하거나 논리와 신념이 부족하면 이를 보강해야 함에도 다른 사람의 말에는 귀를 기울이지 않는 경우다.

부정적인 경우의 마지막은 "부르짖어도 쓸모가 없는" 맨 위 그늘로, 이는 '시기 상실형'이다. 커밍아웃을 하든 위장 결혼을 하든 모종의 결단을 내렸어야 했으나 이미 적절한 시기를 놓친 경우다.

결단에 임할 때 나타날 수 있는 부정적인 모습을 정리해보자. 결단을 내려야 하는 상황이면 반드시 내려야 하지만 너무 서두르거나 준비가 되지 않은 상태에서 저돌 돌격 본능과 핏대 세우기 등 일시적 감정에 휩쓸리면 좋은 결과가 나올 수 없다. 역량과 신념과 논리가 부족하면 다른 사람에게 배워서라도 자기 확신을 채워야 한다. 시기를 놓치지 않는 것도 중요하다.

긍정적인 방식과 태도로 결단을 내리는 경우는 세 가지가 나온다.

"경계하며 부르짖으니, 저문 밤에 군사 행동이 있더라도 두려워하지 않을 것"이라고 한 둘째 볕은 '신중 민첩 준비형'이다. 그는 적의 공격에 대비해 발 빠르게 경계하고 사방에 미리 호소해 동지를 규합하여 방비를 단단히 해두었기 때문에 어둠을 틈탄 적의 기습 공격과 같은 최악의 상황이 닥치더라도 동요하지 않고 적절히 대처해낼 수 있다.

중국 속담에 "일이 없을 때 일이 있는 것처럼 하고 일이 있을 때 일이 없는 것처럼 한다(無事若有事, 有事若無事)"는 말이 있다. 일이 아직 벌어지지 않았을 때 마치 일이 벌어진 것처럼 단단히 대비를 한다. 그러면 정작 일이 벌어졌을 때는 아무 일도 벌어지지 않은 것처럼 침착하게 대응할 수 있다. 운동선수들이 말하는 "연습은 실전처럼, 실전은 연습처럼"과 같은 얘기다. 사회적 편견 앞에 약한 동성애자라면 어떤 예기치 못한 편견의 공격에도 당당하게 맞설 수 있도록 신중하고 민첩하게 대비하고 있어야 한다. 또 일방적인 희생자가 되지 않도록 자기 논리를 지지해줄 동지를 규합하는 일도 게을리하지 않아야 한다.

"군자가 결단해야 할 일을 결단하여 홀로 행하다 비를 만나 젖은 듯하고, 그로 인해 화를 내는 이도 있을 것이나, 허물이 없을 것"이라고 한 셋째 별은 '외유내강형'이라고 할 수 있다. 그는 셋째 별에 함께 등장하는 부정적인 모습인 "광대뼈에 힘을 쓰는" '발끈형'을 극복한 이다. 겉으로는 세상의 소인배들과 섞여 살아가느라 동지들로부터 오해를 산다. 화를 내는 동지도 있을 수 있다.

그러나 '결단해야 할 것을 결단하고자 하는' 그의 의지는 변함이 없다. 그래서 허물이 없을 수 있다. 이 경우는 아직 때가 무르익지 않았을 경우 다른 사람에게 자기 본색을 드러내지 않고 섞여 살아가는 것을 얘기하는 것이다. 의뢰인의 처지에 견주어 말하자면 커밍아웃보다는 위장 결혼 쪽에 더 가까운 이야기를 하는 것으로 풀이할 수 있다. 위장 결혼을 하고 살아가면 여러 가지 오해를 살 수도 있겠지만 자기 심지가 분명히 서 있다면 궁극적으로 허물은 없다는 것이다.

세 번째의 긍정적인 모습은 "비름나물을 뜯듯이 결단할 바를 쉽게 결단하되 중용의 길을 행하면 허물이 없을 것"이라고 한 다섯째 별의 경우다. 비름나물은 부드러워서 손으로도 매우 쉽게 뜯을 수 있는 풀이다. 다섯째 별은 결단을 해야 하는 대상인 맨 위 그늘과 가장 가깝다. 그래서 제대로 결단을 하지 않으면 그늘과 가까이한다는 오해를 살 수도 있다. 그렇다고 지나치게 과격한 수단을 동원하는 것은 중용을 잃는 태도다. 다섯째 별은 그래서 결단해야 마땅한 일에 대해 엄정하게 결단을 내리되, 중용의 평정심을 잃지 않으면 허물이 되지 않는 상황이다.

이상이 〈쾌괘〉의 효사가 보여주는, 결단하는 이들의 다양한 유형들이다. 〈쾌괘〉는 우리가 운명을 앞에 두고 내려야 하는 결단 가운데 어떤 것이 어리석고 어떤 것이 지혜로운지를 보여준다.

B를 위해 주역점을 친 결과, 다섯째 볕만 변효가 아니었다. 가장 쉽게 결단을 내릴 수 있는 경우에 관한 효만 빠진 것이다.

결단을 말하는 〈쾌괘〉에서 가장 중요한 것은 가까운 사람들로부터 먼저 미더움을 얻어야 한다는 권고와, 결단을 내린다고 해서 저돌 돌격, 발끈, 핏대 세우기, 무장 행동 등과 같이 자기만 옳다고 목소리를 높이는 아집에 빠질 것을 경계하는 목소리다. 결단 이후에도 우리는 평소와 다름없이 살아가며, 사람들의 이해를 구하고, 그들을 설득해야 하기 때문이다. 그래서 결단을 내리되 조화를 잃지 않는 것이 가장 중요하다.

진지해야미더움을얻는다

이 경우는 여기서 끝이 아니다. 〈쾌괘〉에서 무려 다섯 효가 변하여 〈관괘〉로 옮겨가는 상황이기 때문이다. 〈관괘〉의 괘사는 이미 읽은 바 있다.

바라보도록 함은 제사를 드릴 때 손을 씻고 난 직후, 아직 제물을 바치기 전, 처음 시작할 때의 경건함을 그대로 지니고 있으면 미더움이 있어서 바라보는 이들이 마음을 다해 우러러볼 것이다.

〈쾌괘〉가 커밍아웃과 같은 모종의 결단에 관한 조언의 성격이 짙다면

〈관괘〉의 괘사는 현재 B가 고민하고 있는 위장 결혼에 대한 《주역》의 조언이라고 읽어도 좋을 것이다.

위장 결혼을 할 경우 다른 사람의 눈길이 가장 두려울 것이다. 두 집안의 대소사에 함께 등장해야 하고 친구와 동료들 모두에게 부부로 보여야 하기 때문이다.

〈관괘〉의 괘사는 다른 사람이 볼 때 전혀 이상하다는 생각이 들지 않을 정도로 진지해야 한다는 점을 강조하고 있다. "제사를 드릴 때 손을 씻고 난 직후, 아직 제물을 바치기 전"이라는 말은 제사를 막 시작했을 때의 상황이다. 이때는 사람들이 누구나 아직 경건한 마음을 가지고 있다. 제사를 시작할 때와 같이 두 당사자가 그렇게 진지한 태도로 살아가야 사람들로부터 미더움을 얻을 수 있다. 그러면 누구도 이들을 이상한 눈으로 바라보지 않을 것이다. 그래야 모진 편견에 맞서 자기 운명을 개척해나갈 수 있다.

B가 어떤 선택을 하든지 상관없이 《주역》의 조언은 그가 생각을 정리하고 마음을 다잡는 데 적지 않은 도움을 주었다.

B는 아직 결정을 내리지 않았다. 사실은 그것도 하나의 결정이다. 그는 "결단을 내리되 조화롭게" 내리라는 《주역》의 조언을 받아들였다. 그가 자신에게 주어진 조건과 환경을 긍정하고 주변과 조화를 이루며 살아갈 생각을 했다면 그것 자체가 좋은 결정이다. 인생은 한순간의 결단으로 모든 것이 결판나지는 않기 때문이다. 그는 스스로 이렇게 평했다. 앞으로 자신이 어떤 결정을 내리든 자신은 이미 운명에 끌려 다니는 존재에서 자기 운명을 스스로 끌고 다니고자 하는 사람으로 변했다고.

B의 구체적인 상황과 겹쳐 이 괘들을 읽으면서 나에게도 이 괘의 내용

이 훨씬 더 절실하게 다가왔다. 〈쾌괘〉와 〈관괘〉를 읽을 때 어떻게 어떻게 무리한 커밍아웃과 위장 결혼의 고민을 떠올리지 않을 수 있겠는가.

다음에는 《주역》을 읽으면서 어떻게 자기 운명을 바꿀 것인지에 대해 이야기해보기로 하자.

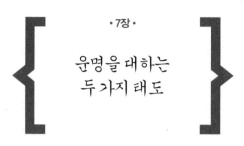

7장

운명을 대하는
두 가지 태도

운명을 어떻게 고치는가.

　운명을 고칠 수 있다고 생각하는 것이 운명을 고치는 첫걸음이다. '운명은 죽었다 깨어나도 고칠 수 없다'고 생각한다면 운명의 노예가 될 뿐 결코 운명을 고칠 수 없다.

오이디푸스의 비극

운명을 고칠 수 없다고 생각한 가장 대표적인 예는 오이디푸스와 그의 아버지 라이오스 왕이다.

　오이디푸스는 테베의 왕 라이오스와 왕비 이오카스테 사이에서 태어났다. 자신의 아들이 "아버지를 죽이고 어머니와 결혼할 것"이라는 신탁을 받은 왕은 아들 오이디푸스가 태어나자 아이의 복사뼈에 쇠못을 박아 승냥이들이 어슬렁거리는 산중에 버렸다.

버림받은 오이디푸스는 목동에 의해 구원받아 아이가 없던 코린토스 왕실로 보내져 왕자로 자라난다. 청년이 된 오이디푸스는 다시 "아버지를 죽이고 어머니와 결혼할 것"이라는 신탁을 받는다. 그 신탁이 자신을 왕자로 길러준 코린토스의 왕을 죽인다는 뜻으로 오해한 그는 운명을 피하기 위해 길을 떠났다가 좁은 길에서 만난 노인을 사소한 시비 끝에 살해한다. 이때 오이디푸스가 죽인 이가 바로 그의 친아버지 라이오스였다.

오이디푸스가 테베로 갔을 때 그곳은 스핑크스라는 괴물에게 시달림을 당하고 있었다. 스핑크스는 사람들에게 수수께끼를 낸 뒤 맞히지 못하면 잡아먹었다. 라이오스 왕이 살해당한 뒤 여왕의 지위에 오른 이오카스테는 괴물 스핑크스를 죽이는 이에게 왕위를 물려주고 자신을 아내로 삼도록 하겠다고 약속했다.

오이디푸스는 스핑크스의 수수께끼를 풀어 그를 물리친 뒤 테베의 왕이 되어 자신의 어미인 줄도 모르고 이오카스테를 왕비로 삼는다. 둘 사이에는 네 자녀가 태어났다.

그 후 테베에는 극심한 전염병이 돈다. 동시에 전염병이 오이디푸스의 패륜 행위 때문이라는 풍문이 나라를 가득 채운다. 그제야 자신이 죽인 이가 친아버지이고 지금 함께 살고 있는 이가 친어머니라는 사실을 알게 된 오이디푸스는 스스로 두 눈을 뽑은 뒤 고향을 떠나 이국에서 죽었다.

오이디푸스 이야기는 고대 그리스의 대표적인 비극이다. 소포클레스 등 많은 비극 작가들이 이 이야기에서 소재를 얻었다. 이 신화의 문학적 상상력은 논외로 하자. 운명에 관심 있는 나는 이 이야기의 진정한 비극은 신탁을 맹신한 데 있다고 본다.

신탁이란 무당이 전하는 신의 말이다. 무당이 "아들을 낳으면 그 아들이 당신을 죽이고 어머니와 결혼할 것이다"라고 했다고 해서 아들이 태어나자마자 산속에 내다버린 어리석음이 비극을 부른 것이다. 아이를 잘 키우면 그런 패륜적 비극을 막을 수 있다고 보는 것이 상식적인 생각이다. 스핑크스를 이길 정도로 지혜로운 청년으로 자란 오이디푸스는 아비가 누구인지 몰랐기 때문에 우발적으로 길거리에서 아비를 죽였다.

오이디푸스 또한 신탁을 맹신했기 때문에 비극을 완성했다. 그는 무당의 이야기를 듣고는 자신을 길러준 코린토스의 의부모에게 패륜을 저지를 것이 두려워 길을 떠났다. 만약에 그가 무당의 이야기를 맹신하는 대신 자신을 믿었더라면 그는 길을 떠나지 않았을 것이고 얼굴도 모르는 친아버지를 우연히 만나 살해하는 지경에 이르지는 않았을 것이다.

오이디푸스는 치밀하게 짜인 운명의 덫에 분노했다. 그러나 그는 분노하는 대신 운명의 코드를 풀어야 했다. 오이디푸스가 진정으로 풀어야 했던 것은 스핑크스의 수수께끼가 아니라 운명의 수수께끼였다. 그는 스핑크스의 수수께끼는 풀었지만 운명의 수수께끼는 풀지 못했다. 그에게 운명은 괴물 스핑크스보다 더 극악한 괴물이었다.

그런데 세상에는 테베의 라이오스왕이나 오이디푸스 왕자와는 다르게 행동한 사례도 있다.

아버지를 죽일 운명의 아이

중국 전국시대 제齊나라에 전영田嬰이라는 재상이 있었다.

그에게는 40여 명의 아들이 있었다. 이 가운데 문文이라는 이름의 아들은 첩의 자식이었다. 이 아이는 음력 5월 5일에 태어났다. 당시 5월 5일에 태어난 아이는 사내아이면 아버지를 죽이고 계집아이면 어머니를 해친다는 미신이 있었다. 전영은 아이가 5월 5일에 태어났다는 말을 듣고 아이의 어미인 첩에게 "그 아이를 키우지 말라"고 명했다. 그러나 어미는 전영 몰래 아이를 살려내 숨겨서 키웠다.

문이 커서 청년이 되었을 때 어미는 다른 형제들을 통해 아비인 전영을 만나도록 했다. 전영은 갑자기 나타난 청년이 그 불길한 아이임을 알고는 불같이 화를 내며 첩을 불러 호통을 쳤다.

"내가 너에게 이 아이를 키우지 말라고 했는데 감히 아이를 키운 이유가 무엇이냐?"

그러자 어미 대신 문이 나서 머리를 조아리며 전영에게 물었다.

"대감께서 5월 5일에 태어난 아이를 키우지 않으시려는 까닭이 무엇입니까?"

전영이 대답했다. "그날 태어난 아이의 키가 문설주의 높이와 같아지면 부모에게 이롭지 않은 일이 생기기 때문이다."

문이 다시 물었다. "사람이 태어날 때 하늘로부터 운명을 받습니까? 아니면 문설주로부터 운명을 받습니까?"

전영은 아무 대답도 하지 않았다.

문은 이렇게 말했다.

"만약 하늘로부터 운명을 받는 것이라면 대감께서 무엇을 걱정하십니까? 하늘이 운명을 주관한다면 아이의 키가 문설주의 높이와 같아지는 것이 무슨 상관이겠습니까? 만약 문설주로부터 운명을 받는 것이라면 문설주를 사람의 키보다 훨씬 높게 만드시면 되지 않겠습니까? 그러면 어떤 사람이 그 문설주에 닿을 만큼 클 수 있겠습니까?"

전영은 "그만하거라"라고 했다. 전영은 마음이 언짢았지만 문이라는 아이의 말이 모두 옳았기 때문에 더 이상 이 청년을 죽이라고 하거나 내쫓으라고 하지 않았다.

얼마 후 문은 다시 한가한 기회에 전영과 이런 대화를 나누었다.

문 : 아들의 아들을 뭐라고 부릅니까?

전영 : 손자라고 한다.

문 : 손자의 손자는 뭐라고 부릅니까?

전영 : 현손이라고 한다.

문 : 현손의 손자는 뭐라고 부릅니까?

전영 : 알 수 없다.

문 : 대감께서는 제나라의 여러 임금 밑에서 재상을 지내시면서 많은 재산을 모으셨습니다. 대감의 후궁들은 비단옷이 남아돌아 밟고 다니지만 선비들은 짧은 바지조차 한 벌 번번이 얻어 입지 못하고 있습니다. 대감네 머슴과 첩들은 밥과 고기를 먹다 남기는데, 선비들은 술지게미도 없어서 못 먹는 형편입니다. 대감께서 이 많은 재산을, 뭐라고 부르는지도 알 수 없는 현손의 현손들에게 물려주시려고 창고에 재워놓고 계시는 동안 나라의 힘은 날로 약해진다는 것을 잊고 계시니, 제가 가만

히 생각해보면 그 점을 참으로 이해할 수 없습니다.

이야기를 들은 전영은 문에게 가문의 살림을 맡기고 선비들을 대접하는 일을 맡도록 했다. 문은 찾아오는 모든 선비들을 후대하여 전영의 영지에 인재가 들끓도록 만들었다. 전영의 명성이 주변 제후들에게 널리 퍼져나가자 제후들은 문을 태자로 삼으라고 권유했다. 전영은 결국 문을 태자로 삼았다. 이 문이라는 청년이 바로 전국시대에 지혜로운 지도자로 이름을 떨친 맹상군孟嘗君이다. 맹상군은 전영이 죽은 뒤 전영의 봉지인 설薛 땅을 물려받아 영주가 되었다. 《사기史記》〈맹상군열전孟嘗君列傳〉에 나오는 이야기다.

맹상군의 운명 돌파
|

오이디푸스 식의 비극에 익숙한 이들은 전영과 맹상군의 이야기가 되레 낯설게 느껴질지도 모르겠다.

전영과 맹상군이 운명을 대하는 태도는 라이오스와 오이디푸스가 운명을 대하는 태도와 전혀 달랐다. 처음에는 전영도 미신 때문에 자기 자식을 죽이려 했다는 점에서 라이오스 왕과 다를 바 없었다. 그 아들이 죽지 않고 살아 있다가 눈앞에 나타났다. 순간 전영의 머릿속에는 "5월 5일에 태어난 자식이 문설주 높이만큼 자라면 아비를 죽인다"는 미신이 떠올랐을 것이다. 전영은 분노가 치솟았다. 나를 죽일 수도 있는 불운의 씨앗이 멀쩡히 살아 있다니, 살기까지 느꼈을 것이다.

이때 청년 맹상군은 어미 대신 직접 전영 앞에 나서 대화를 주도했다. 그는 "만약 문설주의 높이가 사람의 운명을 결정한다면 문설주를 사람의 키보다 훨씬 높게 만들면 되지 않겠는가?"라고 말했다.

맹상군의 입에서 이 말이 나왔을 때 그는 운명이 던진 수수께끼를 맞받아친 것이다. 오이디푸스가 수수께끼를 풀어 스핑크스를 물리친 것처럼 맹상군은 문설주 높이라는 수수께끼를 풀어 운명을 무찔렀다.

맹상군은 이 말 한마디로 아비에게 죽임을 당할 수도 있었을 자신의 운명을 바꾸었다. 자신의 운명만 바꾼 것이 아니라 아비 전영이 아들을 죽이는 패륜적 행동을 하지 않도록 함으로써 아비의 운명까지도 바꾸었다. 나아가 그는 태자가 되고 영주가 되어 많은 불우한 인재들을 등용함으로써 수많은 사람들의 운명을 바꾸었다. 나아가 인재 등용을 바탕으로 제나라를 부강하게 만듦으로써 한 나라의 운명까지 바꾸었다. 그의 빛나는 대화는 사마천에 의해 기록되어 오늘날 운명을 고쳐 쓰고자 하는 우리에게까지 영향을 끼치고 있다.

운명을 바꾸는 첫걸음

오이디푸스 이야기와 맹상군 이야기의 결말은 왜 이렇게 엄청난 차이를 보일까. 오이디푸스는 조건 없는 운명을 통보받았고 맹상군에게 날아든 운명에는 조건이 있었다. 이것이 둘 사이의 모든 차이를 낳았다.

오이디푸스는 아무런 전제도 없이 "아비를 죽이고 어미와 결혼할 것"이라는 운명의 통보를 받았다. 이런 운명은 전혀 대화가 통하지 않는 폭군이다. 이렇게 닥쳐온 운명은 어떻게 피할 도리가 없다. 거기에는 '만약에'가 한 가지도 없다. 오이디푸스의 비극은 매우 폭압적이고 불합리한 세계에서 날아온 것이다. 그 세계는 운명에 대한 어떤 도전도 허용하지 않는다. 그러나 현실에서 이런 세계는 존재하지 않는다.

반면에 맹상군에게 날아든 운명에는 '만약에'가 한 가지 있었다. 그것은 "만약에 아이가 문설주 높이만큼 키가 자란다면……"이라는 것이다. 맹상군은 바로 이 '만약에'를 공격해서 운명을 이겨낼 수 있었다.

이것이 운명을 바꾸는 방법이다. 운명을 바꾸기 위해서는 먼저 운명을 바꿀 수 있다는 것부터 깨달아야 한다. 그것이 첫걸음이다. 다음에는 우리의 힘으로 바꿀 수 있는 고리를 공격해야 한다. 그러기 위해서는 무엇을 바꿀 수 있고 바꿀 수 없는지를 알아야 한다. 우리가 바꿀 수 있는 것과 바꿀 수 없는 것에 대해 좀 더 이야기해보자.

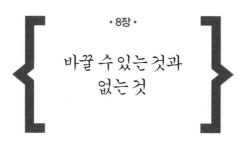

8장

바꿀 수 있는 것과 없는 것

어떤 것을 바꿀 수 있고 어떤 것을 바꿀 수 없는가. 이것을 구별하는 것은 매우 중요하다. 바꿀 수 없는 일에는 아무리 시간과 노력을 많이 투자해도 성과가 나오지 않는다. 자기 힘으로 바꿀 수 있는 일에 집중해야 한다.

여기서 고대 그리스의 철학자 에픽테토스와 고대 중국의 철학자 순자荀子 두 사람을 불러내 이야기를 들어보자. 두 사람은 서로 다른 환경에서 자라나고 사색했지만 결론은 매우 닮았다. 그들의 이야기는 우리가 무엇을 접어두고 무엇에 실천을 집중해야 하는지 가닥을 잡는 데 큰 도움을 준다.

노예 철학자의 물음

에픽테토스는 로마 동쪽의 변경인 프리기아에서 노예의 아들로 태어났

다. 그는 비록 노예였지만 어린 시절부터 생각하기를 좋아했다. 그의 주
인은 일하지 않고 생각에 잠겨 있는 에픽테토스에 분노해 어린 그의 다리
를 부러뜨렸다. 에픽테토스는 노예 노동에 더욱 적합하지 않게 되었다.
나중에 만난 다른 관대한 주인은 노동 능력이 떨어지는 그를 풀어주었다.
노예 신분에서 풀려난 그는 철학을 가르치는 사람으로 살아갈 수 있었다.
그의 제자 가운데는 유명한 황제 철학자 마르쿠스 아우렐리우스도 포함
되어 있었다.

에픽테토스에 따르면 인간은 자신의 생각, 감정, 의견, 욕망, 애착, 자
유, 자제력 등은 스스로의 노력에 의해 바꿀 수 있다. 그러나 물려받은 재
산, 신체, 명성, 돌발 사고, 자기에 관한 다른 사람의 평판 등은 아무리 노
력해도 바꿀 수가 없다.

성장판이 닫힌 뒤에는 아무리 고민해도 키를 더 크게 할 수 없다. 수명
을 무한정 연장시킬 수도 없다. 우리 모두 언젠가는 죽어야 할 운명이다.
부자의 아들로 태어날지 노예의 딸로 태어날지도 자기 의지대로 정할 수
없다. 스스로의 노력에 의해 바꿀 수 있는 것은 오로지 자기 생각과 감정
이다.

에픽테토스의 결론은 이것이다. "의지대로 할 수 없는 일에 매달려 삶
을 낭비하지 말고 자기 의지로 바꿀 수 있는 일을 하라." 그럼으로써 우
리는 운명에 대해 진정한 자유인이 될 수 있다. 에픽테토스는 이렇게 말
한다.

자기 자신의 주인이 되지 못한 사람은 그 누구라도 자유인이 아니다.

우리는 지금 노예로부터 당신이 진정한 자유인이냐는 질문을 듣고 있는 것이다. 자기가 주인이 되어 바꿀 수 있는 것은 그대로 방치하고 자신이 아무리 노력해도 바꿀 수 없는 것들에 예속되어 있는 한, 누구도 진정한 자유인이 아니다.

숙명 : 우리가 바꿀 수 없는 것

무엇을 바꿀 수 없는가.

우선 자연의 법칙은 바꿀 수 없다. 황무지를 개간할 수는 있어도 봄 여름 가을 겨울의 순서를 바꿀 수는 없다. 아무리 과학기술이 발달해도 지구가 태양계 주위를 공전하기 때문에 생겨나는 사계절과 자연의 법칙은 바꿀 수 없다.

자연의 우연한 선택에 의해 혹은 삼신할머니 마음대로 부잣집에 혹은 가난한 집에 태어나고, 더러는 건강하게 더러는 나약하게 태어난다는 사실도 바꿀 수 없다.

인간은 시간이 지남에 따라 노화가 진행되어 기력이 쇠약해지고, 총기가 떨어지며, 언젠가는 죽는다. 어떤 부자도, 운동선수도, 과학자도, 성직자도 이 자연 현상만은 비켜갈 수 없다.

요즘은 성형수술이 발달해 얼굴을 크게 고칠 수 있다. 남자를 여자로, 여자를 남자로 바꾸기도 한다. 과학기술의 발달은 과거에 불가능했던 영역을 점진적으로 확장할 것이다. 그럼에도 자연 법칙이 만들어놓은 다양한 우연적 상황 속에서 인간이 살아가야 한다는 점은 근본적으로 바뀌지 않는다.

어떤 씨앗은 비옥한 땅에 떨어지고 어떤 씨앗은 바위틈에 떨어진다. 두 씨앗은 서로 다른 환경에 처했지만 각자의 고투를 통해 살아남아야 한다. 인생 또한 각자가 우연히 마주친 조건 속에서 고투해야 한다는 사실은 아무리 과학기술이 발달하더라도 근본적으로 바뀌지 않는다.

이런 것들이 노력으로 바꿀 수 없다. 인간이 노력으로 바꿀 수 없는 것을 '숙명宿命'이라고 한다. 운명 가운데 자신의 힘으로 결코 바꿀 수 없는 것만을 특별히 '숙명'이라고 부르기로 하자.

운명 : 인간의 노력 앞에 열려 있는 것

인간의 힘으로 어찌할 수 없는 숙명이 아니라면 고치지 못할 운명은 없다. 사계절의 순환 속에서 살아가야 한다는 것은 숙명이다. 그렇다고 여름에는 쪄 죽고 겨울에는 얼어 죽어야 한다는 얘기는 아니다. 고대 중국 전국시대의 합리적 사상가인 순자는 이렇게 말한다.

하늘의 움직임에는 늘 그러한 법칙이 있다. 요임금 같은 훌륭한 통치자 때문에 하늘이 존재하는 것도 아니고, 걸임금 같은 나쁜 통치자 때문에 하늘이 없어지는 것도 아니다. 하늘의 움직임에 잘 순응해 세상을 다스리면 길하고, 그에 잘 순응하지 못해 세상을 어지럽히면 흉하다.

자기가 힘써야 할 일에 힘쓰고 씀씀이를 아끼면 하늘도 그를 가난하게 할 수 없고, 몸을 잘 돌보고 때에 맞게 행동하는 사람은 하늘도 그를 병이 나게 할 수 없으며, 길을 따라 오로지 한마음으로 걸어가면 하늘도 그에게 재앙을 내릴 수 없다. 장마와 가뭄도 이런 사람은 굶주리게 할 수 없고, 모진 추위와 모진 더위도 이런 사람은 병들게 할 수 없으며, 요괴 잡신도 이런 사람은 불행하게 만들 수 없다.

자기가 힘써야 할 일은 버려두고 씀씀이도 헤프면 하늘도 그를 부자로 만들 수 없고, 몸을 돌보지 않고 때에 맞게 행동하지 않으면 하늘도 그를 건강하게 할 수 없으며, 올바른 길을 어기고 멋대로 행동하면 하늘도 그를 길하게 할 수 없다. 그런 사람은 장마와 가뭄이 닥치지 않더라도 굶주리고, 모진 추위와 모진 더위가 닥치기도 전에 병이 나며, 요괴 잡신이 나타나기도 전에 불행에 빠진다.

(…) 그러므로 하늘이 하는 일과 사람이 하는 일을 밝게 구분할 줄 알아야 한다. —《순자》〈천론天論〉

순자는 '하늘이 하는 일'과 '사람이 하는 일'을 구분하라고 말한다. 그는 이것을 '하늘과 사람의 나뉨〔天人之分〕'이라고 불렀다.

순자와 에픽테토스는 같은 말을 하고 있다.

450개의 '만약'이라는 운명

운명에 관한 한 《주역》은 에픽테토스나 순자와 같은 태도를 취한다.

《주역》은 인간의 힘으로 어쩔 수 없는 신비의 세계를 알아내려는 책이 아니다. 《주역》은 자기 힘으로 바꿀 수 있는 것을 능동적으로 바꾸라는,

매우 확실하고 실천 가능한 메시지를 준다. 나의 운명을 결정하는 것은 나의 생각과 행동이다. 운명을 바꾸길 원한다면 생각과 행동을 바꾸어야 한다. 생각과 행동이 바뀌지 않는 한 운명도 바뀌지 않는다.

《주역》은 점치는 책으로 만들어졌는데, 어떻게 《주역》이 운명을 바꾸는 책이 될 수 있는가.

《주역》에는 괘사 64개, 효사 386개 등 모두 450개의 판단이 나온다. 450개의 괘·효사는 예외 없이 '상황에 대한 설명'과 '그에 대한 길흉 판단'의 두 가지 부분으로 나뉜다. 예를 들어 앞에서 읽었던, 〈쾌괘〉의 다섯째 별 효와 맨 위 그늘 효를 보면 "X이면 Y일 것이다"라는 구조로 이루어져 있다.

다섯째 별 : (X)비름나물을 뜯듯이 결단할 바를 쉽게 결단하되 중용의 길을 행하면 (Y)허물이 없을 것이다.

맨 위 그늘 : (X)부르짖어도 쓸모가 없으니, (Y)마침내 흉함이 있을 것이다.[4]

이 두 효사에서 "(X)비름나물을 뜯듯이 결단한다"는 것과 "(X)부르짖어도 쓸모가 없다"는 것은 상황에 대한 설명이다. 뒷부분인 "(Y)허물이 없을 것이다"와 "(Y)마침내 흉함이 있을 것이다"라는 것은 길흉 판단이다.

간단하게 말해 《주역》의 모든 괘사와 효사는 이처럼 "X이면 Y일 것이다"와 같은 구조로 되어 있다.

X에는 옛날 일화나 자연 현상 혹은 그 괘 안에서 특정한 상황 등의 이

야기가 나온다. 이야기의 형식은 다르지만 공통점은 모두 우리의 생각과 행동을 상징적으로 보여준다는 점이다.

Y는 X처럼 생각하거나 행동하면 그 결과가 어떨 것인지에 대한 판단을 담고 있다. 가령 길하다〔吉〕, 흉하다〔凶〕, 뉘우칠 것이다〔悔〕, 어려울 것이다〔吝〕, 허물이 있을 것이다〔有咎〕, 허물이 없을 것이다〔无咎〕 등이 그런 판단이다.

이처럼 《주역》에 나오는 길하다, 흉하다는 말은, 제비뽑아서 운이 좋거나 나쁘다고 하는 것과 전혀 다르다. 《주역》에 이유 없이 길하거나 흉한 사태는 없다. 어떤 상황에서 적절하게 생각하고 행동하고 반응하면 길하고, 그러지 못하고 무리하거나 제대로 대응하지 못하면 흉하다.

《주역》에는 길흉 이외에 뉘우침〔悔〕과 어려움〔吝〕이 있는데, 이 두 가지를 합쳐서 '회린悔吝'이라고 한다. 뉘우침과 어려움은 길흉으로 가는 징검다리다. 뉘우침이 있을 것이란 말은 흉한 상황을 돌이켜 뉘우칠 수 있다면 길해질 수 있다는 말이다. 흉함은 뉘우침을 거쳐 길함으로 갈 수 있다.

또 어려워질 것이란 말은 길한 상황을 유지할 수 있는 능력이 없다면 어려움에 빠져 결국 흉해질 것이라는 말이다. 길함은 어려움을 거쳐 흉함으로 갈 수 있다.

《주역》을 읽다 보면 길하거나 흉하다는 효보다 뉘우침이 있거나 어려워질 것이라는 대목, 혹은 위태로울 것이라는 대목에 인간적인 고뇌가 더 많이 담겨 있음을 느낄 수 있다. 뉘우침, 어려움, 위태로움은 대체로 이루기 어려운 욕망을 추구하거나 정당하지 않은 방법을 동원할 때 생긴다. 그럴 줄 알면서도 미망을 떨쳐버리지 못하는 것이 인간이다. 길함과 흉함, 뉘우침과 어려움의 관계를 그림으로 그리면 다음과 같다. 여기에서도 《주역》을 관통하고 있는 동그라미 운동을 확인할 수 있다.

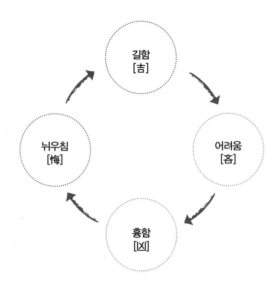

전제 조건을 읽으라

《주역》은 "너는 이런 운명을 겪을 것이다"라고 판결을 내리지 않는다. 대신 "너는 X라는 전제 조건 아래서 Y와 같을 것이다"라고 얘기한다.

앞에서 인용했던 〈동인괘〉의 괘효사를 예로 들어보자. 알기 쉽게 표로 정리했다.

전제 조건 (X)	길흉 판단 (Y)
피붙이들 사이에서 사람들과 함께하면	어려워질 것이다
문 밖에 나서서 사람들과 함께하면	허물이 없을 것이다
교외에서 사람들과 함께하면	후회할 일이 없을 것이다
벌판에서 사람들과 함께하면	형통할 것이다

위의 표는 다음과 같은 반대의 뜻도 이면에 포함하고 있다.

전제 조건 (X)	길흉 판단 (Y)
피붙이들을 넘어서서 사람들과 함께하면	어려워지지 않을 것이다
문 밖에 나서서 사람들과 함께하지 못하면	허물이 있을 것이다
교외에서 사람들과 함께하지 못하면	후회할 일이 생길 것이다
벌판에서 사람들과 함께하지 못하면	형통하지 않을 것이다

《주역》의 모든 괘효사는 "X라는 전제 조건을 만족시키면 그 길흉 판단은 Y일 것이다"라는 구조로 이루어져 있다. 이 전제 조건을 주의 깊게 읽어야 한다. 그래야 어떻게 하면 흉함을 피하고 길함을 얻을 것인지 알 수 있기 때문이다. 《주역》에 '길하다'는 표현이 나왔다고 해서 무조건 길한 것은 아니다. 전제 조건을 충족시키지 못하면 그 길함을 실현할 수 없으므로 어려워지거나 흉해질 수 있다. 또 '흉하다'는 표현이 나왔다고 해서 실망할 필요도 없다. 흉하게 될 조건을 피해가거나 달리 행동하면 흉해지

지 않을 수 있고 길해질 수도 있기 때문이다.

《주역》의 괘효사에서 어떤 경우에는 X(전제 조건)가 생략되기도 하고, Y(길흉 판단)가 생략되기도 한다.

X가 생략된 경우는 다음의 다섯 가지뿐이다.

> 〈항괘〉 둘째 별 : 후회가 사라질 것이다.
> 〈대장괘〉 괘사 : 바르면 이로울 것이다.
> 〈대장괘〉 둘째 별 : 바르면 길할 것이다.
> 〈해괘〉 첫째 그늘 : 허물이 없을 것이다.
> 〈취괘〉 넷째 별 : 크게 길하면 허물이 없을 것이다.[5]

이 다섯 괘효사는 괘의 이미지, 그늘과 별의 배치 등을 미루어볼 때 전제 조건 없이도 길흉 판단을 내릴 수 있기 때문에 전제 조건을 생략한 것이다.[6] 비록 생략되었지만 여기에도 일정한 전제 조건은 숨어 있는 셈이다.

Y가 생략된 경우는 적지 않다. 이는 X만 읽어보아도 길흉 판단을 내릴 수 있거나 길흉 판단이 복합적인 경우다. 예를 들면 〈곤괘〉 첫째 그늘과 같다.

> 서리를 밟으면 굳은 얼음이 이를 것이다. [7]

이 경우 X만 있고 Y가 없다. X만 읽고도 충분히 판단할 수 있기 때문이다. 서리를 밟았다는 것은 늦가을이 닥쳤음을 알았다는 뜻이므로, 굳은 얼음이 닥치는 겨울을 준비해야 한다. 준비를 잘하면 겨울에 고생하지 않아 길하고 형통할 수 있다. 그러나 준비를 게을리하면 겨울에 여러 가지 어려움을 겪을 것이다. 이 효사에서 생략된 것은 이런 내용이다.

《주역》에는 450개의 조건문, 450개의 "만약에……"가 있다. 이 정도라면 인생에서 만날 수 있는 거의 모든 조건문이 다 들어 있다고 해도 과언이 아닐 것이다.

길흉을 직접 바꿀 수는 없지만 전제 조건에 해당하는 내용은 스스로 바꿀 수 있다. 전제 조건은 곧 우리의 생각과 행동이기 때문이다. 길흉의 결과를 바꾸고 싶다면 자신의 생각과 행동을 바꾸어야 한다.

지금 무언가 풀리지 않거나 매우 힘든 상황에 빠져 있는 이라면 먼저 자신의 평소 생각과 행동을 한 번 돌아볼 필요가 있다. 어떻게 생각과 행동을 바꿀 것인가. 바꿈에 관한 틀인 〈혁괘革卦, 바꿈의 틀〉에서 생각과 행동을 바꾸는 법을 읽어보기로 하자.

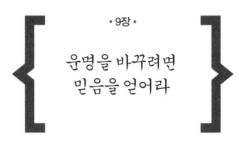

9장

운명을 바꾸려면
믿음을 얻어라

《주역》의 마흔아홉 번째 괘인 〈혁괘〉䷰는 구체적으로 운명을 어떻게 바꿀
것인지에 관해 얘기한 괘다. 여기에는 운명을 바꾸는 근본적인 원칙에 관
한 관점이 담겨 있다.

〈혁괘〉는 혁명에 관한 괘다. 혁명이란 급진적 사회 혁명만을 얘기하는
것이 아니다. 자기 운명을 바꾸기 위한 실천이라면 모두 혁명적인 행동이
다. 사람과 운명이 바뀌는 것이 진정한 혁명이다. 사람과 운명을 바꾸지
못하면서 성공한 사회 혁명은 없다.

나를 바꾸려면 전체를 바꿔라

우선 〈혁괘〉에서 말하는 혁명은 왕조 교체와 같은 정치적 격변을 말한

다.[8] 《주역》 64괘 가운데는 이렇게 정치적인 내용이 담긴 괘가 여럿 있다.[9] 당시 왕과 귀족들이 정치, 외교, 군사, 경제와 관련한 중요한 문제들을 두고 점을 쳤기 때문에 이런 내용들이 《주역》에 포함되어 있는 것은 당연한 일이다.

이런 정치사회적 내용이 담긴 괘는 개인의 운명과는 관계가 없는 이야기일까? 그렇지 않다. 정치사회적 프레임과 개인사의 프레임을 함께 배치해둔 것은 《주역》 지은이들의 의도다. 비록 개인사라 할지라도 우리는 정치사회적 프레임에 넣어 사고함으로써 새로운 통찰을 얻을 수 있으며, 거꾸로 정치사회적 문제도 개인사의 프레임을 통해 바라봄으로써 새로운 시각을 얻을 수 있다.

예를 들어보자. 용이 물속에서 나와 하늘에 오르는 과정을 그리고 있는 〈건괘乾卦〉는 군주가 될 자질(용의 덕)을 갖추고 있는 인물이 각고의 노력 끝에 군주의 자리에 오르는 이야기다. 만약 군주가 될 가능성이 전혀 없는 시골 농부가 점을 쳐서 이 괘를 얻었다면 어떻게 해석해야 할까. "나는 군주가 될 가능성이 전혀 없으니, 이 괘는 잘못 나온 것이다"라고 해야 할까? 아니면 "나는 이제 군주가 될 운명을 얻었으니, 농사일을 때려치우고 황제의 궁궐에 입성해야겠다"는 결심을 해야 할까? 두 가지 해석 다 잘못이다.

〈건괘〉는 군주의 상징인 용을 등장시켜 이야기하고 있지만 지금 당신의 문제를 용처럼 강인한 의지로 뚫고 나가는 이야기의 프레임을 통해 바라보라는 권유를 하고 있는 것이다. 당신이 군주라고 얘기하는 것도 아니고, 당신이 군주가 될 것이라고 얘기하는 것도 아니다. 주역점은 우리가 살아가면서 부닥치는 문제를 두고 치는 것이다. 만약 농부가 농작물과 관련한 문제를 두고 주역점을 쳐서 이 괘를 얻었다면 그는 자기가 지금 당

면한 문제를 〈건괘〉의 프레임으로 보라는 권유를 얻은 것이다.[10]

개인사를 정치사회적 프레임을 통해 보면 문제가 더 잘 보이는 효과가 있다. 이는 우리가 개인적 문제에는 제대로 처신하지 못하면서도 공직에 있는 이들의 잘잘못은 훤히 들여다보는 것과 같은 이치이다.

〈혁괘〉는 본디 정치 혁명에 관한 내용을 담고 있지만 자기 운명을 바꾸고자 하는 사람은 여기서 자기 혁명을 위한 강령을 읽어낼 수 있다. 왕조 교체와 같은 정치적 격변이나 사회의 근본 질서를 뒤바꾸는 사회 혁명은 매우 험난한 과정을 거치게 마련이다. 개인이 자기 운명을 바꾸는 일도 쉬운 일은 아니다. 왕조 교체나 사회 혁명에 버금갈 정도로 각고의 노력과 지속적인 실천이 필요하다. 〈혁괘〉가 이야기하고 있는 혁명이란 바로 이렇게 운명을 바꾸기 위한 강인하고 지속적인 실천이다.

주역은 소인을 돕지 않는다

〈혁괘〉는 운명 바꾸기에 관해 가장 직접적으로 이야기하고 있는 괘다.

얼마 전에 D라는 이를 위해 주역점을 쳐서 바로 이 〈혁괘〉를 얻은 적이 있다. 그의 사례를 통해 〈혁괘〉에 접근하면 이해가 더 쉬울 것이다.

D는 엔지니어다. 그는 마흔이 넘으면 독립하겠다는 생각으로 지금 다니고 있는 회사의 생산 도면을 카피해두고 부품 샘플을 수집해왔다. 그가 다니는 회사는 대기업의 하청 회사다. 이 대기업은 같은 제품을 두 가지 방식으로 생산한다. 하나는 D가 다니는 회사에 주요 부품의 하청을 주고 있고, 다른 하나는 다른 하청업체에서 생산하고 있다. 문제는 D가 다니는

회사에서 생산하는 부품은 언젠가 단종될 것이라는 점이다. D는 지금까지 카피해온 도면들과 부품 샘플들이 곧 쓸모없어질 것이라는 점을 절감해왔다. 고민하던 D는 다른 하청업체로 이직할 것을 심각하게 고려 중이다. 그는 만약에 이직에 성공한다면 그 하청업체에서도 도면을 카피하고 부품 샘플을 모아 나중에 독립할 준비를 할 것으로 보인다.

그가 지금 다른 하청업체로 옮기면 어떻겠는지 주역점을 쳐보자고 했다. D의 이직 의도를 짐작하고 있었던 나는 주역점이 적절하지 않겠다고 했다. 주역점은 바른 일에 관해 물어야지 그릇된 일에 관해서는 물을 수 없다.

다시 말해 도둑질이나 강도, 방화, 유괴, 살인 같은 흉악 범죄를 저지를 계획을 세워두고 이 계획이 잘될 것이냐고 주역점에 물어서는 안 된다는 뜻이다. 혹시라도 이에 관해 점을 쳤다 하더라도 그 결과를 이런 그릇된 일을 지지하는 것으로 해석해서는 안 된다. 이는 《주역》이 만들어지던 시대부터의 원칙이다.

《춘추좌전春秋左傳》이라는 역사책에 그런 사례가 몇 가지 실려 있다. 남괴南蒯는 노魯나라의 유력자 계씨季氏의 가신이었다. 남괴는 계씨로부터 소홀한 대접을 받자 반란을 일으킬 계획을 세운 뒤 주역점을 쳐서 〈곤괘坤卦〉 다섯째 그늘 "황색 치마를 두르면 크게 길할 것이다"[11]라는 점괘를 얻었다. 남괴는 반란을 위해 좋은 점괘가 나왔다고 크게 기뻐하며 지혜로운 인물인 자복혜백子服惠伯에게 이에 대해 물었다. 그러자 자복혜백은 이렇게 답했다.

나는 오랫동안 《주역》을 배웠습니다. 주역점을 칠 때 진실되고 미더운 일이라면 쳐도 좋지만 그렇지 않다면 반드시 실패할 것입니다.

(…) 대저 《주역》으로 그릇된 일을 점쳐서는 안 됩니다.[12]

남괴가 얻은 점괘는 그의 반란을 지지해주는 내용이 아니다. 앞에서 본 것처럼 이 효사 또한 전제 조건(황색 치마를 두르면)과 길흉 판단(크게 길할 것이다)의 두 부분으로 이루어져 있다. "황색 치마를 두른다"는 말은 군주를 최측근에서 모시는 2인자이면서 자기를 낮추어 낮은 등급의 치마(궁정 의복)를 두른다는 이야기다. 이는 신하의 도리를 다한다는 뜻으로 해석할 수 있다. 이 효사에 "크게 길할 것"이라는 말이 있다고 해서 남괴가 계획한 반란이 성공할 것이라는 뜻으로 해석할 수는 없다. 되레 반란을 꿈꾸지 말고 신하로서 도리를 다 한다면 크게 길할 것이라는 권고로 해석해야 한다.

《주역》의 대가 가운데 한 사람인 장재張載는 이와 관련해 다음과 같은 말을 남겼다.

《주역》은 군자를 위해 도모하지 소인을 위해 도모하지 않는다.[13]

소인이란 자기 목적의 달성을 위해서라면 수단과 방법을 가리지 않는 사람이다.《주역》이 그런 험한 일을 지지하는 것으로 해석해서는 안 된다는 뜻이다.

옳지 않은 일을 점쳐선 안 된다

경쟁사로 이직할 계획을 세워둔 D를 위해 주역점을 쳐주기를 망설인 것은 이런 이유 때문이다. 어디까지가 바른 일이고 어디서부터 그릇된 일인지 판단하기가 쉽지는 않다. 앞에서 예로 들었던 동성애자도 남을 속이는 위장 결혼이니 그릇된 일이 아니냐고 주장할 수도 있겠다. 나는 그이들이 지고 가야 할 억센 운명을 고려해본다면 다른 사람을 해치지 않는 한 함부로 그릇된 일이라고 단정할 수는 없다고 생각했다. 사실은 반란도 마찬가지다. 폭군에 대한 반란을 그릇된 일이라고 할 수는 없다.

경쟁사로 이직하려는 D의 경우는 좀 다르다. 그 또한 그의 인생에서 이 문제가 매우 절박할 것이다. 그러나 도면을 몰래 카피하거나 부품 샘플을 빼돌리는 행위는 산업 재산권 침해이므로 정당화하기 어렵다. 자신의 사정이 아무리 절박하다고 해도 다른 사람의 권익을 해치는 일을 정당하다고 인정해줄 수는 없기 때문이다.

나는 그에게 이직을 하되, 도면과 부품의 카피를 통해 독립하는 방식을 꾀하지 말고, 그 직장에서 사장의 인정을 받아 그의 도움 아래 독립하는 것이 좋지 않겠느냐는 의견을 얘기해보았다. D는 내가 우려하는 방식의 행동을 절대 하지 않을 것이라며, 단순히 자신의 이직 문제만을 두고 주역점을 쳐보자고 했다.

결과는 〈혁괘革卦, 바꿈의 틀〉에서 〈구괘姤卦, 만남의 틀〉로 변해가는 상황을 얻었다.

혁명은 믿음을 얻는 데서 시작한다
|

〈혁괘〉의 괘사와 효사는 다음과 같다.

혁괘

아래 불, 위 연못

바꿈

혁명(운명을 바꾸는 일)은 일정한 세월이 흘러야 믿음을 얻을 수 있다. 혁명은 널리 통해야 하며, 바른 길을 걸어야 이롭다. 그럴 수 있다면 뉘우칠 일이 생기지 않을 것이다.

첫째 별: 조급한 행동을 막기 위해 누렁소의 가죽을 써서 단단히 묶어 두어야 한다.

둘째 그늘: 시기가 무르익어 운명을 바꾸니, 실천하여 앞으로 나아가면 길할 것이고 허물이 없을 것이다.

셋째 별: 앞으로 나아가면 흉할 것이며, 가만히 있더라도 위태로울 것이다. 운명을 바꾸겠다는 주장을 세 번 실천해 이루어낸다면 미더움을 얻을 것이다.

넷째 별: 뉘우칠 일이 생기지 않을 것이다. 미더움을 얻어 운명을 고치면 길할 것이다.

다섯째 별: 큰 사람이 호랑이처럼 변신하니, 점을 쳐서 물어보지 않더라도 미더움을 얻을 것이다.

맨 위 그늘: 군자는 표범처럼 변신하고 소인은 얼굴만 바꾸니, 이런 상황에서 앞으로 치고 나아가면 흉할 것이며, 안정을 지키면 길할 것이다.[14]

122

먼저 괘사를 보자. 〈혁괘〉에서 가장 강조하는 것은 미더움이다. 괘사는 "혁명(운명을 바꾸는 일)은 일정한 세월이 흘러야 믿음을 얻을 수 있다"고 강조한다. 이는 사회 혁명이든 개인의 혁명이든 마찬가지다.

사회 혁명에서 가장 중요한 것은 그 주장이 세월을 견디는 것이다. 사회 혁명을 하겠다는 것은 세상의 운명을 통째로 바꾸겠다는 것이다. 그에 따라 그 공동체의 모든 사람들의 운명이 한꺼번에 바뀐다. 어느 날 아침 갑자기 나타나 세상을 바꾸겠다, 정치를 바꾸겠다, 큰 정치를 하겠다, 새 정치를 하겠다고 주장하다가 홀연히 사라지는 사람을 한두 번 본 것이 아니다. 옳은 말을 한다고 해서 사람들이 무조건 따르지는 않는다. 자기 운명이 달린 일인데 사람들이 어찌 호락호락 동의하겠는가. 옳은 주장도 믿음을 얻어야 힘이 실린다. 믿음을 얻기 위해서는 그 주장이 세월을 견뎌야 한다. 믿음이 없으면 혁명도 없다.

개인이든 공동체든 사람들의 믿음을 얻어야 운명을 바꿀 수 있다. 이 말을 거꾸로 해보자. 사람들의 믿음을 얻고 있다면 그는 자기 운명을 바꿀 역량을 갖춘 것이다.

언제 혁명이 필요한가

혁명은 언제 필요한가. 위기가 닥쳤을 때다. 위기도 아닌데 날벼락처럼 혁명이 터지는 법은 없다.

개인도 마찬가지다. 경험으로 미루어볼 때 사람들이 《주역》에 관심을 가지는 이유는 다양하지만 그가 위기 상황에 처했다는 점에서는 같다. 중

요한 결정을 내려야 할 때, 무언가 이루어지기를 간절히 바랄 때, 현재 상
태가 너무 힘들고 앞이 잘 보이지 않을 때, 미래가 어떻게 될지 알 수 없
고 불안할 때 사람들은 선무당이라도 붙잡고 묻고 싶어 한다. 이것은 개
인에게 혁명이 필요한 상황이다. 개인이 자기 운명을 바꾸기 위해 무언가
를 하지 않으면 안 되는 상황이다.

〈혁괘〉의 여섯 효사가 얘기해주는 것은 이렇게 절박할 때 정확한 상황
판단을 바탕으로 행동하라는 것이다. 〈혁괘〉의 여섯 효사는 크게 두 무리
로 나누어볼 수 있다. 앞의 세 효사는 혁명 전의 상황이고 뒤의 세 효사는
혁명 후의 상황이다. 사회 혁명이든 개인 혁명이든 혁명 이전과 이후로
나눠 정세 판단에 근거해서 움직여야 하는 점은 같다.

먼저 앞의 세 효사부터 보자. 혁명이 터지기 전의 상황, 개인이든 공동
체든 근본적인 개혁이나 대수술이 필요한 상황을 〈혁괘〉는 세 가지로 요
약해 얘기하고 있다.

(1) 혁명의 시기가 무르익지 않아 행동을 취하는 것이 위험한 상황(첫
째 변)

(2) 시기가 무르익어 적절한 행동을 지속적으로 취해 전진해야 하는
상황(둘째 그늘)

(3) 어떤 행동을 취하는 것도, 취하지 않는 것도 모두 의심을 살 수 있
는 위험한 상황(셋째 변)

맹동을 막아야 할 시기

첫째는 아직 때가 아닌 경우다. 당신이 답답해서 뭔가 변화를 꾀하고 싶어도 아직 때가 아니다. 이 경우는 시기가 무르익을 때까지 물에 잠긴 용처럼 조금만 더 지그시 잠겨 있어야 한다('물에 잠긴 용'에 관해서는 3부 11장 참고). 〈혁괘〉는 이럴 때 함부로 행동하지 않도록 "누렁소의 가죽을 써서 단단히 묶어두어야 한다"고 했다. 그래서 제나라의 재상이었던 관중管仲은 "사태의 진전보다 함부로 앞서 나가지 말라"[15]고 경고했다.

혁명의 시기가 아직 무르익지 않았을 때 함부로 행동하면 결과는 끔찍한 비극으로 귀결할 수 있다.

빅토르 위고의 《레미제라블》에 나오는 시가전은 1832년의 실패한 혁명이다. 이보다 2년 전인 1830년 프랑스 공화파는 샤를 10세를 영국으로 쫓아내고 루이 필리프를 황제로 앉혔다. 이를 7월 혁명이라고 한다. 1830년의 성공에 들뜬 급진 청년들은 1832년 공화파 장 라마르크 장군의 죽음을 계기로 왕정 타도를 주장하며 다시 거리로 쏟아져 나왔지만 시민들은 2년 만에 또 황제를 폐위시킬 준비가 되어 있지 않았다. 왕정복고에 반대하는 공화주의자 청년들은 바리케이드를 쌓고 정의를 외치면 파리 시민들이 다 동조할 것으로 믿었지만 시민들은 창문을 닫고 귀를 막았다. 그 결과 바리케이드는 붕괴하고 수많은 청년들이 피 흘리는 참극으로 끝났다. 시기가 무르익지 않았을 때 지도부의 맹동에 의해 시작된 바리케이드전은 처참한 희생으로 끝난다.

혁명의 시기가 무르익었다는 것을 어떻게 판단할 수 있는가. 영화 〈레미제라블〉의 장면을 가지고 얘기하자면 창문 밖으로 내던지는 의자와 탁자와 피아노 등 가재도구가 바로미터가 될 수 있다. 삶의 도구를 내팽개 친다는 것은 더 이상 지금처럼 살 수는 없겠다는 비장한 결의다. 공동 가 옥의 베란다에서 떨어져 박살나 바리케이드로 쌓이는 가구들이 곧 혁명 의 이미지다. 혁명의 성패는 아마도 얼마나 많은 이들이 기꺼이 가재도구 를 창문 밖으로 내던지느냐에 달려 있을 것이다.

노자는 "백성들이 죽음을 두려워하지 않는다면 무엇으로 그들을 두 렵게 하겠는가?"[16]라고 했다. 사람들이 삶에 더 이상 희망을 걸지 않는 순간, 죽음으로도 그들을 두렵게 할 수 없는 상황, 그것이 바로 혁명 전 야이다.

영화 〈레미제라블〉의 시가전 장면에서 시민들은 창밖으로 가구를 내던 지는 대신 창문을 닫았다. 아직 혁명의 시기가 무르익지 않은 것이다. 지 도부는 자신들의 신념을 추호도 의심하지 않았으나 옳은 주장이 늘 승리 하는 것은 아니다. 1830년의 혁명을 성공시킨 바리케이드가 1832년에도 그대로 똑같은 힘을 발휘하는 것은 아니었다. 어제의 승리를 가져온 방 법이 오늘의 승리를 보장하지는 않는다. 무엇보다 중요한 것은 1832년의 혁명을 주도한 급진 청년들이 일상의 삶을 살아가고 있는 수많은 파리 시 민들의 생활 감정과 정서로부터 거리가 멀었다는 점이다. 1832년의 희생 은 맹동주의에 대한 피의 교훈을 남기고 막을 내렸다.

맹동주의의 위험은 눈을 감고 행동하는 맹목성에 있다. 맹동은 자기도 다치고 남도 다치게 만든다. 맹동주의를 경계하는 것은 기회주의가 아니 라 휴머니즘이다.

개인의 맹동을 경계하는 법

사회 혁명에만 맹동이 있는 것은 아니다. 개인사에도 맹동이 있다.

친구 E는 학창 시절 한 여자 후배를 너무 좋아했다. 그러나 젊은 시절의 E는 연애는 말할 것도 없고 인생 경험 자체가 너무 부족했다. 그는 술만 취하면 후배에게 사랑 고백을 하고, 전화를 걸고, 집으로 찾아가 기다렸다. 할 수 있는 모든 방법을 동원해 대시를 한 것이다. 불행하게도 후배는 E라면 진저리를 쳤다. 요즘 같으면 E는 스토커 취급을 당했을 것이다.

연애라는 것은 감정의 문제이기 때문에 무작정 들이대는 것이 먹힐 때도 있고, 차근차근 다가서서 되레 잘 안 풀릴 때도 있다. 그러나 상대의 마음을 읽으려는 노력을 하지 못하고 들이대기만 해서 '스토커'로 받아들여질 정도가 되었다면 그건 맹동에 빠진 것이다. E는 맹동에 빠짐으로써 자신이 좋아하는 사람과 가까워질 기회를 스스로 차버렸다. 맹동은 자기도 망치고 관계도 망치고 연애도 망치고 삶도 망친다.

나도 아직 때가 아닐 때 맹동적으로 움직였던 경험이 있다.

나는 18년 다닌 직장을 별다른 계획 없이 훌쩍 나왔다. 간절하게 다른 일을 하고 싶었기 때문이었지만 그 결과 내가 일할 만하지 않은 곳에서 여섯 달을 매우 힘겹게 보내야 했다. 내가 일할 곳이 아니라는 판단이 서자마자 바로 사표를 던지고 도망치듯 나왔다. 만약 거기에 발목이 잡혔더라면 나는 인생에 깊은 주름이 졌을 것이다. 그래서 나는 혹시라도 나처럼 우선 저지르고 싶어 하는 이가 눈에 띄면 극구 만류한다.

내가 절실하다고 해서 세상이 나를 절실하게 보아주지는 않는다. 내가 절실하다면 스스로 절실하게 혁명(운명 바꾸기)을 준비하는 것 말고는 다른 방법이 없다.

내가 준비가 되었는지 안 되었는지는 어떻게 판단하는가.

가장 좋은 방법은 가족과 오랜 친구 등 나를 속속들이 가장 잘 아는 사람들이 나의 준비 상태를 믿어주는가 그렇지 않은가를 먼저 체크하는 것이다. 그들이 내가 움직이는 데 동의한다면 나는 준비가 된 것이다. 그들은 오직 나를 믿고 내가 원할 때 기꺼이 가재도구를 창밖으로 던져 바리케이드를 쌓아줄 것이다. 이런 상태가 바로 〈혁괘〉에서 말한, 미더움을 얻은 상태다. 미더움을 얻는 것이 바로 혁명이다.

반드시 행동해야 할 시기

둘째는 시기가 무르익어 반드시 행동을 취해야 할 때다. 행동의 타이밍이 닥친 것이다. 이런 때는 가만히 있는 것이 되레 문제가 된다.

1894년 썩은 조선 왕조를 무너뜨릴 기세이던 동학농민군은 전주에서 정부군과 화약을 맺고 주춤거리고 있었다. 이때 청나라 군대와 일본 군대가 개입해 들어와 농민군은 결국 일본군에 처참하게 진압당했다. 타이밍을 놓치고 성공한 사회 혁명은 역사에 존재하지 않는다.

타이밍은 때로 수만의 군대보다 더 강한 위력을 발휘하기도 한다. 1809년 나폴레옹의 프랑스군은 오스트리아군과 빈 근교 벌판에서 와그람 강을 사이에 두고 대치했다. 프랑스군과 오스트리아군은 각각 15만 명 정도로 숫자 면에서는 대등했다. 와그람 강에는 다리가 오로지 하나뿐이었다. 오스트리아군은 설마 그 다리로 프랑스군이 무모하게 건너올 것이라고는 꿈에도 생각지 못했다. 그 순간 백마를 탄 혈혈단신의 프랑스 장군이 고함을 지르며 전속력으로 다리를 건넜다. 뒤이어 프랑스군이 하늘 높이 먼지 구름을 일으키며 순식간에 와그람 다리를 건너왔다. 싸울 태세가 안 되어 있던 오스트리아군은 갑자기 벌어진 백병전에서 궤멸적인 타격을 입었다. 혈혈단신 다리를 건넌 이는 바로 황제 나폴레옹이었다. 아무도 그가 그렇게 무모하게 적진을 향해 돌격할 줄 몰랐다. 심지어 그의 참모들조차 나폴레옹의 돌발 행동에 놀랐다. 총사령관이 다리를 건넜는데 장군들이 따라 건너지 않을 수 없었고, 장군들이 건넜는데 병사들이 돌격하지 않을 수 없었다. 나폴레옹은 적이 아직 싸울 준비가 안 되었을 때 공격의 타이밍을 잡기 위해 목숨을 내걸고 돌격 작전을 솔선수범한 것이다.

1597년 명량해전에서 조선 수군은 전선이 겨우 13척뿐이었으나 열 배가 넘는 133척의 전선을 거느린 왜를 맞아 대승을 거두었다. 이 싸움에 관한 여러 설화가 있지만 가장 믿을 만한 것은 이순신 장군이 탄 배가 직접 왜군의 배를 들이받아 물에 빠진 적장 구루시마 미치후사來島通總를 갈고리로 끌어올린 뒤 참수해 목을 높이 내걸어 왜군의 사기를 떨어뜨린 것이 승리의 주요 원인이라는 분석이다. 이순신 장군 또한 와그람의 나폴레옹처럼 목숨을 건 솔선수범으로 공격의 타이밍을 장악했다.

지연행동의 굴레

타이밍이 너무도 중요하다는 것은 누구나 다 안다. 혁명이나 군사 행동은 말할 것도 없다. 타이밍을 놓친 영웅은 존재하지 않는다. 좋은 친구가 되기 위해서도 타이밍을 맞출 수 있어야 하고, 연애를 잘하기 위해서도 타이밍을 놓쳐서는 안 된다.

그러나 불확실성으로 가득 찬 이 시대에 이런 행동이 쉽지 않다. 마땅히 해야 할 일임에도 정상 이상으로 미루는 것을 심리학에서는 '지연행동procrastination'이라고 한다. 심리학자들의 연구에 따르면 대학생의 40∼70퍼센트, 성인의 20퍼센트가 지연행동의 특징을 보인다고 한다. 우유부단하여 결단을 내리지 못하고 행동에 나서지 못하는 것은 점점 더 뚜렷한 현대인의 징후로 자리 잡을 것이다.

심리학자들에 따르면 지연행동의 가장 큰 원인은 '실패에 대한 두려움'이다. 내가 저 친구에게 한 걸음 다가갔다가 거절당하지나 않을까, 웃음거리가 되지는 않을까, 사태를 악화시키지나 않을까, 다시는 기회조차 얻지 못하는 것이 아닐까. 이런 망설임은 모두 실패 공포에서 비롯한 두려움이다. 중요한 타이밍을 놓치면 그 일은 기억에 남아 마음을 갉아먹는다. 지연행동으로 타이밍을 놓치면 후회와 절망, 때로는 수치심과 죄의식이 밀려오며, 불안해지고 우울해질 수도 있다.

맹동과 지연행동 가운데 어느 편이 더 문제일까. 둘 다 문제이지만 현대인에게는 지연행동이 더 문제로 떠오르고 있다. 마키아벨리 또한 둘 다 문제라면 차라리 맹동이 더 낫다고 주장한다. 행운의 여신은 머뭇거리는 이에겐 등을 돌리지만 과감하게 행동하는 이에게는 순종한다는 것이다.

자신에게 지연행동의 징후가 느껴진다면 '자이가르닉 효과Zeigarnik Effect'를 상기하는 것도 한 가지 방법이다. 러시아 심리학자 블루마 자이가르닉Bluma Zeigarnik은 웨이터들이 아직 계산이 안 끝난 주문 내역은 정확히 기억하면서 계산을 다 치른 주문은 잘 기억하지 못하는 현상에 주목했다. 그는 여기에 착안하여 두 그룹의 실험 대상자들에게 같은 일거리를 준 뒤, 한 그룹은 정상적으로 일을 끝내도록 하고 다른 그룹은 일을 끝내지 못하도록 방해했다. 나중에 일거리의 내용에 대해 질문하자 정상적으로 일을 끝낸 이들은 잘 기억하지 못하는 반면, 방해를 받아 일이 중단된 그룹은 일의 내용을 훨씬 정확하게 기억하고 있었다.

일을 순조롭게 마친 이들의 뇌에서는 일의 완수와 동시에 그 일의 회상 가치(기억할 만한 가치)가 낮아진 반면, 일을 중단당한 이들은 아직 그 일에 대한 긴장이 풀리지 않았기 때문에 일의 내용을 더 잘 기억한다는 것이다. 이 실험은 인간이 일단 착수한 일에 대해서는 끝내고자 하는 욕구가 강하게 만들어짐을 보여준다. 이건 "시작이 반"이라는 속담을 매우 강력하게 지지하는 실험이다. 그러므로 지연행동의 굴레를 깨는 길은 다른 것이 없다. 일단 시작하고 보는 것이다.

이러지도 저러지도 못하는 시기

맹동을 하면 절대 안 되는 시기와 반드시 행동해야 하는 시기, 사실은 이런 두 극단적인 시기보다 〈혁괘〉에서 말하는 세 번째 시기를 우리는 더 오래 겪을지 모른다. 세 번째 시기란 이러지도 저러지도 못하는 시기다. 〈혁괘〉는 이렇게 말한다.

앞으로 나아가면 흉할 것이며, 가만히 있더라도 위태로울 것이다. 운명을 바꾸겠다는 주장을 세 번 실천해 이루어낸다면 미더움을 얻을 것이다.

앞으로 나아가면 흉하고 가만히 있어도 위험하다. 이럴 수도 없고 저럴 수도 없다. 이는 공동체의 운명을 바꾸겠다고 주장하는 세력이 아직 미더움을 얻지 못한 상황을 말한다. 가만히 있어도 비난을 살 수 있고, 함부로 행동하다가는 맹동주의의 비극을 초래할 수 있다.

이건 개인에게는 어떤 시기인가. 조직에서 아직 충분히 미더움을 얻지 못했는데 어떤 일을 추진해야 하는 경우다. 이 경우 바로 큰 일을 밀어붙이기보다 작은 실천을 여러 차례 거듭해 먼저 신뢰 관계를 구축하는 것이 바람직하다고 〈혁괘〉는 말하고 있다.

미더움을 얻는 데는 늘 시간이 걸린다. 그러나 기회와 결단의 순간은 내가 얼마나 미더움을 샀는지, 얼마나 준비되었는지를 살펴주지 않고 닥친다. 허겁지겁 행동에 나서려 하면 신뢰를 더 크게 잃거나 타이밍을 잃을 수 있다. 신뢰나 타이밍을 잃는 것은 내 인생에서 중요한 발판 하나를 허물어뜨리는 일이다. 미더움은 내 인생을 버텨주는 기초 공사다.

여기서 세 번이라는 말은 꼭 숫자 3이 아니라 많은 횟수를 가리킨다. 이런 상황에서는 함부로 주장을 앞세우지 말고, 작은 일이라도 말과 실천이 일치함을 여러 차례 보여주어 미더움을 얻어야 한다는 것이다.

호랑이처럼 표범처럼 변신하라

〈혁괘〉의 여섯 효사 가운데 뒤의 세 효사는 이미 변화의 물결이 들이닥친 시기다. 혁명적 변화가 이미 닥쳤을 때 우리는 어떻게 행동해야 하는가. 〈혁괘〉는 세 가지 서로 다른 상황을 보여준다.

(4) 뒤를 돌아볼 겨를이 없다. 세상의 미더움을 얻어 과감하게 운명을 갈아치워야 길하다.

(5) 큰사람이 호랑이처럼 굳세게 변하면 점을 쳐서 묻지 않아도 미더움을 얻는다.

(6) 군자는 표범처럼 변하지만 소인배는 얼굴만 바꾼다. 혁명의 열기가 식을 때가 닥치니, 계속 행동하는 것은 좋지 않으며, 안정을 지키는 것이 길하다.

(4)는 혁명의 시기가 이미 닥쳤을 때 변화의 물결을 맞아 어떻게 행동해야 하는가를 말해주고 있다. 이때는 과감하게 운명을 갈아치우는 행동에 나서야 한다.

(5)는 혁명의 시기에 자기 변신에 성공한다는 것은 호랑이와 같은 존재가 된다는 뜻이라고 말한다. 산중호걸 호랑이는 어떤 적을 만나도 동요하지 않는다. 자기에 대해 태산 같은 믿음이 있기 때문이다.

세상이 변화에 대한 열정으로 가득 찬 혁명의 시기를 이끄는 리더는 점쟁이나 무당에게 자기 운명을 물어보지 않고 호랑이처럼 전진한다. 이런 시기에 점쟁이나 무당에게 자기 운명을 묻는 사람은 리더라 할 수 없다. 세상이 뒤집어지고 흔들리는데 리더마저 흔들리면 중심을 둘 곳이 없다. 격변의 시기를 헤쳐 나가려면 부동의 평정심이 있어야 한다.

(6)은 혁명 이후다. 혁명에 취한 사람들은 혁명이 영원할 것이라는 낭

만에 도취되기 쉽다. 그러나 혁명의 열기가 식을 때가 반드시 닥친다. 365일 풍랑이 이는 바다가 없는 것처럼. 개인도 마찬가지다. 열정은 주전자에 담긴 물과 같다. 계속 끓이지 않으면 식는 것을 피할 수 없다. 잔치가 끝나면 천막을 걷어야 하고 손님들은 집에 가야 한다. 음악도 멎고 화려한 조명도 꺼진다. 이 시기를 대비하는 것이 매우 중요하다.

이때는 기회주의가 고개를 든다. 겉으로는 혁명에 동조하는 척하지만 사실은 자기 잇속만 챙기는 사람들, 자리다툼만 벌이는 이들이 고개를 든다. 소인배는 얼굴만 바꿀 것이다. 그래서 〈혁괘〉는 "군자는 표범처럼 변하지만, 소인배는 얼굴만 바꾼다. 혁명의 열기가 식을 때가 닥치니, 계속 행동하는 것은 좋지 않으며, 안정을 지키면 길할 것이다"라고 했다.

군자는 범접할 수 없는 호랑이에서 조금은 친근한 표범으로 변해 소인배들과 함께 안정을 도모해야 한다. 격렬한 변화 뒤에는 구성원들에게 안정감을 주는 것이 중요하다.

지금까지 〈혁괘〉가 어떤 이야기를 하고 있는지 보았다. 〈혁괘〉가 말하는 혁명의 핵심은 믿음이다. 자기 운명을 바꿀 수 있다고 믿는 것이 혁명의 시작이고 사람들의 믿음을 얻는 것이 혁명의 모든 것이다. 믿음 없이는 혁명도 없다.

혁지구 : 바뀜에서 만남으로

그러면 이직을 고려 중인 D에 대해서는 《주역》이 어떤 조언을 하고 있는 걸까.

D를 위해 친 주역점에서는 〈혁괘革卦, 바꿈의 틀〉에서 〈구괘姤卦, 만남의 틀〉로 변해가는 상황을 얻었다.

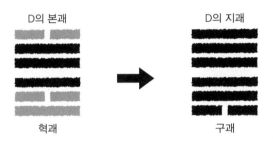

〈혁괘〉의 첫째 볕, 둘째 그늘, 맨 위 그늘(여섯째) 세 효가 변효다. 세 효의 내용은 다음과 같다.

　첫째 볕 : 조급한 행동을 막기 위해 누렁소의 가죽을 써서 단단히 묶어두어야 한다.

　둘째 그늘 : 시기가 무르익어 운명을 바꾸니, 실천하여 앞으로 나아가면 길할 것이고 허물이 없을 것이다.

　맨 위 그늘 : 군자는 표범처럼 변신하고, 소인은 얼굴만 바꾸니, 이런 상황에서 앞으로 치고 나아가면 흉할 것이며, 안정을 지키면 길할 것이다.

앞에서 얘기했듯이, 첫째 효는 맹동주의를 경계하는 내용이고, 둘째 효는 반대로 타이밍을 놓칠 것을 경계하는 내용이다. 이렇게 모순된 내용이 함께 나왔을 때는 어떻게 해석해야 할 것인가. 두 가지를 다 경계하는 것이다. 맹동주의에 빠져서도 안 되지만, 그렇다고 타이밍을 놓쳐서도 안 된다. 우리의 선택은 늘 이 모순된 두 가지를 다 잡아야 한다는 데에 어려움이 있다.

맨 위 효에도 두 가지 이야기가 담겨 있다. 당신이 군자라면 표범처럼 변신할 것이다. 그러나 당신이 소인이라면 얼굴만 바꾸는 데 지나지 않을 것이다. 이 효는 D에게 이런 질문을 던지고 있다. 당신은 군자인가, 아니면 소인인가. 당신은 이직을 통해 표범처럼 멋진 프로페셔널로 변신하려는 것인가, 아니면 얼굴빛과 속이 다른 소인이 되려는 것인가.

누구의 마음으로 만날 것인가

이 점괘는 여기서 그치지 않고 〈구괘姤卦〉의 괘사를 함께 읽어야 한다. 〈구괘〉의 괘사는 다음과 같다.

"(그늘과 볕의) 만남 : 여성이 씩씩한 것이니, 이 여성을 배우자로 받아들이지 말 것이다."[17]

〈구괘〉는 맨 밑의 첫 효만 그늘 효이고 나머지 다섯 효는 볕 효인 괘이다. 앞에서 본 열두 벽괘 가운데 음력 5월에 해당한다. 〈구괘〉는 앞에 나왔던 〈쾌괘〉에서 두 단계 더 진척된 상황이다. 〈쾌괘〉는 맨 위에 그늘 효가 하나 남아서 아래의 다섯 볕 효가 이를 결단하여 제거하려는 상황에 관한 괘였다. 〈구괘〉는 여섯 효가 모두 볕인 〈건괘乾卦〉를 지나 다시 맨 아래에 그늘 효가 하나 자라나기 시작한 상황이다. 여섯 효가 모두 볕 효이던 상황에서 그늘 효가 생겨나 그늘과 볕이 다시 만나기 시작했으므로 이 괘는 '만남'이라는 뜻을 가지고 있다.

월(음력)	3월	4월	5월
괘	䷪ (쾌)	䷀ (건)	䷫ (구)

이 괘는 맨 밑에 그늘 효 하나가 위의 다섯 볕 효를 향해 자라나는 이미지이다. 그늘 효는 여성이다. 그래서 괘사에서 "여성이 씩씩하니 이 여성을 배우자로 받아들이지 말 것"이라고 했다. 이 괘사에는《주역》이 만들어지던 시절 남존여비男尊女卑 사상의 흔적이 남아 있다.

오늘날 이 괘사를 어떻게 해석할 것인가.《주역》의 그늘과 볕은 상징과 은유로 해석하는 게 원칙이므로, 〈구괘〉의 첫 그늘 효를 굳이 여성이라고 한정할 필요는 없다. 마땅히 유순하거나, 마땅히 아랫사람의 도리를 다해야 할 사람이 그렇지 않고 지나치게 당돌할 수 있으니, 그를 취하지 않는 편이 나을 것이라는 뜻으로 해석할 수 있을 것이다. 혹은 유순하지 않은 소인, 야심만만한 소인이니 그를 쓰지 않는 편이 나을 것이라고 풀이할 수도 있을 것이다.

이제 D가 물어온 내용에 견주어 〈구괘〉 괘사를 어떻게 해석해야 할까. 만약 D가 군자의 마음으로 이직 문제를 대한다면 그는 표범처럼 변할 것이므로 〈구괘〉 괘사의 상황에서는 자신이 소인을 쓰지 말아야 하는 처지에 놓인 것으로 해석할 수 있을 것이다.

만약 D가 소인의 마음으로 이직 문제를 대한다면 그는 얼굴빛만 바꿀 것이므로 〈구괘〉 괘사의 상황에서는 되레 자신이 배척당할 수 있는 소인의 처지에 놓인 것으로 해석해야 한다.

나는 D에게 먼저 동종 업종 내부에서 유사 업무 종사자들 사이의 모임을 만들어서 친목도 다지고 인간관계도 돈독히 하면서 기회를 찾는 것이 좋겠다고 이야기했다. D는 내 말을 듣지 않고 이직을 추진했다. 그런데 뜻밖에 경쟁사가 그를 받아들이지 않았다. 경쟁사에서 그에 대해 신뢰가 없었기 때문이다.

어떤 직장인은 다니던 직장의 대표나 선배들로부터 도움과 조언과 축복을 받으면서 이직을 한다. 어떤 이들은 다니던 직장의 거래처나 거래 물량을 가지고 나가려다 충돌과 갈등을 빚기도 한다. 어떤 것이 장기적으로 자기 경력을 계발하고 발전시키는 데 도움이 될지는 자명하다.

이제 《주역》의 메시지를 이해하기 위해 관문 구실을 하는 세 가지 괘를 모두 읽어보았다. 그것은 세상과 운명을 보는 방법을 말하는 〈관괘〉, 어리석은 결단과 지혜로운 결단을 함께 보여주는 〈쾌괘〉, 변혁의 방법을 말하는 〈혁괘〉 등이다.

다음 장에서는 호랑이처럼 변한다는 것이 무엇을 말하는지, 표범처럼 변한다는 것이 무엇을 말하는지, 〈건괘乾卦〉와 〈곤괘坤卦〉를 통해 이야기할 것이다.

〈건괘〉는 하늘, 〈곤괘〉는 땅에 관한 괘로서 《주역》의 첫머리에 나오는 가장 중요한 두 괘다. 이 두 괘를 이해하면 《주역》의 기본적인 통찰을 거의 다 이해했다고 해도 과언이 아니다.

3부

무엇으로 운명을 이겨낼까

건괘

약한 사람은 행운을 믿는다.
강한 사람은 원인과 결과를 믿는다.

_랠프 월도 에머슨

．

강인해야 자기를 바꾸고, 운명을 이겨낼 수 있다.
그러나 진정으로 강하다는 것은 무엇인가.
강인한 성품의 소유자도 단련의 시기를 이겨내야 한다.
강한 사람이라도 더 큰 사람의 도움을 얻어야 할 때가 있다.
《주역》은 그 혹독한 단련의 시기를 어떻게 통과해야 하는지를 알려준다.

．

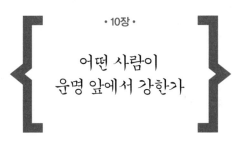

10장

어떤 사람이
운명 앞에서 강한가

누구도 인생에서 패배자가 되기를 원하지 않는다. 운명에 무릎 꿇거나 잡아먹히고 싶지 않다. 그러려면 생각과 행동을 그렇게 바꾸어야 한다. 이것은 쉽지 않다. 진정 강한 사람이 아니라면 잘 바꾸지 못한다. 습관이 내 생각과 행동을 지배하기 때문이다.

어떤 사람이 진정으로 강한가. 주장이 세거나 완고하다고 강한 것이 아니다. 고집 센 사람은 되레 자기를 잘 바꾸지 못한다. 자기연민이 강한 사람도 끊임없이 핑계를 만들어내면서 자기를 잘 바꾸지 못한다. 너무 똑똑한 사람도 자기변명의 논리를 무수하게 생산하면서 결국 자신을 바꾸지 못한다.

이번에 볼 〈건괘乾卦, 강건함의 틀〉는 '강건함에 관한 틀'이다. 무엇이 진정으로 강한 사람을 만들까.

하늘 운행의 씩씩함

《주역》의 첫머리에 나오는 〈건괘〉는 우리가 운명을 이겨내기 위해 어떻게 변신해야 하는가를 보여주는 괘이다.

앞에서 〈혁괘〉는 운명을 바꿀 때 우리에게 '호랑이처럼 변할 것〔虎變〕' 과 '표범처럼 변할 것〔豹變〕'을 요구했다. 호랑이처럼 변한다는 것은 무슨 말일까. 그 답을 〈건괘〉에서 찾을 수 있다. 〈건괘〉는 물속에 잠겨 있던 용이 변신을 거듭해 하늘을 나는 용이 되기까지의 과정을 그리고 있다. 〈혁괘〉에서는 호랑이를, 〈건괘〉에서는 용을 내세웠지만 담긴 메시지는 같다. 〈건괘〉는 다음과 같은 이야기를 하고 있다.

건괘

아래 하늘, 위 하늘

지극한 강건함
크게 형통하고, 바르면 이로울 것이다.

첫째 별 : 물에 잠겨 있는 용이니, 쓰지 말 것이다.
둘째 별 : 용이 세상에 나와 밭에 있으니, 큰사람을 봄이 이로울 것이다.

셋째 별 : 군자가 하루가 다하도록 힘쓰다 저물녘에는 삼가 돌이키니, 위태롭게 여기면 허물이 없을 것이다.

넷째 별 : 용이 깊은 못에서 혹은 뛰어오르기도 하니, 허물이 없을 것이다.

다섯째 별 : 용이 날아올라 하늘에 있으니, 큰 사람을 봄이 이로울 것이다.

맨 위 별 : 지나치게 높이 올라간 용이니, 후회할 일이 있을 것이다.[1]

〈건괘〉는 상괘도 하늘☰이고 하괘도 하늘☰이다. 이 괘는 오로지 하늘에 관한 괘이다. 삼획괘 하늘☰의 덕목은 '강건함', '씩씩함'이다. 〈건괘〉의 덕목은 '지극한 강건함', '지극한 씩씩함'이다. 괘 이름인 '건乾'에는 '하늘〔天〕'이라는 뜻과 더불어 '씩씩하다〔健〕'는 뜻이 들어 있다.

태양은 동쪽 하늘가에서 떠올라 하루 종일 하늘을 가로질러 서쪽 하늘가에 떨어질 때까지 조금도 쉬지 않고 용맹 정진한다. 옛사람들은 하늘이 쉼 없이 굳세게 운행한다고 보았다. 태양만 용맹 정진하는 것이 아니라 우주의 모든 운행 질서가 조금도 흐트러짐 없이 용맹 정진한다. 그 결과 봄, 여름, 가을, 겨울 네 계절의 운행 또한 조금도 어긋남 없이 굳세게 돌고 또 돈다. 이것이 〈건괘〉의 이미지이다.

자강불식 : 스스로 강해지다

《주역》의 모든 괘는 변화를 담고 있다. 〈건괘〉 역시 마찬가지다. 〈건괘〉의 여섯 효는 용이 낮은 데서부터 점차 높은 곳으로 변화하는 과정을 보여준다.

《주역》의 한 괘를 구성하는 여섯 효는 각각 서로 다른 상황을 보여준다. 괘에 따라서 시간의 흐름에 따른 변화를 보여주기도 하고 서로 다른 선택의 가능성을 병렬적으로 보여주기도 한다. 〈건괘〉는 전형적으로 시간의 흐름에 따라 용이 낮은 데서부터 점차 높은 곳으로 변화하는 과정을 보여주는 괘이다.

첫 효에서는 용이 물에 잠겨 있다.

둘째 효에서는 용이 뭍으로 나와 활동을 시작한다.

셋째 효에서는 용이 군자로 바뀐다. 이 군자는 깊은 물과 높은 하늘을 오갈 수 있는 용처럼 굳센 실천 의지를 지닌 인물이다.

넷째 효에서 용은 자신에게 매우 친숙한 환경인 연못에서 뛰논다. 이 유리한 환경에서 용은 하늘로 도약할 채비를 갖춘다.

다섯째 효에서 용은 드디어 하늘 높이 날아오른다.

여섯째 맨 위 효에서 용은 날아올라도 너무 높이 날아올라 결국 후회할 일이 생기는 지경에까지 이른다.

〈건괘〉의 용 이야기가 말해주는 메시지는 명확하다. 그것은 용이 물속과 하늘을 오가는 굳센 존재이면서 다른 한편으로는 스스로 변신해가는 존재라는 것이다.

강한 기질을 타고나는 사람도 있다. 그러나 기질이 강한 것보다 자기 기질을 스스로 바꿀 수 있는 사람이 진정 강한 사람이다. 〈건괘〉의 이야기에서 용은 물속에 잠겨 있는 '잠룡'에서 뭍에 나타난 '현룡'으로, 다시 하루 종일 고군분투하는 '군자'로, 다시 연못을 휘젓는 용으로, 다시 하늘을 나는 '비룡'으로, 다시 너무 높이 올라간 '항룡'으로, 무려 다섯 번이나 변신한다. 비룡에서 항룡으로 변신하는 마지막 단계에는 경고를 담고 있지만, 다른 네 단계는 매 단계마다 용의 면모가 더 강인해지고 역량이 새로워짐을 보여준다.

전국시대의 《역경》 해설서인 《상전象傳》은 〈건괘〉에 대해 이렇게 풀이한다.

하늘의 운행은 씩씩하니, 군자는 이를 본받아 스스로 노력하여 쉬지 않는다.[2]

"스스로 노력하여 쉬지 않는다"는 뜻인 '자강불식自彊不息'이라는 성어의 출전이 바로 이곳이다. 스스로 강해져서 멈추지 않는 것, 이것이야말로 씩씩한 하늘의 운행을 본뜬 〈건괘〉의 성격을 가장 잘 보여주는 구절이다.

스스로 강해질 수 있는 이야말로 진정으로 강한 사람이다. 어떻게 해야 스스로 강해질 수 있는가. 〈건괘〉에 나오는 용처럼 스스로 변신을 거듭함으로써 우리는 운명 앞에서 강해질 수 있다. 다른 누구도 우리를 강하게 만들어주지 못한다. 강해지고 싶다면 스스로 강해지는 길밖에 없다.

〈건괘〉의 이 짧은 이야기 안에는 우리가 인생에서 필요로 하는 모든 요소가 다 들어 있다. 〈건괘〉는 우리가 꾸는 모든 꿈의 기본 뼈대다. 그러나 그 꿈을 성취하기까지 각자가 겪어야 하는 일은 천차만별이다. 나머지 괘에서 보여주는 것은 우리가 꿈을 이루기 위해 겪어야 하는 다양한 디테일들이다.

우리는 여기서 스스로 강해지라고 말하는 괘, 자신의 운명을 스스로 만들어가라고 말하는 괘인 〈건괘〉를 충분히 음미해볼 것이다.

11장

지금은 물속에 잠긴
용일지라도

〈건괘〉에서 가장 밑에 있는 첫째 볕은 용이 물속에 잠겨 있는 모습이다. 아직 세상에 나오지 않은 용이다. 그래서 '잠룡潛龍'이라고 한다.

잠룡은 용의 덕을 가졌지만 아직 임금의 자리에 오르지 않은 지도자, 혹은 아직 세상에서 활동을 시작하지 않은 젊은 선비와 같은 이미지를 지니고 있다. 잠룡은 속에 귀한 옥을 간직하고 있지만 아직 가공하지 않은 원재료 상태의 옥돌과 같은 존재다. 중국 삼국시대의 제갈공명이 유비에게 출사표出師表를 던지기 전, '누워 있는 용'이란 뜻에서 '와룡臥龍' 선생으로 불리던 시절이 그에게는 전형적인 잠룡의 시기다.

담금질 없이 강해진 것은 없다

〈건괘〉의 첫 효는 '잠룡' 이야기다. 《주역》은 하늘을 나는 용이 아니라 물속에 잠겨 있는 용에서 이야기를 시작한다. 용이 하늘을 날기 위해서는 물속에서 담금질의 시간을 견뎌야 하기 때문이다.

강한 기질을 타고나는 사람이 있다. 양기가 충만해 하늘을 찌르는 사람도 있다. 그러나 그들은 아직 진정으로 강한 것이 아니다. 아무리 튼튼한 배도 무모한 선장을 만나면 암초 위에 상륙하거나 빙산과 박치기하는 비운을 겪을 수 있다. 타이타닉 호처럼 거대하고 호화로운 배도 빙산 하나 때문에 침몰한다. 배만 강한 것으로는 부족하다. 배를 조종하는 것은 선장이고 기질을 조종하는 것은 마음이다. 기질과 마음이 둘 다 강해야 진정으로 강한 것이다.

《주역》이 잠룡에서 이야기를 시작한다는 것은 매우 의미심장하다. 그건 자기 운명의 주인이 되기 위한 담금질에서 이야기를 시작한다는 뜻이기 때문이다. 잠룡은 실력과 덕을 준비하고 갖추는 시기이다. 잠룡의 시기에는 세상에서 자기 뜻을 펼 수 있는 실력과 세상 사람들과 함께할 수 있는 덕德(마음 그릇)을 갖추어야 한다. 현재 자기 실력과 덕이 충분하다고 자만하는 이들은 잠룡조차 되기 어렵다. 잠룡의 시기를 잘 견디는 일은 지금의 자기를 이겨내고 더 강해지기 위한 지름길이다.

실력과 덕을 갖춘 뒤에도 잠룡은 함부로 나오지 않고 적절한 때를 기다린다. 그만큼 자기 판단이 쉽게 흔들리지 않는다. 이 정도면 스스로 강해지는 첫걸음을 뗀 것이다.

'잠룡'이란 말에는 두 가지 정보가 있다. 하나는 그가 '물에 잠겨 있다

〔潛〕'는 것이고 다른 하나는 그가 '용龍'이라는 것이다. 이 두 가지가 다 중요하다.

물에 잠기다 : 지옥으로 들어가다

먼저 '물에 잠겨 있다'는 것은 무슨 말인가. 아직 활동을 시작하지 않았다는 뜻이다. 아직 자신만의 무대 위에 오르지 않았다는 뜻이다.

잠룡의 시기는 인생의 출발 지점이다. 청소년 시기를 생각해보자. 청소년들은 잠룡 시절 갑자기 자아에 눈을 뜬다. 어느 날 눈을 떠 자기를 돌아보니, 마음은 하늘 위를 훨훨 날아다닐 수 있는 용과 같은 존재인데, 주변은 물에 잠긴 것처럼 답답하고 갑갑하다. 모든 행동에 자물쇠가 채워져 있고 모든 언행에 간섭을 당한다. 매 순간 기성세대가 만들어놓은 틀에 따라 자기를 맞추어야 한다. 마음대로 할 수 있는 것이 아무 것도 없다. 이들은 마치 지옥에서 태어난 존재와 같다. 지옥에서 처음 인생에 눈을 떴을 때는 어떻게 살아가야 하는가.

나는 딸이 고등학교에 들어갈 때 오디세우스가 어떻게 세이렌의 바다를 건넜는지에 대해 이야기해주었다.

세이렌이라는 바다의 요정들은 암초가 많은 곳에 살면서 거부할 수 없는 아름다운 노래로 뱃사람들을 유혹해 바다에 뛰어들게 하거나 배를 난파시키는 매우 위험한 존재들이다. 세이렌의 노랫소리를 듣고 살아남은 뱃사람은 아무도 없었다. 호기심 넘치는 오디세우스는 세상에서 가장 애절하고 아름답다는 세이렌의 노랫소리를 너무도 들어보고 싶었다. 그러나 그 대가로 목숨을 바칠 수는 없었다.

오디세우스는 선원들의 귀를 밀랍으로 틀어막아 세이렌의 노래를 듣지 못하도록 했다. 그 자신은 세이렌의 노래를 들어야 하므로 귀를 막지 않았다. 대신 선원들에게 자신을 돛대에 꽁꽁 묶고 세이렌의 바다를 다 지날 때까지 무슨 일이 벌어지더라도 절대 풀어주지 말라고 지시했다.

드디어 세이렌의 바다를 지날 때 오디세우스는 너무도 아름다운 세이렌의 노랫소리에 홀려 바다에 뛰어들고 싶은 충동에 몸부림쳤다. 밧줄을 당장 풀라고 목청껏 고함도 질렀다. 그러나 밀랍으로 귀를 채운 선원들은 그의 사전 지시대로 세이렌의 바다를 벗어나서야 그를 풀어주었다. 그 덕분에 오디세우스는 세이렌의 노랫소리를 듣고도 살아남은 최초의 사람이 되었다.

나는 이 이야기를 청소년들이 통과해야 하는 잠룡 시기에 대한 은유로 삼았다. 청소년 시기에는 아직 미숙한 것이 많다. 유혹에 적절히 대처하는 법도, 자신의 감정을 통제하는 법도 아직 배우지 못했다. 청소년기에는 모든 것이 새롭고, 모든 곳에 다 뛰어들어보고 싶다. 그러나 세상은 미숙한 이들을 그다지 배려해주지 않는다. 되레 그들의 미숙함을 이용하고 갈취하려는 이들이 도처에 이빨과 발톱을 감추고 유혹한다.

오디세우스의 이야기를 은유로 삼으면 이 시기를 통과하는 방법은 세 가지가 있다. 첫째는 세이렌의 유혹에 빠져 풍랑 속으로 뛰어드는 것이다. 현실에서 이런 선택을 한다면 그는 한동안 자기를 삼키기 위해 달려드는 비정한 세상의 폭풍우와 싸우며 매우 힘겨운 청춘기를 보내야 할 것이다. 너무 빨리 좌절을 맛보거나 평생 비틀어진 마음으로 세상을 대하게 될 수도 있다.

둘째는 선원들처럼 오디세우스가 시키는 대로 밀랍으로 귀를 틀어막고 노만 젓는 방법이 있다. 이것은 청소년기에 반항 한 번 제대로 못 해보고, 그저 부모와 교사가 시키는 대로, 귀 막고 노 젓는 식의 '학습 노동'에 빠져 사는 순응적 아이들에 대한 은유다. 이 아이들은 이른바 '마마보이, 마마걸'로 클 가능성이 적지 않다. 이 아이들은 성장한 뒤 어떤 방식으로든 다시 잠룡의 시기를 겪을 가능성 또한 매우 높다.

셋째는 오디세우스처럼 귀는 열어놓되 몸만 돛대에 꽁꽁 묶고 가는 방식이다. 나는 이것이 가장 지혜롭게 잠룡의 시기를 통과하는 방법이라고 딸에게 이야기했다. 오디세우스는 자신이 세이렌의 유혹을 이겨낼 만큼 강인한 의지를 가지고 있지 않음을 선선히 인정했다. 그래서 자신을 돛대에 꽁꽁 묶어달라고 요구했다. 그는 자신의 부족함을 인정할 수 있는 용기와 다른 사람의 도움을 기꺼이 받아들일 수 있는 지혜를 지녔다. 그러나 그는 귀까지 틀어막지는 않았다. 무엇이 아름다운지, 무엇이 유혹적인지, 거친 바다에서 무슨 일이 벌어지고 있는지에 대해 그는 남김없이 듣고 느끼고 반응하고 싶었기 때문이다. 그러나 그는 미리 스스로를 묶었기 때문에 미숙한 상태에서 불확실한 격정과 욕망에 몸을 던지는 일은 피할 수 있었다. 그는 이런 지혜를 발휘한 덕분에 세이렌의 노래도 들을 수 있었고 세이렌의 바다도 통과할 수 있었다.

나는 이 이야기 속에 잠룡의 시기를 어떻게 보낼 것인지에 관한 중요한 메시지들이 다 들어 있다고 생각한다.

우선 잠룡의 시기를 주체적으로 보내는 것이 가장 중요하다. 특히 청소년들은 아직 세상을 배우는 시기다. 그러므로 두 가지를 다 인정하라. 하나는 내가 세상을 아직 잘 모른다는 것, 다른 하나는 그럼에도 세상에 대해 귀를 완전히 틀어막을 수는 없다는 것. 세상을 잘 모르니, 자신을 세이렌과 같은 치명적인 유혹에서 보호해줄 장치는 반드시 마련하라. 부모여도 좋고, 친구나 교사일 수도 있다. 그럼에도 세상과 담을 쌓거나 귀를 틀어막지는 마라. 귀를 틀어막으면 자아가 성장할 수 없기 때문이다.

이론적으로는 자기 몸을 타율적으로 묶는 대신 자기 의지만으로 세이렌의 유혹을 이겨낼 수 있다면 그것이 최선일 것이다. 그러나 그럴 수 있는 사람은 극소수이거나 없다. 오디세우스처럼 의지가 강한 영웅도 그런 모험은 하지 않았다.

대체 잠룡의 시기는 언제까지인가

오디세우스의 이야기는 청소년들에게만 들려줄 수 있는 은유는 아니다. 우리가 살아가는 인생은 시작도 끝도 없이 온통 세이렌의 바다이자 '망망고해茫茫苦海'인 듯하다. 잠깐 몸을 묶고 지나갈 수 있는 바다가 아니다.

우리가 인생에서 겪어야 하는 잠룡의 시기는 꽤 길다. 대학에 들어갔다고 해서 잠룡의 시기가 끝나는 것은 아니다. 미성년자로서 받는 제약은 사라지겠지만 덕과 실력이 여전히 미숙하다는 점에서 잠룡의 시기는 이어진다.

잠룡의 시기가 청년 실업의 시기까지인 것도 아니다. 취직했다고 해서 잠룡을 졸업하는 것도 아니다. 직장 생활을 10여 년 한 어느 후배는 자기가 잠룡의 시기를 벗어났는지 아직 확신이 없다고 말한다.

번듯한 직장에 취직했다고 해서 잠룡의 시기가 끝나는 것도 아니다. 한 친구는 남들이 부러워하는 번듯한 회사에 취업하고도 한동안 기업 문화에 적응하지 못해 시달리다 결국 그만두고 자신이 원하는 연극 연출을 택했다. 또 다른 친구는 20년 다니던 직장을 어느 날 갑자기 때려치우고 7년째 영화 시나리오를 쓰고 있다. 그의 시나리오가 언제 영화로 만들어질 수 있을지 아무도 모르지만 그는 꿋꿋하게 자기 길을 가고 있다.

여기까지 읽고 이런 반응이 올라올 수도 있겠다. 인생에서 도대체 잠룡의 시기는 언제 끝나는가. 잠룡의 시기가 아닌 것은 대체 언제인가. 냉정하게 얘기하자면 평생 잠룡으로 살다 가는 이도 있다. 승승장구하던 이도 어느 날 갑자기 다시 잠룡의 상태에 빠져들 수도 있다.

화가 고흐를 생각해보자. 오늘날 전 세계 사람들이 그의 그림에 열광한다. 그의 작품 〈의사 가셰의 초상〉은 1990년 8250만 달러(약 900억 원)에 팔렸다. 이 가격은 지금까지도 세계 미술품 공개 경매 사상 최고 기록을 유지하고 있다. 하지만 그가 살아 있을 때 팔려나간 그림은 고작 〈아를의 붉은 포도밭〉이라는 작품 단 한 점뿐이었다. 살아서는 전혀 주목받지 못하던 이가 죽은 뒤에야 열광의 대상이 되는 이 아이러니를 어떻게 받아들여야 할까.

그는 평생 잠룡으로 살다 갔다. 한때 고흐는 화랑에서 판화 복사공으로 일하기도 했고 광산촌에서 전도사로 일하기도 했다. 만약 그가 판화 제작하는 일에 몰두했더라면 잠룡의 시기를 빨리 졸업할 수 있었을까? 만약 그가 전도사로서 목회 활동에 몰두했더라면 잠룡의 시기를 빨리 벗어날 수 있었을까?

아마도 물에 잠겨 있다는 느낌으로 살아가지 않을 수는 있었을지 모른다. 그러나 '용'이라 불릴 만한 자취를 남기기는 어려웠을 것이다. 평생

단 한 점의 그림이 팔린 화가, 오늘날 가장 비싼 가격에 팔리는 그림을 남기고 간 화가, 이 사이의 아이러니는 그대로 '물에 잠김'과 '용' 사이의 아이러니이다.

평생 잠룡과 같은 삶을 살다 간 이는 고흐 말고도 적지 않다. 《주역》의 최고 대가로 꼽히는 왕부지王夫之는 명나라 말기의 학자로, 명나라가 망하자 건주 여진이 세운 청나라에 맞서 명나라 부흥을 위해 무장투쟁을 벌였다. 이 저항 운동이 실패로 끝나자 왕부지는 고향인 호남湖南 선산船山에 은거하며 유가 경전의 연구에 평생을 바쳤다. 이렇게 치열한 삶을 살았던 까닭에 그의 글은 오늘날 읽어도 전혀 고리타분하지 않고 팽팽한 현실적 긴장감이 감돈다. 《주역내전周易內傳》과 《주역외전周易外傳》 등 《주역》에 관한 그의 저작 또한 참신하고 생동감 넘치는 해석으로 가득 채워져 있다.

그는 고향 집 기둥에 다음과 같은 대련對聯(집 기둥이나 문에 붙여놓는 시)을 써 붙여놓았다.

여섯 경전은 나로 하여금 새로운 얼굴을 내놓으라 책망하고
일곱 척 육신은 하늘을 따라 산 채로 묻히기를 애걸하노라.[3]

여섯 경전은 유가의 교과서다. 이를 그냥 읽는 것이 아니라 자기 시대에 걸맞은 참신한 해석을 내놓아야 한다는 것이 학자로서 그의 포부였다. 그렇게 치열하게 자기 실력을 갈고닦았음에도 나라가 망했기 때문에 구차하게 벼슬에 나가려고 하지 않고 "산 채로 땅에 묻히는" '활매活埋'의 삶을 살겠노라고 선언한 것이다. 그는 자진해서 평생 잠룡으로 살다 갔

다. 그는 역사, 철학, 문학 등 여러 방면에 걸쳐 모두 71종이나 되는 방대한 저술을 남겼으나 그가 살아 있을 때는 단 한 종도 출간되지 못했다. 오늘날 그는 중국 대륙에서 전통 시대 철학의 최고 집대성자로 꼽힌다.

왕부지가 '활매'의 삶을 살다 간 것과 오늘날 전통 시대 철학의 최고 집대성자로 꼽히는 것 사이의 아이러니는 고흐의 아이러니, '물에 잠김'과 '용' 사이의 아이러니와 같다.

수렁이 없는 삶은 없다

평생까지는 아니더라도 거의 온 삶을 다 바치고 나서야 잠룡의 시기를 벗어날 수 있었던 이들도 적지 않다.

하나라의 폭군 걸桀을 타도한 상나라 탕湯임금의 재상인 이윤伊尹은 노예로 태어나 수십 년 동안 탕임금의 요리사로 일하며 신임을 얻은 뒤에야 재상이 될 수 있었다.

상나라의 폭군 주紂를 타도한 주나라 무武임금의 재상인 강태공姜太公 여상呂尙은 예순이 넘어서야 비로소 낚싯대를 걷고 무임금의 태사太師(총사령관)가 될 수 있었다.

옛 위인들만 그런 것이 아니다. 남아프리카공화국의 넬슨 만델라는 27년 동안 옥고를 치른 뒤에야 감옥에서 풀려나 대통령에 당선되어 남아공의 인종차별 정책을 철폐할 수 있었다.

고흐, 왕부지, 이윤, 여상, 만델라 같은 인물 이야기를 하는 것은 누구나 그렇게 험난한 삶을 살아야 한다는 말을 하기 위해서가 아니다. 어떤 위대한 인물도 잠룡의 시기를 피해갈 수는 없었음을 확인하는 것이다.

잠룡의 시기는 누구도 피해갈 수 없는 삶의 수렁이다. 청소년이 인생에서 처음 맞이하는 잠룡의 시기를 잘 넘겨야 하는 것 이상으로 어른도 잠룡의 시기를 잘 넘겨야 한다. 설화 속의 오디세우스에게는 배와 선원이 있었지만 현실 속의 우리는 아무 것 없이 자기의 바다를 건너야 한다. 어떤 이는 맨몸으로 바다에 뛰어들고, 어떤 이는 작은 쪽배를 저어 길을 떠난다. 큰 배를 물려받았다고 해서 난파당하지 않는다는 보장은 어디에도 없다.

인생을 쉽게 사는 것처럼 보이는 이들에게도 그들만의 수렁이 있고, 스스로 견뎌내야 하는 잠룡의 시기가 있다. 지금은 성공한 많은 연예인들 가운데 적지 않은 이들이 오랜 세월 무명의 설움을 겪었음을 우리는 잘 알고 있다.

인생의 수렁은 한 번 겪었다고 해서 졸업할 수 있는 것도 아니다. 수렁을 하나 지나면 다른 수렁이 이어지기도 한다. 한 번 겪었다고 해서 면역이 생기지도 않는다.

조선 후기 실학을 집대성한 다산 정약용은 개혁군주 정조의 신임을 얻어 18년 동안 관직에 있으면서 자기 이상을 펼 수 있었으나 1800년 정조가 의문의 죽음을 당한 뒤 유배당해 18년 동안이나 귀양살이를 했다.

미국 가수 휘트니 휴스턴은 세계를 열광시킨 팝 스타였지만 술과 마약에 빠져 파산 상태가 되었다가 곤경 속에서 세상을 떴다. 세계적인 골프선수 타이거 우즈는 스캔들로 지옥에 다녀왔다.

아무 것도 부러울 것이 없어 보이는 이들에게도 예외 없이 내면의 깊은 고통과 삶의 수렁이 있다.

고통이란 '고苦'와 '통痛'을 합쳐서 이르는 말이다. '고'란 마음으로 겪는 괴로움이며, '통'이란 육신으로 겪는 괴로움이다. 우리는 어느 괴로움이 더 큰지 함부로 판단할 수 없다. 어떤 이는 생활고와 육신의 고통을 이기지 못해 좌절할 수 있고, 다른 이는 육신이 안락함에도 마음의 고통을 견디지 못해 삶을 포기하기도 한다. 고와 통을 견뎌낼 수 있는 마음이 무너지면 이런 비극적 결말로 삶을 마감할 수 있다.

로돌포에게 배운 것

나는 몇 년 전, 18년 동안 다녔던 회사를 때려치우고 백수로 석 달을 살았다. 겨우 석 달 가지고 어디서 명함을 내미느냐고 할 수도 있다. 당시의 나로서는 매우 절박하게 다른 무언가를 하고 싶었다. 의무적으로 해야 하는 일은 하지 않고 꼭 하고 싶은 일만 하며, 무엇보다 자유롭게 글을 쓰고 싶었다. 꿈이 너무 야무졌다. 그 시기에 책을 한 권 썼고 이곳저곳에 글도 많이 실었지만, 그것으로 생계를 유지할 수는 없다는 결론에 일찌감치 도달했다. 그래서 결국에는 처음 다니던 직장보다 글쓰기에 환경이 훨씬 좋지 않은 곳에 취업해야 했다.

그곳에서 로돌포를 만났다. 로돌포는 그 직장에서 내가 직접 채용한 몇 안 되는 부하 직원 가운데 한 사람이었다. 명문 대학 성악과를 졸업한 그는 오페라 테너 가수가 꿈이었으나 연습을 지나치게 한 나머지 성대 결절을 얻었다. 눈물을 삼키며 테너 가수의 꿈을 접은 그는 생업 전선에 뛰어들지 않을 수 없었다. 그가 만난 직장의 첫 상사가 바로 나였다.

푸치니의 오페라 〈라 보엠〉의 남자 주인공 이름인 로돌포는 그의 이메일 주소의 닉네임이기도 했다. 그 때문에 우리는 그를 로돌포라는 애칭으로 불렀다. 회사 동료들은 그가 성악과 출신이라는 사실을 알고는 짓궂게 회식자리마다 그에게 노래를 시켰다. 처음에는 쑥스러워했지만 그는 곧 삼겹살집 천장에 매달린 백열전구가 덜렁거리도록 쩌렁쩌렁한 목소리로 〈투우사의 노래〉나 〈빈대떡 신사〉를 불렀다. 낙타는 굶어 죽더라도 말보다는 큰 법, 비록 성대를 상한 로돌포였지만 살살 불러도 아마추어들을 휘어잡을 정도의 성량을 지니고 있었다. 울분을 삼키며 성악을 포기한 이가 술자리의 희롱으로 노래를 부를 때의 심정이 어떨지 나는 알지 못한다. 로돌포 같은 이의 노래는 음정이 불안하게 흔들릴 때 듣는 이의 가슴을 더 크게 흔든다.

내가 전업 글쓰기를 포기하고 생업 전선에서 나만의 수렁을 걸어가고 있을 때 그 또한 그렇게 자신의 수렁을 통과하고 있었다. 그는 앞으로도 성악을 직업으로 삼을 수는 없을 것이다. 그러나 그는 자기만의 방식으로 수렁을 통과해, 또 다른 삶을 만들어갈 것이다.

지금도 선술집에서 듣던 로돌포의 노래는 내 귓가에 이명처럼 남아 뭉클한 힘을 준다. 나는 그로부터 수렁을 걷는 사람의 모습도 아름다울 수 있음을 배웠다. 로돌포는 음정이 떨리던 그의 노래가 내게 얼마나 오랫동안 울림을 주고 있는지 아마도 까맣게 모르고 있을 것이다. 내가 어떤 험난한 바다를 지나고 있든, 벗들이 보기에 아름답도록 꿋꿋하게 걸어가자는 생각은 로돌포로부터 배운 것이다.

구덩이를 지나는 물의 힘

내가 그 시기를 지날 때 《주역》에서 가장 위안이 되었던 대목은 뜻밖에도 〈감괘坎卦, 구덩이의 틀〉▦였다. 왜 뜻밖이냐면 처음 《주역》을 읽었을 때 느낌이 매우 좋지 않았던 괘 가운데 하나가 바로 〈감괘〉였기 때문이다.

태극기의 오른쪽 위에 자리하고 있는 〈감괘〉는 물에 관한 괘라고만 알고 있었는데, 막상 처음 읽었더니, 효사들의 내용은 숨 막힐 정도로 답답한 이야기만 이어졌다.

> 구덩이 안에서 더 빠져드는 곳으로 들어가니, 흉하다.

> 내려가도 구덩이이고 올라가도 구덩이여서 험난함을 베고 누웠으니, 구덩이 안에서 더 빠져드는 곳으로 들어가면 쓰지 말 것이다.

> 세 가닥으로 꼰 밧줄과 두 가닥으로 꼰 밧줄을 함께 써서 꽁꽁 묶은 뒤 가시 감옥에 가두니, 세 해 동안 나올 수 없어 흉할 것이다.[4]

이게 대체 무슨 흉흉한 얘기들인가. 처음 읽을 때는 참으로 암울한 느낌만 안겨준, 이해하기 어려운 괘였다.

여기서 〈감괘〉를 다 볼 수는 없고 괘사만 보기로 하겠다. 핵심 메시지는 괘사에 있다.

> 구덩이가 겹쳐 있다.

구덩이를 지나는 물처럼 미더움이 있으니

오로지 마음으로 통할 것이다.

이렇게 행동하면 아름다운 일이 있을 것이다.[5]

〈감괘〉는 험난함이 계속 이어지는 상황이다. 앞에 구덩이가 있는데, 그 구덩이를 지나면 또 구덩이가 있다. 심지어는 구덩이 안에 더 깊이 들어간 꼬마 구덩이가 또 있다. 어떻게 할 것인가. 다른 방법이 없다. 물이 구덩이를 지나가듯 하는 것이 최선이다. 물은 흐르고 또 흘러와 구덩이를 가득 채운다. 그러면 구덩이를 넘어 다시 앞으로 흘러간다. 구덩이가 또 나타나면 그것도 또 가득 채운다. 구덩이 안에는 조금 더 푹 빠지는 깊은 곳이 있는 경우도 많다. 세상 사람들은 똑같이 수렁에 빠져 있으면서도 조금이라도 덜 빠지려고 안간힘을 쓴다. 그러나 물은 조금도 망설임 없이 가장 깊은 곳부터 채워 올라온다. 물은 결국 구덩이를 넘어 흐르고 또 흘러간다.

물은 이렇게 늘 같은 방향으로 흐르기 때문에 미더움이 있다. 물이 늘 낮은 곳으로 흐르는 것을 보면 마치 물에 마음이 있는 듯하다. 이렇게 한결같다면 형통할 것이다. 〈감괘〉가 우리에게 들려주는 메시지는 이런 것이다. 〈감괘〉의 여섯 효사에 등장하는 수많은 구덩이의 험난함은 이 메시지의 다양한 변주곡들일 뿐이다.

맹자는 말한다. "샘이 있는 물은 밤낮 쉬지 않고 흐른다. 구덩이를 가득 채운 뒤에야 전진하여 온 바다를 가득 채운다. 근본이 있는 사람도 이와 같다."[6] 맹자의 이 말은 〈감괘〉에 대한 가장 절실한 해석이다.

예전에는 〈감괘〉를 읽을 때 느낌이 좋지 않았지만 지금은 되레 마음이

홀가분하고 평안해진다. 《주역》을 읽으면 읽을수록 처음 읽을 때 불편했던 괘에 대한 생각이 달라진다. 어찌 보면 내용이 험난한 괘가 우리의 마음을 더 단련시켜주고 강하게 만들어주는 듯하다.

〈감괘〉를 읽으면서 되레 마음이 위안을 받는 것은 험준한 산을 넘은 뒤의 통쾌함과 닮았다. 뒷산 산책은 쉽지만 그만큼 감동도 적다. 가파른 산등성을 오를 때 힘은 들지만 그만큼 정상에서의 통쾌함도 크다.

〈감괘〉는 우리에게 마음의 준비를 하도록 도와준다. 가야 할 앞길에 구덩이들이 널려 있다. 깊은 수렁도 있다. 어쩌겠는가. 이것을 또 다 지나가야 하는 모양이다. 물이 구덩이를 차곡차곡 메우고 전진하듯 가고 또 가다 보면 끝이 보이지 않겠는가. 나는 설악산 탐방로 지도를 보듯 〈감괘〉를 읽는다. 이렇게 마음을 먹으면 몸은 비록 고통스럽고 힘들더라도 마음은 곤궁해지지 않을 수 있다.

'절망하다'를 중국어로는 '신쓰心死'라고 한다. 마음이 먼저 죽는 것이 절망이다. 이보다 더 슬픈 일도 없다. 마음이 먼저 죽지만 않는다면 우리는 어떤 험난함에 빠지더라도 반드시 살아나오게 되어 있다.

지옥에서 나오는 법

청년이든 어른이든 잠룡의 시기는 지옥에 떨어진 것 같은 시기다. 지옥에서는 어떻게 나와야 하는가.

지옥에서 나오려면 우선 지옥을 견딜 수 있는 정신이 있어야 한다. 지옥의 중압감에 몸과 마음이 치명적인 상처를 입어서는 안 되기 때문이다.

《역경》에 대한 전국시대의 해설인 《문언전》에서는 잠룡에 대해 이렇게
이야기한다.

> "첫째 별 효에서 '물속에 잠겨 있는 용이니, 쓰지 말 것이다'라고 한 것
> 은 무슨 말입니까?"
> 선생님께서 말씀하셨다. "용의 덕을 가지고 숨어 있는 사람이다. 세
> 태가 변한다고 해서 따라 변하지 않고 명성을 얻으려고 애쓰지도 않는
> 다. 세상에서 숨어 있되 아무 근심이 없고 남으로부터 (용이라는) 인정을
> 받지 못하더라도 아무 걱정이 없다. 즐거운 세상이면 자기 길을 실천하
> 고 걱정스러운 세상이면 그것을 떠나니, 뜻이 확고하여 뽑아낼 수 없는
> 것이 바로 '잠겨 있는 용'이다."[7]

세태와 명성에 흔들리지 않고, 누가 인정해주지 않아도 좌절하지 않으
며, 꼬리를 잡고 뽑아내려 해도 뽑히지 않는 것이 바로 잠룡의 정신이다.
이런 정신을 길러야 지옥의 중압과 고독을 이겨낼 수 있다. 이 정신의 비
밀은 자존감에 있다.

잠룡은 자존감으로 충일한 존재다. 그는 잠긴 상태에서 벗어나려고 안
달복달하는 존재가 아니다. 그는 "뜻이 확고하여 뽑아낼 수 없는" 인물이
다. 때가 아니면 깊은 물속에서 나올 생각조차 없는 존재다. 자존감으로
충일한 존재는 이미 마음의 지옥을 벗어나 있는 사람이다.

당신이 잠룡이라면 결코 지옥에서 벗어나지 못해 허우적거리거나 쓰나
미에 휩쓸려가지 않을 것이다. 잠룡이란 '용의 덕'을 갖춘 사람이기 때문
이다. 용의 덕이란 원만한 자존감이다. 이 자존감이 지옥에서도 버틸 수

있게 해준다.

어떻게 자존감을 높일 것인가. 아무도 당신의 자존감을 높여줄 수 없다. 당신 스스로 깨달아야 한다. 자존은 바깥에 있지 않고 자기 내면에 있기 때문이다.

자존감은 자존심이나 자만심과 다르다. 자존감은 자기에 대한 믿음이지만 그것을 내세워서 남의 인정을 받으려 하지 않는다는 점에서 자존심이나 자만심과 다르다.

인간은 삶을 물속에서 시작한다. 어미로부터 몸을 받을 때도 아기집의 양수 속에서 삶을 시작한다. 자아에 눈을 뜨는 청춘기에도 물속에 잠긴 것 같은 존재로 깨어난다. 물속에 잠긴 존재인 인간은 자존감을 통해서 '잠룡'이 된다. 잠룡은 자존감의 결여에서 오는 조급증이 없다.

자존감은 어디서 생기는가. 덕과 실력을 통해서다. 덕과 실력이 뒷받침되지 않는 자존감은 자만심에 지나지 않는다. 장자莊子는 말한다.

> 자루가 작으면 큰 물건을 담을 수 없고 두레박줄이 짧으면 깊은 우물
> 의 물을 길을 수 없다.[8]

자루의 크기와 두레박줄의 길이는 실력의 은유다. 자존감은 우선 이런 실력에서 나온다. 자존감의 또 다른 원천은 덕이다. 덕은 자기 바깥에 있지 않고 내면에 있는 충실감이다. 장자는 또 말한다.

> 싸구려 질그릇을 내기로 걸고 활을 쏘면 잘 쏠 수 있지만 비싼 허리띠
> 의 은고리를 내기로 걸고 활을 쏘면 마음이 흔들리며, 거액의 황금을 걸

고 활을 쏘면 눈앞이 가물거린다. 활을 쏘는 기술은 그대로이지만 집착
하는 바가 생기면 거기에 매달려 마음이 흔들리는 것이다. 무릇 자기 바
깥의 것을 중시하는 사람은 내면이 졸렬해진다.[9]

자기 바깥의 것은 자기를 충실하게 만들어줄 수 없다. 그것은 장식일 뿐
이다. 자기 바깥의 것에 흔들리지 않을 때 자존감이 자란다. 내기에 걸린
황금에 흔들리지 않는 정신은 지옥을 이겨내는 자존감의 정신과 통한다.

지옥을 통과하고 있다면 계속 걸어라

다음으로 필요한 것은 실천이다. 자신의 자존감을 누구도 대신 만들어줄
수 없듯 지옥에서 걸어 나오는 일 또한 누가 대신 해줄 수 없다.

나는 아주 어릴 때 사람들이 왜 물에 빠져 죽는지 이해할 수 없었다.
'물 밑까지 내려가서 바닥을 기어 물 밖으로 나오면 되지 않을까?'라는
것이 초등학교도 들어가기 전 꼬마 시절 나의 생각이었다.

그러던 어느 날, 나는 아직 개헤엄도 배우기 전에 저수지에서 땅 짚고
헤엄치다 갑자기 저수지 바닥이 푹 꺼져 빠져 죽을 뻔했다. 다행히 친구
형이 허우적거리는 나를 보고 머리칼을 움켜잡고 건져내 겨우 목숨을 구
할 수 있었다. 이 일을 겪은 뒤에는 왜 사람들이 물에 빠져 죽는지 알게
되었다. 물에 빠지면 패닉 상태가 되기 때문에 침착하게 바닥까지 내려가
서 걸어 나오겠다는 생각을 아예 할 수 없는 것이다.

나중에 수영을 조금 배운 뒤, 수영장에서 다시 이 실험을 해보았다. 부

력 때문에 몸이 뜨는 것이 되레 문제지, 바닥에 붙어 기어 나오는 것이 불가능하지는 않았다. 왜 저수지에서는 안 되던 일이 수영장에서는 가능했을까. 수영장에서는 방향을 확실히 잡을 수 있을 뿐 아니라 바닥을 기면 물 밖으로 나올 수 있다는 확신이 있기 때문이다.

지옥에서 탈출하는 방법은 다른 것이 없다. 확신을 가지고 걷고 또 걷는 길 뿐이다. 〈감괘〉가 일깨워주려는 메시지가 바로 이것이다. 물이 구덩이를 만나면 그것을 다 채우고 흘러가듯 걷고 또 걸으면 어느새 우리는 지옥에서 나가는 문에 이른다.

처칠은 이렇게 말한다. "만약 당신이 지옥을 통과하고 있다면 계속 걸어라." 작가 프로스트도 같은 이야기를 했다. "구덩이에서 빠져나오는 가장 좋은 방법은 그것을 통과하는 것이다."

이 두 사람의 이야기에서 공통분모는 무엇일까. 그것은 밖으로 나갈 수 있다는 굳센 믿음을 가지라는 것과 포기하거나 좌절하지 말고 분투하라는 것, 두 가지이다.

하루가 낮과 밤으로 구성되고 한 해가 더운 여름과 추운 겨울로 이루어질 수밖에 없다는 것을 받아들인다면, 똑같이 우리의 삶 또한 길함과 흉함으로 이루어진다는 것도 받아들일 수 있다. 이것을 받아들인다면 지금 지옥의 물속을 걷는 것과 같은 답답함과 고통도 이겨낼 수 있다. 이 믿음이 있다면 고통 속에서도 걷고 또 걸을 수 있다.

당신이 잠룡이라면 얼마든지 지옥에서 뚜벅뚜벅 걸어 나올 수 있다. 그만한 일로 좌절하기에는 너무도 소중한 존재다.

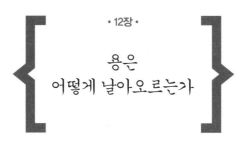

12장

용은
어떻게 날아오르는가

〈건괘〉는 스스로 강해지라고 말해주는 괘이다. 내면이 강해지고 정신이 강해지면 외면도 굳세고 활동적으로 변해간다. 자신감이 차올라 양기가 정수리 위로 치솟기도 한다. 이렇게 기질이 강해질 때 제대로 단련을 거치지 않으면 세상에서 큰일을 하기는커녕 큰 사고를 칠 가능성이 높다.

지나친 강인함에 대한 경계

《주역》에는 "씩씩하더라도 남을 해칠 정도로 지나치게 강하면 안 되고, 똑똑하더라도 남을 해칠 정도로 지나치게 살피면 안 된다"[10]는 생각이 있다. 〈건괘〉만이 아니라 별 효가 강하게 작용하는 〈대장괘大壯卦〉, 〈대축괘大畜卦〉, 〈쾌괘夬卦〉 등에도 지나친 강건함을 경계하는 내용이 담겨 있다.

그래서 《주역》의 첫머리에 나오는 가장 중요한 괘인 〈건괘〉는 강건함을 찬양하기만 하는 것이 아니라 그 강건함을 어떻게 단련하고 제약하고 연마할 것인가를 줄기차게 이야기한다. 그래야 함부로 나서거나 설치는 대신 자제력을 발휘해가며 자기 역량을 제대로 기르고 펼 수 있기 때문이다. 그것은 곧 자신을 진정으로 강하게 만드는 길이기도 하다. 그래서 〈건괘〉는 잠룡에서 이야기를 시작한 것이다.

잠룡 다음에는 용이 밭에 나타나고(둘째 벌), 하루 종일 고군분투하는 모습을 보이며(셋째 벌), 자신에게 익숙한 연못에서 뛰다가(넷째 벌) 끝내 하늘로 날아오르는(다섯째 벌) 이야기가 이어진다.

〈건괘〉는 물에서 나온 잠룡이 하늘을 나는 비룡이 되기까지 다음과 같이 각 단계마다 스스로 강해지기 위한 단련 과제를 부과하고 있다.

(1) 현장에서 고군분투하라.
(2) 사람을 찾아내는 역량을 길러라.
(3) 자만에 빠지지 말고 시시각각 반성하라.
(4) 작은 성취에 현혹되지 마라.

이제 우리를 진정으로 강한 사람으로 단련시키기 위한 〈건괘〉의 메시지를 하나씩 음미해보기로 하자.

현장에서 고군분투하라

첫 번째는 현장에서 고군분투하라는 것이다.

잠룡의 시기를 제대로 거친 이는 이제 현룡見龍으로 변한다. 현룡이란 물 밖으로 몸을 드러내 활동하는 용이다. 〈건괘〉의 둘째와 셋째 효에서는 현장에서 고군분투해야 함을 강조한다. 먼저 둘째 효는 이렇게 말한다.

용이 세상에 나와 밭에 있으니, 큰 사람을 봄이 이로울 것이다.

밭이란 현장이다. 용이 밭에 있다는 것은 아직 높은 지위에 오르지 않았음을 말해준다. 처음 세상에 나왔을 때는 밑바닥에서부터 박박 기어야 한다. 용과 같은 인물이 된다는 것은 하늘에서 뚝 떨어지는 일이 아니라 이렇게 단련과 단련을 거듭해야 가능한 일이다.

또 〈건괘〉의 셋째 효는 이렇게 말한다.

군자가 하루가 다하도록 힘쓰다 저물녘에는 삼가 돌이키니, 위태롭게 여기면 허물이 없을 것이다.

셋째 효에서는 "하루가 다 하도록 힘쓰라"고 하여 혼신의 힘을 다해 일할 것을 강조하고 있다.

아직 하늘에 오른 존재도 아니면서 이마에 '용'이라고 써 붙이고 다닌다고 해서 용 구실을 할 수 있는 것은 아니다. 〈건괘〉는 첫째 효에서 셋째 효에 이르기까지 자신이 용이라고 주장하지 말고 용이 될 수 있도록 행동하라고 강조하고 있다.

사람을 찾아내는 역량

둘째는 사람을 찾아내는 역량을 길러야 한다는 것이다.

〈건괘〉의 둘째 효는 이렇게 말한다.

> 용이 세상에 나와 밭에 있으니, 큰사람을 봄이 이로울 것이다.

둘째 효는 밑바닥 현장 이외에 "큰사람을 봄이 이로울 것"이라고 하여 스승을 찾아 배워야 한다는 점을 강조하고 있다. 큰 사람이란 누구인가. 억센 젊은이의 뻗치는 양기를 다스려 그를 재목으로 다듬어갈 수 있는 지혜로운 스승이나 보필해주는 재상을 말한다.

가장 좋은 공부 방법은 최고의 스승을 찾아내 그이를 그대로 카피하는 것이다. 물론 엉터리가 아닌 최고 수준의 스승을 찾아야 한다. 이런 스승과 학생 사이에는 엄청난 격차가 있다. 학생은 스승이 왜 이것을 하라고 하는지 혹은 저것을 하라고 하는지 지금은 이해가 되지 않을 수밖에 없다. 학생이 자기 수준이 아직 형편없이 낮은 것은 모르고 자기 수준에서 이해가 되지 않는다고 해서 스승을 비판한다면 성장할 수 없다. 스승을 통째로 카피하다 보면 어느 순간 그 분야의 지형도가 눈에 들어온다. 이 때 비로소 그는 자기가 해야 할 공부를 찾아서 할 수 있는 수준이 된 것이다. 이런 수준이 되었는지 아닌지는 어떻게 판단하는가. 그 순간이 되면 스승과 대화가 된다. 스승이 대화 상대로 인정해주면 그는 이제 스승의 곁을 떠나 하산할 때가 된 것이다.

"큰 사람을 봄이 이로울 것"이라는 말은 〈건괘〉의 둘째 효와 다섯째 효에 중복해서 나온다.

둘째 효는 밑바닥 현장에서 이제 막 활동을 시작한 인재다. 그가 자신의 도적 같고 짐승 같은 억센 기운을 잘 가다듬어 큰일을 할 수 있는 재목으로 성장하려면 반드시 큰 인물의 도움을 받아야 한다.

다섯째 효는 이미 이런 단련의 시기를 다 거쳐 군주의 자리에 오른 "하늘을 나는 용"이다. 그 또한 "큰 사람을 봄이 이롭다." 한 나라를 다스리는 일은 혼자 할 수 없기 때문에 군주는 반드시 자신을 제대로 보필할 수 있고 직언으로 바로잡아주는 강직한 신하가 필요하다.

특히 다섯째 효에 이 말이 반복해 나온다는 점이 매우 중요하다. 어느 정도 성공을 거둔 사람은 자신의 역량만 믿고, 여전히 다른 사람과 협력하거나 도움을 받아야 한다는 사실을 잘 잊어먹는다. 좋은 사람을 찾아내는 일에 대한 절박한 심정도 흐트러진다. 그런 사람은 곧 정체될 수 있으며, 위기에 빠질 수 있다.

"큰 사람을 봄이 이롭다"는 말은 아무리 능동적이고 적극적인 역량을 지닌 인재라도 죽을 때까지 절박감을 잃지 말고 자신을 계속 성장시키고 고양시키도록 노력해야 한다는 뜻이다. 이 말은 자신을 성장시키고 도와줄 수 있는 사람을 찾아내는 것이 곧 그 사람의 역량이라는 뜻으로도 해석할 수 있다. 큰 인물은 널리 사람을 잘 찾아내는 사람이며, 그를 통해 자신을 성장시키는 사람이다.

석척약 : 반성이란 공감이다

셋째는 자만에 빠지지 말고 시시각각 반성하라는 것이다.

〈건괘〉의 세 번째 효는 이렇게 말한다.

> 군자가 하루가 다하도록 힘쓰다 저물녘에는 삼가 돌이키니, 위태롭
> 게 여기면 허물이 없을 것이다.

이 효사를 오늘의 말로 한 번 더 옮겨보면 이렇게 얘기할 수 있다. 실력과 덕을 꾸준히 닦아온 사람은 이를 바탕으로 하루 종일 굳세게 사업을 이끌어 나간다. 저물녘에는 자기가 제대로 일을 추진했는지, 최대한 많은 사람들과 함께하려고 애썼는지 반성한다. 자기가 하는 일을 함부로 쉽게 여기지 않고 살얼음을 걷듯 경계심을 잃지 않는다. 이럴 수 있다면 크게 잘못될 일이 없을 것이다.

잠룡의 시기를 벗어나 밑바닥 현장까지 거쳤지만 여전히 억센 기질을 가진 이 군자는 하루 종일 씩씩하고 활기차게 실천궁행해야 한다. 이런 모습을 〈건괘〉에서는 '종일건건終日乾乾'이라고 표현했다.

〈건괘〉는 강건함을 갖춘 군자가 종일건건할 것을 요구하면서 다른 한 편으로는 '석척약夕惕若'할 것을 요구한다. 석척약이란 "저물녘에 삼가 돌이키는 것"을 말한다.

종일건건하는 군자는 매우 강력한 추진력으로 어떤 조직이나 사업을 이끌고 가는 리더다. 이렇게 추진력이 강한 인물들은 대체로 주변을 잘 돌아보지 못한다. 이런 캐릭터들은 추진력 면에서는 나무랄 데가 없지만

가까운 사람들에게 깊은 상처를 남기거나 주변 사람들로부터 원성을 살 가능성이 매우 높다.

모든 조직원이 종일건건하는 군자의 템포에 맞춰 사업을 진행하는 일은 불가능에 가깝다. 소수 조직원은 그 템포를 따라잡겠지만 적지 않은 이들은 그 템포를 따라잡기 어렵다. 이 종일건건의 템포를 따라잡지 못하는 이들을 어떻게 하느냐가 리더십의 모든 것이다.

석척약하는 군자는 이렇게 템포를 따라잡지 못하는 이들을 어떻게 이끌 것인지 계속 고민한다. 군자가 최선을 다해 석척약한다면 낙오자와 탈락자는 최소화될 것이고 그들이 입을 상처도 최소한으로 줄일 수 있다. 〈건괘〉세 번째 볕에서 "군자가 하루가 다하도록 힘쓰다 저물녘에는 삼가 돌이키니, 위태롭게 여기면 허물은 없을 것"이라고 한 것은 이런 뜻이다.

석척약의 시간은 자기 내면을 돌아보는 시간이기도 하다. 이런 시간이 필요한 것은 자신의 강건함만 믿고 앞만 보고 달린다면 자신의 내면도 쉽게 황폐해지기 때문이다.

만약 종일건건하는 강력한 추진력의 군자가 석척약을 하지 않는다면 어떻게 되겠는가. 적지 않은 이들이 낙오하고 끝내는 대열에서 탈락할 것이다. 낙오하는 이들은 무능력자이거나 부적격자라는 비난과 손가락질을 받을 것이다. 낙오하거나 탈락한 이들은 스스로 심한 자괴감과 무력감에 빠져 영혼에 깊은 상처를 입을 것이다. 탈락하는 이들만 상처 입는 것이 아니라 석척약을 할 줄 모르는 이의 내면도 황폐해진다. 그러면 그 자신도 거꾸러질 수 있는 위험에 노출된다.

사이코패스 CEO와 그의 아내

F는 자수성가한 기업가다. 개인 사업으로 시작해 중견 기업을 일궈낸 F는 사업을 시작하면서 성공할 때까지 술, 담배, 골프를 끊겠다고 선언했다. 그는 본래 하던 사업보다 명품 브랜드 수입 분야에서 두각을 나타냈다. 이미 상당히 큰 기업을 일으켰음에도 그는 삶의 고삐를 조금도 늦추지 않고 앞만 보고 달려가고 있다. 그는 추진력 면에서는 흠잡을 데가 없는 사람이다.

F의 아내인 G는 "남편 때문에 숨이 막혀 살 수가 없다"고 하소연한다. F의 머릿속에는 오로지 성공 혹은 돈밖에 없다는 것이다. G에 따르면 F는 주변 인물들을 도구처럼 써먹은 뒤, 이용 가치가 없어지면 폐기처분한다는 것이다.

F는 세 명의 대학 선후배와 함께 사업을 시작했다. 그는 사업이 한 단계 업그레이드될 때마다 동업자 하나를 희생양으로 삼아 제거해왔다. 결국 함께 사업을 시작했던 친구들 세 명이 모두 회사에서 제거되고 현재는 그만이 남았다. 제거된 셋 가운데는 G의 남동생이자 F의 처남인 인물도 포함되어 있었다.

F는 매우 화려한 언변을 자랑한다. 그는 매우 강한 나르시시스트다. 자신의 행동을 합리화하는 논리는 매우 정연하다. 그가 연설을 할 때 진정으로 눈물을 뚝뚝 떨어뜨리는 직원들도 있었다고 한다. 필요하다면 그는 어떤 달콤한 언설도 동원할 수 있다. 그러나 필요하다면 상대가 누구인지 가리지 않고 어떤 독설과 직설어법도 동원할 수 있다.

그는 다른 사람의 고통에 공감할 수 있는 능력에 장애가 있다. 그는 다른 사람을 이용해 자기 사업을 성공적으로 이끈 뒤, 냉혹하게 버리면서 어떤 심리적 죄책감도 느끼지 않는다. F는 전형적인 '사이코패스psychopath CEO'다.

사이코패스란 아무런 죄의식이나 양심의 가책 없이 잔혹한 범죄를 저지르는 이들을 가리키는 범죄심리학 용어다. 이런 인격 장애가 범법자에게만 발견되는 것은 아니다. 최근의 연구를 보면 대기업 최고 경영진이 사이코패스일 확률은 보통 사람들보다 적어도 네 배 이상 높다는 보고가 나오고 있다. 최근에는 '소시오패스sociopath'라는 개념을 쓰는 연구자들도 있다. 소시오패스는 타인의 고통에 무감각하고 죄의식이나 양심의 가책을 느끼지 못한다는 점에서는 사이코패스와 같다. 그러나 이들은 노골적으로 범죄 행위를 저지를 경우 사회적으로 지탄받고 처벌받을 것을 잘 안다. 그래서 자신의 비양심적이고 비윤리적인 행위를 교묘하게 은폐한다. 한 사회의 최고위층까지 오른 사이코패스들은 양심의 거리낌 없이 자신들의 범죄 행위를 은폐하고 합법의 틀로 윤색한다는 점에서 소시오패스라는 틀에서 보는 것이 더 정확할 수 있다.

임금도 절뚝이고 신하도 절뚝이다

G는 F와 사는 것이 너무 힘들어 헤어지길 바라지만 성격이 모질지 못해 이러지도 저러지도 못하고 있다.

G를 위해 《주역》이 어떤 조언을 하는지 보기로 했다. 결과는 〈건괘蹇卦, 절뚝거림의 틀〉☲에서 〈몽괘蒙卦, 몽매함의 틀〉☶로 변해가는 상황이 나왔다.

이 〈건괘〉는 여섯 효가 다 별 효인 〈건괘乾卦〉와 한글 발음은 같지만 한자는 다르다. 혼란을 피하기 위해 이 괘는 〈절뚝거림의 틀〉이라고 한글 번역을 쓰기로 하겠다.

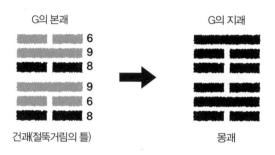

건괘(절뚝거림의 틀)　　　　　　몽괘

〈절뚝거림의 틀〉은 상괘가 물☵, 하괘가 산☶이다. 물은 험난함을 상징하고 산은 멈춤을 뜻한다. 앞에 험난함이 있어 멈춰선 이미지가 〈절뚝거림의 틀〉이다. 혹은 물이 산 위에 있는 형상이다. 물은 산을 넘지 못한다. 산을 넘어가는 강물은 없다. 어떻게 보든 〈절뚝거림의 틀〉은 앞으로 나아가지 못하거나 가더라도 매우 힘겹게 가는 상황이다.

이 경우는 〈절뚝거림의 틀〉의 둘째, 셋째, 다섯째, 맨 위의 네 효가 변효다. 이들의 효사는 이렇다.

　　둘째 그늘 : 임금과 신하가 절뚝거리고 절뚝거리는데, 자기 일로 그러
　는 것이 아니다.
　　셋째 별 : 가면 절뚝거릴 것이요, 오면 제자리로 돌아올 것이다.
　　다섯째 별 : 크게 절뚝거리면 벗이 올 것이다.
　　맨 위 그늘 : 가면 절뚝거릴 것이고 오면 크게 될 것이니, 길할 것이다.

큰사람을 보는 것이 이로울 것이다.[11]

〈절뚝거림의 틀〉은 앞에 험난함이 있어서 갈 수 없는 상황이다. 굳이 간다면 제대로 걷지 못하고 절뚝거리듯 혹은 기어가듯 겨우겨우 가야 한다. 그렇게 가더라도 제대로 간다는 보장은 없다. 〈절뚝거림의 틀〉에서는 험난함을 무릅쓰고 앞으로 가면 힘들고, 돌아와서 다른 때를 기다리면 유리하다. 그래서 셋째 볕은 "가면 절뚝거릴 것이요, 오면 제자리로 돌아올 것"이라고 했고, 맨 위 그늘은 "가면 절뚝거릴 것이고, 오면 크게 될 것"이라고 했다. 셋째 볕은 하괘에서 가장 높은 효로서 아직 상괘로 올라가지 않은 상황이므로 "제자리로 돌아온다"고 했고, 맨 위 그늘은 상괘에서 가장 높은 효이므로 험난함까지 갔다가 돌아오는 상황이어서 "크게 될 것"이라고 했다.

이렇게 어려운 상황에서도 가야 하는 이들이 있다. 《주역》에서 둘째 효는 재상의 자리, 다섯째 효는 군주의 자리를 뜻한다. 한 나라를 책임지고 있는 이들은 험난함 속에서도 나라를 이끌고 가야 한다.

재상인 둘째 그늘은 왕과 더불어 험난함을 뚫으려고 노력한다. 그래서 둘째 효사는 "임금과 신하가 절뚝거리고 절뚝거린다"고 한 것이다. "자기 일로 그러는 것이 아니"라 나라일 때문에 그러는 것이다. 그러나 잘된다는 보장은 없다. 장님이 장님을 인도하는 격일 수 있기 때문이다. 그래서 이 효에는 길흉 판단이 없다.

다섯째 군주는 험난함 속에 빠져 있다. 상괘인 물☵의 가운데 효이기 때문이다. 그래서 그는 "크게 절뚝거리"고 있다. "벗이 올 것"이라고 한 것은 재상인 둘째 그늘이 그를 보필할 것이라는 말이다. 그러나 여기도 길흉 판단이 없다. 여전히 잘된다는 보장은 없다는 뜻이다.

요약하자면 〈절뚝거림의 틀〉은 결코 앞으로 계속 나아갈 수 없는 상황이다. 굳이 간다면 절뚝거리면서 가야 한다. 신하가 군주를 도우려고 해도 군주가 험난함의 한가운데 빠져 있는 형국이기 때문에 같이 절뚝거릴 뿐이다.

이 괘는 지금 가는 방향이 과연 맞는 건지 한 번 반성적으로 돌아보라고 권유하는 괘다. 물이 산을 넘으려 하듯 혹은 산이 물을 가르려 하듯 엄청난 무리수를 두는 것은 아닌가. 한국의 전통적 지리 관념을 보여주는 《산경표山經表》에는 "산은 물을 가르지 않고 물은 산을 넘지 않는다"는 말이 있다. 산과 물이 어울려 자리 잡는 것이 지세의 자연스러움이다. 〈절뚝거림의 틀〉은 이 자연스러움을 거슬러 산이 물을 가르려 하고 물이 산을 넘으려 하는 셈이다. 그래서 산도 물도 절뚝거릴 수밖에 없다.

이는 G와 F의 결혼 생활을 보여주는 것이라고 해석할 수 있다.

몽매함의 틀 : 자기 내면의 험난함

여기서 끝이 아니다. 변효를 바꾸어보면 〈절뚝거림의 틀〉은 〈몽매함의 틀〉로 변한다. 〈몽매함의 틀〉의 괘사는 다음과 같다.

몽매함을 깨치면 형통할 것이다. 어리고 몽매한 이를 내가 찾아가는 것이 아니라 어리고 몽매한 이가 나를 찾아와야 하는 것이다.

처음에 시초점에 물으면 알려주지만 두 번 세 번 물으면 더럽히는 것

이다. 더럽혀지므로 알려주지 않는다.[12]

〈몽매함의 틀〉은 상괘가 산▦이고 하괘가 물▦이다. 상괘가 물▦이고 하괘가 산▦인 〈절뚝거림의 틀〉의 위아래가 고스란히 바뀌었다.

《주역》에서 하괘는 안이고 상괘는 바깥을 뜻한다.

〈절뚝거림의 틀〉에서는 험난함의 상징인 물이 바깥(상괘)에 있고 멈춤의 상징인 산이 안(하괘)에 있었다. 바깥의 험난함을 보고 주체가 멈추는 형상이다.

〈몽매함의 틀〉은 반대다. 험난함의 상징인 물이 안(하괘)에 있고 멈춤의 상징인 산이 바깥(상괘)에 있다. 〈절뚝거림의 틀〉에서는 밖에 있는 험난함이 나를 가로막아 문제였지만 〈몽매함의 틀〉에서는 자기 내면의 험난함으로 인해 몽매함의 문제를 겪는 상황인 것이다.

〈몽매함의 틀〉에서는 몽매함을 깨치는 것이 핵심 과제다. 몽매함은 누가 대신 깨쳐줄 수 없다. 몽매함을 깨쳐줄 수 있는 스승이 있다 하더라도 스승이 몽매한 이를 찾아오는 것이 아니라 몽매한 이가 스스로 스승을 찾아가야 한다. 괘사에서 "어리고 몽매한 이를 내가 찾아가는 것이 아니라 어리고 몽매한 이가 나를 찾아와야 하는 것"이라고 한 것은 그런 뜻이다.

몽매한 이는 스스로의 몽매함을 알아차리지 못한다. 배우는 단계의 몽매함은 〈건괘乾卦〉에서 얘기한 것처럼 스승을 따라 배움으로써 깨칠 수 있다. 그러나 다 큰 사람의 몽매함은 별도의 자기 처방이 필요하다. 어른도 어떤 사안에 대해서는 콩깍지 씌듯 몽매에 빠질 수 있다. 그래서 반드시 자기 주변에 몽매를 깨쳐줄 친구를 두어야 한다. 몽매를 깨쳐주는 따끔한 말을 해줄 수 있는 사람이 진정한 친구다. 사람에게는 이런 죽비 친구가 적어도 셋은 필요하다.

늘 자기 몽매를 깨쳐주는 자기만의 텍스트를 찾아내는 것도 좋은 방법이다. 나에게는 《주역》이 그런 텍스트이다. 어떤 이에겐 《삼국지》가 그런 텍스트이고 어떤 사람은 《손자병법》을 그런 텍스트로 읽는다. 셰익스피어의 작품들이 자신에게 그런 텍스트 구실을 한다는 이도 있다.

《주역》에는 시초점(주역점)을 치는 법에 대해 직접 이야기하는 곳이 딱 두 곳 있다. 그중 하나가 바로 이 〈몽매함의 틀〉 괘사이다. "처음에 시초점에 물으면 알려주지만 두 번 세 번 물으면 더럽히는 것이다. 더럽혀지므로 알려주지 않는다." 점을 쳤는데 그 결과가 늘 자기 마음에 들 수는 없다. 어떨 때는 점에서 험한 이야기를 하기도 하고 준엄하게 꾸짖는 이야기가 나오기도 한다. "다시 쳐달라"고 하는 사람도 있을 수 있다. 그럴 때 두 번 세 번 쳐주면 그건 주역점을 모독하는 것이다. 여기서 주역점은 스승의 가르침을 상징하는 말이다. 그렇게 모독을 용인해서는 몽매함을 깨우쳐줄 수 없다. 그래서 주역점은 한 가지 사안에 대해 딱 한 번만 치는 것이 원칙이다.

이제 G의 고뇌에 대해 《주역》이 뭐라고 하고 있는지 해석해보자. 당신의 문제는 정말 풀기 힘든 문제다. 앞에 건너기 불가능할 정도로 무시무시한 험난함이 당신을 가로막고 있다. 그걸 어떻게 돌파해보려고 할 수도 있겠지만 그러면 한겨울 눈밭 위를 맨발로 절뚝거리며 혹은 엎드려 기어가는 형국이 될 것이다. 잘된다는 보장은 어디에도 없다.

프레임을 바꿔서 보라. 바깥의 험난함(蹇)이 문제가 아니라 당신의 내면에 도사리고 있는 몽매함이라는 험난함(蒙)이 더 문제일 수 있다. 지금 상황을 타개하고 싶다면 먼저 자신의 몽매함을 스스로 깨치라. 몽매함을 깨치기 위해서는 스승의 도움을 받아라. 스승의 도움을 받되, 자기 연민이나 우유부단함 때문에 망설이지 말고 몽매를 일거에 떨치고 벗어던지도록 하라. 엉클어진 긴 머리를 단숨에 싹둑 잘라버리고 단발머리로 변신하듯 말이다.

참 전달하기 곤혹스러운 내용이다. 당신의 결혼 생활이 절뚝거리며 가게 될 것이라는 얘기야 그렇다 치더라도 세상이 다 인정하는 험악한 남편과 살고 있는 이에게 당신의 상황을 타개하려면 당신이 지금까지 몽매하게 살아와서 그런 것이 아닌가 돌아보라고 얘기해야 하는 상황이 아닌가.

이런 상황에 처할 때마다 나는 간암으로 돌아간 선술집 누님을 떠올리며 용기를 낸다. 이것은 당신이 몽매하게 살다 갈 거라는 얘기가 아니다. 당신이 자신을 중심에 두고 마음을 다잡아 문제를 타개해야 한다는 틀로 바라보라는 얘기다. 두 사람은 끝내 이혼했다. G는 최근 재혼해서 새로운 삶을 시작했다. F의 근황은 얘기하지 않겠다.

종일건건만 하고 석척약하지 않는 군자는 사이코패스 CEO처럼 구성원을 부속품처럼 다루거나 이용 가치에 따라 사람을 대하는 존재로 변해갈 가능성이 높다.

리더를 평가할 때는 종일건건하는 추진력과 더불어 석척약하는 반성능력을 함께 보아야 한다. 그래야 그 리더가 조직과 사회를 건강하게 만들 수 있다. 리더 자신도 종일건건의 추진력과 더불어 석척약의 반성능력을 함께 길러야 자기가 소시오패스형의 괴물로 변해가는 것을 막을 수 있다.

혹약재연 : 한 번 더 뛰어올라야 한다

〈건괘〉가 들려주는 네 번째 메시지는 작은 성취에 현혹되지 말라는 것이다. 석척약의 반성은 근본적으로 작은 성취를 부정하고 넘어서서 큰 성취를 이루는 데까지 가야 한다.

〈건괘〉의 넷째 효는 "(용이) 깊은 못에서 혹은 뛰어오르기도 하니, 허물이 없다"이다. 깊은 연못은 용이 활동하기에 유리한 환경이다. 셋째 효의 종일건건하는 실천궁행의 단계를 넘어서면 이제 유리한 환경에서 활동할 기회가 열린다.

여기서 절묘한 글자는 '혹或' 자다. 용의 덕을 갖췄다면 유리한 환경에 들어왔다고 해서 함부로 발호하지 않는다. '혹'자가 들어간 것에 대해 주석가들은 아직 자신의 역량을 정확하게 알지 못하므로 자기 역량을 시험하며 깊은 못에서 뛰어올라 본다는 뜻이라고 풀이한다.

더 중요한 메시지는 유리한 환경에 놓였을 때 거기에 안주하면 안 된다는 것이다.

춘추 오패 가운데 한 사람인 진문공晉文公 중이重耳는 공자 시절 국내의 내란을 피해 19년 동안 각국을 주유하다 귀국했다. 그에게는 외삼촌인 호언狐偃과 조최趙衰 등 함께 떠난 다섯 명의 현명한 신하가 있었다.

중이 일행이 제齊나라에 갔을 때 제나라의 환공桓公은 중이를 환대했다. 그는 진나라를 떠나올 때 혼인한 여인이 있었으나 제환공은 중이에게 왕실의 여인을 새 아내로 맞이하도록 했다. 이 여인은 아름답고 현명했다. 중이는 이 여인과 사랑에 빠졌다. 그는 제나라에서 5년 동안이나 단란하고 행복한 삶을 누리면서 조국으로 돌아갈 일은 까맣게 잊고 말았다.

중이의 핵심 참모인 외삼촌 호언과 조쇠는 뽕나무 아래에서 중이를 속여서라도 제나라를 벗어나야겠다는 모의를 했다. 우연히 이 모의를 엿들은 중이의 새 아내의 몸종은 그 이야기를 새 아내에게 일러바쳤다. 그러자 여인은 몸종을 죽이고 중이에게 어서 제나라를 벗어날 것을 권했다. 중이는 이렇게 대답했다.

"지금 여기 생활이 편하고 좋은데 왜 떠나라고 한단 말이오? 나는 여기를 벗어나지 않고 여기서 죽을 때까지 살 것이오."

그러자 여인은 되레 이렇게 말했다.

"당신은 한 나라의 공자로서 나라를 책임지셔야 하는데, 사정이 어려워 망명하셨습니다. 지금 당신의 핵심 참모들은 오로지 당신에게 모든 것을 다 걸었습니다. 그런데 당신은 빨리 돌아가 나라를 안정시켜 저 현명한 이들에게 보답할 생각은 하지 않고 여색에만 빠져 있으니, 당신을 대신해 제가 부끄럽습니다."

이런 말을 듣고도 중이는 안락한 생활을 집어던질 생각이 없었다. 그러자 여인은 호언, 조쇠 등과 짜고 중이에게 술판을 차려주고 크게 취하도록 만들었다. 호언 등은 술에 취해 곯아떨어진 중이를 수레에 싣고 말을 달려 제나라의 수도 임치를 벗어났다. 한나절 자고나서 깨어난 중이는 속은 것을 알고는 창을 들어 외삼촌인 호언을 찌르려 했다. 호언은 이렇게 말했다.

"주군께서 저를 죽이시어 뜻을 이루실 수 있다면 그것은 제가 바라는 바입니다."

중이는 차마 찌르지 못하고 이렇게 소리 질렀다.

"만약 내가 진나라로 돌아가 성공하지 못한다면 외삼촌의 살을 씹어 먹을 것이오!"

호언도 지지 않고 소리쳤다.

"만약 성공하지 못한다면 이 삼촌의 살코기는 이미 썩어 문드러져 역겨울 텐데, 그걸 어찌 씹으실 수 있겠소!"

참모들의 강력한 의지 덕분에 안락한 환경에서 벗어난 중이는 결국 진나라로 다시 돌아가 대권을 장악할 수 있었다.

만약 중이가 제나라를 벗어나지 않았더라면 아마도 단란한 삶을 사는 데 지장은 없었을 것이다. 그러나 그가 두 번째 춘추 오패가 되는 업적은 이루어내지 못했을 것이다. 그가 제나라에 머물렀더라면 아마도 유비의 아들인 안락공 유선과 비슷한 맥락에서 인용되는 인물로 남았을 것이다.

작은 성취는 큰 성취를 이루어내는 밑거름이 될 수 있지만 거기에 만족하면 작은 성취는 큰 성취의 걸림돌로 변한다.

사랑에 빠진 충선왕

고려가 몽골의 지배를 받던 시절인 고려 말, 충렬왕의 아들 충선왕은 어머니가 원나라의 왕족이었다. 그는 몽골-고려 혼혈아로 원나라 왕실이 외갓집이었다. 충선왕은 고려의 정치에 재미를 느끼지 못하고 원나라에 머무는 것을 좋아했다. 그는 한동안 원나라에서 국내로 편지를 보내 원격 정치를 했다. 그를 수행한 이제현은 나라를 비우고 원나라에 머물고 있는 충선왕에게 한시라도 빨리 고려로 돌아갈 것을 간청했다.

충선왕은 원나라에 머물 때 자주 가던 술집의 여인과 사랑에 빠졌다. 고려로 돌아갈 즈음 충선왕은 그 여인에게 연꽃 한 가지를 선물로 주었다. 그 여인을 잊지 못한 충선왕은 이제현을 보내 그 여인이 어떻게 지내고 있는지 보고 오도록 했다. 이제현이 그 여인의 숙소에 갔더니, 여인은 며칠째 먹지 않아 말도 제대로 하지 못할 지경이었다. 겨우 몸을 추스린 여인은 억지로 붓을 놀려 다음과 같은 시를 지어 이제현에게 주었다.

보내주신 연꽃잎
처음엔 한 잎 한 잎 붉더니
가지에서 떨어진 지 오늘이 며칠
마르고 시들어가는 것이 내 모습과 같구려[13]

이제현은 마음이 아팠다. 그러나 충선왕에게 이 시를 보여주었다가는 또 귀국 날짜를 늦추고 당장 여인에게 달려갈 것만 같았다. 그래서 충선왕에게 거짓말을 했다.

"제가 술집에 가서 보니, 그 여인은 다른 젊은 청년들과 술을 마시며 즐기고 있어 저와 이야기를 나눌 겨를도 없었습니다."

충선왕은 이맛살을 찌푸리며 땅에 침을 뱉었다. 충선왕이 고려로 돌아온 지 한 해가 지나 생일잔치를 벌였을 때였다. 이제현이 충선왕에게 술을 한 잔 받고 물러나더니, 엎드려 죽을죄를 지었다며 죽여달라고 했다. 충선왕이 무슨 일이냐고 물었다. 그러자 이제현은 그 여인이 지은 시를 왕에게 올리며, 1년 전의 일을 사실대로 고했다. 충선왕은 시를 읽더니, 눈물을 뚝뚝 흘리며 이렇게 말했다.

"만약 한 해 전 그날 이 시를 읽었더라면 나는 죽을힘을 다해 다시 그 여인에게 돌아가려 했을 것이오. 경이 나를 사랑하여 말을 꾸민 것이니, 이는 진실로 충성을 다한 것이오."

《용재총화慵齋叢話》에 실려 있는 이야기다. 충선왕은 군주나 리더로서 그렇게 뛰어난 인물은 아니다. 그런 그조차 이제현의 본마음이 어떠했는지 판단할 분별력은 있었다.

황제를 속여 바다를 건너다

진문공 중이를 술에 취하게 만들어 제나라에서 벗어난 것이나 이제현이 충선왕을 속여 하루바삐 고려로 돌아오게 한 것은 36계 가운데 첫 번째 계책인 '만천과해瞞天過海'와 통한다.

만천과해란 "천자를 속여 바다를 건너게 한다"는 뜻이다. 중국인들은 당 태종이 고구려를 칠 때의 에피소드로부터 이 계책이 나왔다고 설명한다.

당 태종이 30만 대군을 이끌고 고구려를 치러 갔는데, 눈앞에 바다가 나타났다. 요동을 치기 위해서는 바다를 건너야 한다고 하자 당 태종은 군사를 되돌리려 했다. 그러자 설인귀 등 참모들은 계책을 꾸몄다.

설인귀는 당 태종에게 지방 호족이 군량미를 대려 한다고 속였다. 당 태종은 군량미를 살펴보러 갔다가 멋진 휘장이 쳐진 곳으로 안내를 받았다. 휘장 안에는 진수성찬이 차려져 있었다.

한참을 먹고 즐기는데, 휘장 밖의 바람소리가 심상치 않았다. 휘장을 걷어보라고 했더니, 망망대해 한가운데였다. 선박 안에 휘장을 설치하고 태종을 그리로 안내한 것이었다. 설인귀는 당 태종에게 "폐하의 30만 대군은 이미 모두 배에 올라 요동으로 진격 중이옵니다"라고 보고했다.

이 이야기는 역사 기록과는 맞지 않는 설화다. 그러나 천자를 속여서라도 가야 할 곳으로 가게 해야 한다는 뜻은 우리가 〈건괘〉 네 번째 효에서 읽어내려는 메시지와 통한다.

만약 누가 우리를 대신해 작은 성취에 도취당하지 않도록 만천과해의 계책을 써준다면 매우 감사한 일이다. 그런 참모가 없다면 스스로 자기를 끌고 가는 참모가 되어 작은 성취에 빠져 헤어나오지 못하는 자신을 돌아보고 채찍질해야 한다. 원대한 인생을 어찌 작은 꿈속에 구겨 넣을 수 있겠는가.

진문공 중이 이야기, 충선왕 이야기, 만천과해 이야기는 우리가 앞에서 본, 오디세우스가 세이렌의 바다를 건넌 이야기와도 통한다. 왕도 왕자도 아닌 우리는 스스로 작은 안락의 유혹을 이겨낼 수 있는 장치를 마련해야 한다. 《한비자韓非子》에는 이런 이야기가 나온다.

옛사람들은 자기 눈으로 스스로를 볼 수 없기 때문에 거울로 자기 얼굴을 보았고 자기 지혜만으로는 스스로를 알기 부족했기 때문에 길[道]로써 자기를 바로잡았다. 거울이 흠을 드러냈다고 해서 죄를 주지 않으며, 길이 잘못을 밝혔다고 해서 미워하지 않는다. 눈은 거울을 잃으면 수염과 눈썹을 바로 다듬을 수 없고, 몸은 길을 잃으면 어지러워지고 유혹에 빠지는 것을 깨닫지 못한다.

서문표西門豹는 성미가 급했기 때문에 늘 부드러운 가죽을 옆에 차고 다니면서 스스로의 마음을 너그럽게 하려고 애썼고, 동안우董安于는 마음이 느긋했기 때문에 늘 팽팽한 활시위를 차고 다니면서 스스로의 마음을 재촉했다. 그러므로 넉넉한 것을 가지고 부족한 것을 채우고 장점을 들어 단점을 잇는 사람을 밝은 군주라고 한다. ―《한비자》〈관행觀行〉

서문표는 중국 전국시대 치수 사업을 통해 농업 생산력을 끌어올린 위魏나라의 정치가이고, 동안우는 춘추시대 말기 진晉나라의 실권자인 조간자趙簡子의 가신으로, 축성술로 이름을 떨친 정치가이다.

허리춤에 매달린 부드러운 가죽을 보며 서문표는 늘 "한 템포 늦추라"는 메시지를 읽는다. 반대로 동안우는 팽팽한 활시위를 보며 "늘어지지 말라"는 메시지를 듣는다.

급하거나 무른 성격을 바로잡아주는 상징물이 있을 수 있다면, 작은 성취에 만족해 거기 머물지 말라고 일깨워주는 상징물도 있을 수 있겠다. 만약 작은 성취에 쉽게 도취되지 않도록 일깨워줄 누군가가 없다면 스스로 이런 상징물을 만들어 가까운 곳에 두는 것도 한 가지 방법이다.

13장

{ 추락하는 이에게는
   날개가 있다 }

마지막으로, 꼭대기까지 올라간 맨 위 별의 효사는 "지나치게 높이 올라
간 용이니, 후회할 것"이라고 했다. 굳센 덕성을 발휘하는 것도 지나치면
허물이 될 수 있다. 이제 용의 덕성은 점차 밝게 드러나던 상황에서 거꾸
로 숨어들어가는 상황으로 바뀐다.

〈건괘〉뿐만 아니라 괘가 전반적으로 길할 때는 마지막 효가 흉한 경우
가 많다. 어떤 경우든 극점에 이르면 다시 새로운 상황을 보여주는 것이
《주역》의 가장 큰 미덕이다. 《주역》은 긍정적 사태나 부정적 사태가 고정
적인 것이 아니라 서로 뒤바뀌는 것임을 보여준다. 긍정과 부정이 서로
뒤바뀔 수 있는 근거는 긍정적 사태 속에는 부정적 사태의 씨앗이, 부정
적 사태 속에는 긍정적 사태의 실마리가 자리하고 있기 때문이다. 1부에
서 이야기한 물극필반의 동그라미 운동을 기억하자. 《주역》의 64괘는 모
두 자신의 고유한 동그라미 운동을 하고 있다.

황제 앞에서 인생 강의하기

청나라의 황제 강희康熙는 《주역》을 매우 좋아했다. 중국의 황제는 궁궐 안에 자기만을 위한 대학을 둘 수 있었다. 강희는 궁궐 안으로 당대 최고의 학자들을 불러들여 《주역》 강의를 들었다. 강희에게 《주역》을 강의한 학자는 이광지李光地라는 당대 최고의 석학이었다. 그는 《주역》의 첫머리에 나오는 〈건괘乾卦〉에 대해 강의하다가 맨 마지막 구절에 대해서는 강의를 하지 않고 슬그머니 넘어갔다. 이 괘의 마지막 구절은 "너무 높이 올라간 용이니, 뉘우칠 일이 있을 것"이라는 뜻의 '항룡유회亢龍有悔'였다.

이광지가 이 구절을 강의하지 않은 것은 몸보신을 위해서였다. 중국에서 용은 본디 황제를 상징하는 말이고, 한 나라에서 황제보다 더 높은 자리에 올라간 사람은 없다. 이광지는 황제의 코앞에서 강의를 하면서 그를 향해 "너무 높이 올라간 용은 뉘우칠 일이 있을 것"이라고 외친다는 것은 자살 행위라는, 매우 현실적인 판단을 한 것이다. 이광지의 마음을 이해 못할 것은 없다. 내가 지인들에게 주역점 얘기를 해줄 때도 진땀이 났는데, 만백성에 대한 생사여탈권을 쥐고 있는 황제 앞에서 어떻게 함부로 귀에 거슬리는 이야기를 하겠는가.

강희는 이미 다른 신하들과 《주역》을 상당히 깊이 공부한 적이 있었다. 〈건괘〉에 대한 강의를 대충 마치려는 이광지에게 강희는 바로 질문을 던졌다.

"왜 마지막 구절에 대해서는 강의를 하지 않으십니까?"

황제에게 허를 찔린 학자 이광지는 머리를 조아리고 몸을 떨며 대답했다. "강의하기에 마땅하지 않은 구절에 속하기 때문입니다."

강희는 이 문답 덕분에 한족 학자들이 만주족 황제에게 강의하면서 자기들끼리 '강의해도 되는 구절'과 '강의하기에 마땅하지 않은 구절'을 나누어 '족보'를 만들어두었다는 정보도 알아냈다. 이 합리적이고 현명한 황제는 숨을 죽이고 있는 이광지에게 이렇게 말했다.

'높이 올라간 용은 뉘우칠 일이 있을 것'이라는 구절을 왜 '강의하기에 마땅하지 않은 구절'에 넣었소? 자연의 일이든 사람의 일이든 모두 너무 높이 올라가면 뉘우칠 일이 생기는 법이오. 《주역》의 말씀 가운데 이러한 도리를 말하지 않는 경우가 없소. 이런 말씀을 거울 삼아 마음이 풀어지지 않도록 하라는 것이 《주역》의 본뜻이오. 이런 얘기를 꺼리거나 금기시할 필요가 없소.

앞으로는 나에게 강의할 때 '강의해도 되는 구절'과 '강의하기에 마땅하지 않은 구절'을 나누지 말고, 어떤 내용이든 빠짐없이 다 강의하도록 하시오. '강의하기에 마땅하지 않은 구절'에 관한 족보는 아예 내다 버리시오. 내가 《주역》 강의를 듣는 까닭은 바로 그런 구절로부터 경고의 소리를 듣기 위한 것이오. 아시겠소?[14]

이광지는 뜻밖에 황제의 따뜻하면서도 날카로운 지적을 듣고 안도의 숨을 내쉬었다. 강희는 《주역》의 핵심을 아는 사람이다. 이광지는 비록 《주역》에 대해서는 당대에 가장 해박한 학자였지만 이 대목에서는 강희에게 완패를 당했다.

경고를 듣는 열린 귀

우리가 오늘날까지도 《주역》을 읽는 까닭은 이 옛글이 언제 어떤 상황에서든 자만이나 좌절에 빠지지 말라는 심각한 경고의 메시지를 우리에게 던져주기 때문이다. 심지어는 하늘을 나는 것이 가장 큰 재주인 용일지라도 "너무 높이 올라가면 후회할 일이 생길 수 있다"는 경고를 빠뜨리지 않는 것이 《주역》의 가장 큰 미덕이다.

경고의 메시지를 받아들이는 마음가짐이 강희 정도는 되어야 《주역》 강의를 들을 자격이 있다. 만약 황제 앞에서 "너무 높이 올라가면 후회할 일이 생길 수 있다"는 내용의 강의를 했을 때 황제가 이광지를 향해 "자네는 지금 그 얘기를 나 들으라고 한 건가?"라고 되묻는다면 어떻게 되겠는가. 이광지의 《주역》 강의만 위험한 것이 아니라 그의 목숨까지 위태로울 것이며, 황제 또한 《주역》에서 진정으로 배워야 할 지혜와 통찰을 배우지 못하고 위태로운 길을 걸어갔을 것이다.

강희의 말대로 경고의 메시지를 듣기 위해 《주역》을 읽는 것이다. 그래서 물이 쫙쫙 다 빠진 연못, 얼굴만 바꾸는 소인배, 자기 내면의 몽매 등에 관한 이야기들이 입에 올리기에는 부담스럽지만 우리 삶에는 결정적으로 중요한 메시지가 될 수 있다.

영조가 들은 항룡유회

군주와 신하가 "너무 높이 올라간 용"에 관한 이야기를 나눈 장면은 《조

선왕조실록》에도 몇 번 나온다. 그 가운데 1731년 강직한 신하 이덕수李
德壽가 영조에게 바친 직언은 오늘날에도 읽어볼 가치가 있다. 영조의 아
침 공부 시간이었다. 이덕수는 이렇게 말했다.

> 오만의 반대는 겸손이고 사치의 반대는 검소입니다. 소신은 나이 예
> 순에 가까워 세상에서 많은 일을 겪었습니다. 선비로서 벼슬길에 오른
> 사람들 중에 오만하게 권력을 추구하면서 실패하지 않은 이가 드물었
> 습니다. (…)
> 《주역》 64괘의 모든 괘는 여섯 효에 길함과 흉함이 섞여 있는데, 오
> 로지 〈겸괘謙卦, 겸손함의 틀〉만은 여섯 효가 모두 길하여 흉함이 없습니
> 다. 이를 보면 겸손함으로써 하늘과 사람의 도움을 얻을 수 있음을 알
> 수 있습니다.
> 군주는 신하와 백성의 위에 처하니, 겸손함에 힘쓸 일이 없는 것이 마
> 땅해 보이지만, 만약 혹시라도 자신이 완전한 사람인 척하고 스스로 자
> 랑하여 여러 신하들을 깔보며 신하들 앞에서 마음을 비워 도움을 청하
> 는 일을 즐겨하지 않는다면 잘못이 점점 분명해져서 끝내는 반드시 '높
> 이 올라간 용이니, 후회할 일이 있을 것[亢龍有悔]'이라는 《주역》의 경고
> 처럼 되는 지경에 이를 것입니다.
> 그러므로 군주가 마땅히 경계해야 할 것은 오만함이고, 마땅히 힘써
> 야 할 것은 겸손함입니다.[15]

이 직설어법의 간언을 들은 영조는 어떤 반응을 보였을까. 《영조실록》
에는 "임금이 수긍하고 받아들였다"라고 기록되어 있다.

청나라 강희의 신하 이광지는 《주역》을 강의하면서 마땅히 이런 수준의 얘기를 강희에게 들려주었어야 했다. 그래야 《주역》을 공부한 사람이라고 할 만하다. 이덕수는 당쟁의 어느 한쪽 편에도 발을 들여놓지 않고 공평무사하려고 노력했던 선비로서 영조의 신임이 두터웠다. 그렇기 때문에 그는 이광지처럼 목이 달아날 것을 두려워하지 않고 임금에게 이런 직언을 할 수 있었을 것이다.

영조는 자기 아들 사도세자를 죽인 모진 사람이지만 이런 일화를 보면 바른 말에 귀를 열어두려고 노력한 군주였다고 할 수 있다.

최고점에 오르면 추락할 일만 남는가

여기서 이런 의문이 들 수 있다. 가장 높은 곳에 오르면 반드시 추락할 일만 남게 되는가. 반드시 그렇다면 이런 경고를 할 필요도 없을 것이다. 한나라 때의 학자 유향劉向이 지은 《설원說苑》에 나오는 이야기를 들어보자.

손숙오가 초나라의 재상이 되었다. 나라의 신하와 백성들이 모두 와서 축하했다. 그런데 거친 옷에 흰 모자를 쓴 노인 한 사람만이 가장 늦게 와서 되레 조의를 표했다.

손숙오는 모자와 옷매무새를 바르게 하고 나아가서 그 노인에게 말했다. "초나라 임금께서 제가 부족한 사람이라는 것을 모르시고 백성들의 어려움을 받드는 자리에 저를 앉히셨습니다. 사람들이 모두 와서 축

하하는데, 선생님께서만 홀로 가장 늦게 오셔서 조의를 표하시니, 혹시 제게 해주실 말씀이 있으십니까?'

노인이 말했다. "있습니다. 신분이 이미 귀한데 남을 오만하게 대하는 사람은 백성들이 등을 돌립니다. 지위가 이미 높은데 권력을 함부로 휘두르는 사람은 군주가 미워합니다. 녹봉이 이미 충분히 많은데 만족할 줄 모르는 사람은 재앙 속에 앉아 있는 겁니다."

손숙오가 두 번 절하고 말했다. "경건하게 말씀을 듣겠습니다. 더 가르침을 주시길 원합니다."

노인이 말했다. "신분이 높으면 뜻을 더욱 낮추어야 하고, 벼슬이 높으면 마음은 더욱 조심하여야 하며, 녹봉이 충분히 많으면 신중하여 감히 더 욕심을 내지 말아야 합니다. 그대가 이 세 가지를 삼가 잘 지킨다면 충분히 초나라를 잘 다스릴 것입니다." ―《설원》〈경신敬愼〉

이 노인은 항룡유회와 같은 이야기를 하고 있다. 추락하는 것에는 날개가 있다. 날개가 있기 때문에 추락할 정도로 높이 올라갈 수 있었던 것이다. 그러나 날개를 펴고 날아오른 모든 존재가 추락하는 것은 아니다. 항룡유회는 우리가 오만과 권력욕과 탐욕 때문에 추락하지 않도록 끊임없이 일깨우는 경고의 소리다. 경고는 예언이 아니다. 우리가 미리 조심하고 스스로를 일깨우기 위한 것이다. 그러므로 경고의 메시지를 두려워하지 말고 적극적으로 자신을 위한 도구로 삼아라. 이것이 《주역》을 제대로 읽는 법이다.

강건함에 대한 성찰

지금까지 〈건괘〉가 들려주는 메시지에 귀를 기울여보았다.

〈건괘〉는 강건한 실천이 필요한 상황이며, 억센 용의 기질을 가진 군자가 주인공이다. 강인한 성품의 군자는 잠룡의 단련 시기를 이겨내야 하고, 밑바닥 현장을 마다하지 말아야 하며, 자신의 강인함만 과신하지 말고 더 큰 사람의 도움을 얻어 끊임없이 성장해야 한다.

이 군자는 강인한 의지로 종일건건하는 굳센 실천을 이어가야 하지만 혼자서만 앞서가는 대신 석척약의 반성을 통해 다른 사람들과 교감하고 공감하며 함께 가야 한다. 작은 성취에 만족하지 말아야 하며, 거기 머무르지 말고 단호하게 떠나 새로운 세계를 열어가야 한다. 그러나 너무 높이 올라가면 반드시 후회할 일이 생길 수 있기 때문에 가득 채우는 것을 목표로 하는 대신 조금 모자라는 데서 만족할 줄도 알아야 한다.

〈건괘〉가 보여주는 상황에 대해 우리는 두 가지 태도로 임해야 한다. 하나는 강인한 의지로 지금의 상황을 돌파하는 것이다. 다른 하나는 자신의 강인함이 주변을 해치지 않도록 자신을 반성하고 성찰하는 것이다.

〈건괘〉에는 우리가 인생에서 취해야 하는 가장 기본적인 미덕과 태도가 실려 있다. 《주역》의 머리에 〈건괘〉가 나오는 이유는 여기에 있다. 그러나 이것만으로는 부족하다. 어떤 경우에는 유순함이 필요한 상황이 있고 우리는 유순함도 충분히 발휘할 수 있어야 한다. 어떤 경우가 그런가. 그것은 〈곤괘坤卦〉에서 읽을 수 있다. 다음 장에서 〈곤괘〉를 읽으면서 우리 인생에서 유순함이 필요한 상황과 유순함을 잘 발휘하기 위해 어떻게 해야 하는지 이야기할 것이다.

4부

어떻게 운명을 버텨낼 것인가

∴

곤괘

지휘하기 전에 먼저 복종하는 법을 배워라.

_ 솔론

강한 것만이 힘은 아니다.
주변의 지지를 얻어내는 것은 겸손함이다.
적들조차 존경하게 만드는 것은 원칙을 지키는 것이다.
이렇듯 《주역》이 말하는 가장 위대한 역량은
땅의 미덕을 배워 곧고, 반듯하고, 큰 내면을 갖추는 것이다.
《주역》은 그런 이에게 "점친 결과가 좋지 않아도
이롭지 않음이 없을 것이다"라는 최고의 찬사를 남긴다.

14장

부드러움의 힘

이제 〈곤괘坤卦〉 이야기를 할 것이다. 우리는 강함으로 운명을 이겨내고 유연함으로 운명의 무게를 버틴다. 〈곤괘〉는 우리 내면에 있는, 강인함과는 다른 역량인 유연함의 역량에 관해 이야기해준다.

표범처럼 무늬가 풍부해지기

〈혁괘〉는 혁명의 때가 왔을 때 우리에게 '호랑이처럼 변할 것〔虎變〕'과 '표범처럼 변할 것〔豹變〕'을 요구했다. 호랑이처럼 변하는 것은 〈건괘〉의 이야기다. 그것은 스스로 강해지는 삶이다. 이번에는 표범처럼 변하는 것에 대해 이야기할 것이다. 그것은 〈곤괘〉의 이야기다.

　호랑이에 비하면 표범은 2인자다. 호랑이처럼 변한다는 것과 표범처럼 변한다는 것의 차이는 무엇일까. 《상전》은 이렇게 풀이한다.

> 큰사람이 호랑이처럼 변한다는 것은 그 무늬가 빛난다는 것이다.
> 군자가 표범처럼 변한다는 것은 그 무늬가 울창하다는 것이다.[1]

호랑이처럼 변한다는 것은 알아보기 쉬워지는 것이다. 호랑이 가죽은 단순한 줄무늬다. 호랑이처럼 변하라는 말에서 강조하는 것은 분명한 목표와 강인한 추진력이다. 목표가 분명해야 추진력이 나온다.

표범은 호랑이보다 무늬가 훨씬 화려하고 복잡하다. "무늬가 울창하다"는 것은 다양하고 풍부하다는 것이다. 표범처럼 변하라는 말에서 강조하는 것은 세상의 다양하고 풍부한 모습과 더 잘 어울리라는 뜻이다.

〈건괘〉가 하늘과 같은 강건함을 통해 운명을 돌파하는 이야기라면, 〈곤괘〉는 대지처럼 바닥에 엎드려 자기를 내세우지 않고 실제로 일이 되도록 뒷받침하는 이야기다. 땅은 자기를 내세우지 않음으로써 온갖 만물이 다양하고 풍부한 모습을 뽐낼 수 있도록 해준다.

어떤 때는 땅처럼 자기를 내세우지 않는 것이 자신에게도 유리하고 길하다. 〈곤괘〉가 우리에게 일깨워주는 것은 이런 통찰이다.

유순하고 두터운 대지처럼

〈곤괘〉는 여섯 효가 모두 그늘 효 --로 이루어져 있고 위아래가 모두 땅☷인 괘이다. 〈곤괘〉는 땅을 본떴다.

눈으로 보이는 현상 세계에서 땅은 움직이지 않는다. 반석처럼 굳세게 모든 것을 받들어주면서도 기꺼이 모든 것의 아래에 처한다. 땅의 가장 큰 미덕은 늘 낮은 곳에 처하는 '유순함'과 만물을 받쳐주는 '포용력'이다. 《상전》은 〈곤괘〉에 대해 이렇게 말한다.

> 땅의 형세는 유순하고 도타우니, 군자는 이로써 덕을 도탑게 하여 온
> 갖 것을 잘 실어준다.[2]

도타운 덕으로 드넓은 포용력을 발휘해 온갖 것을 다 실어준다는 '후덕 재물厚德載物'이라는 말이 여기서 나왔다. 유순한 사람은 대체로 관용적이고, 관용적인 사람은 대체로 유순하다. 넓고 넓은 도량으로 모든 것을 품어주면서 유순하게 자기를 앞세우지 않고 낮추는 것, 이것이 〈곤괘〉가 땅에서 발견한 미덕이다.

〈곤괘〉는 지극한 유순함과 지극한 포용력이 아니면 헤쳐 나갈 수 없는 상황에 관한 이야기이자 그런 성품의 사람이 반성하고 성찰해야 하는 덕목에 관한 이야기를 담고 있다. 〈곤괘〉의 상황에서 우리는 자기 내부의 유순함과 포용력을 끌어내야 한다. 하지만 그 유순함과 포용력으로 인해 일을 그르치거나 소극적이 되지 않도록 돌아보고 반성해야 한다.

대지는 정말 유순한가

대지가 정말 유순할까? 지진이 일어나고 용암을 토해낼 때의 대지는 성

난 괴물과 같다. 천재지변의 때가 아니더라도 기암괴석이 늘어선 심산유곡은 사람의 범접을 금하는 위용을 과시한다.

땅이 과연 유순한가 하는 의문을 제기하는 이들을 위해 왕필王弼은 "땅의 모습은 유순하지 않으나 그 형세가 유순한 것"[3]이라고 했다. 땅의 겉모습이야 얼마든지 험하고 헌걸찰 수 있지만 땅은 늘 밑으로 가라앉아 세상의 풀과 나무들을 자라도록 토양을 제공하고 뭇짐승들이 밟고 다니도록 자기를 낮춘다. 이 점이야말로 천고의 세월이 흘러도 변하지 않는 땅의 본성과 미덕이다.

다산 정약용은 땅의 유순함을 이렇게 설명한다.

> 하늘, 땅, 물, 불 등 네 가지 기본 삼획괘 가운데 아래에 있는 것이 물과 흙이다. 그러나 한 줌의 흙을 물에 던지면 반드시 가라앉아 아래에 쌓인다. 이는 그 성질이 다른 것을 맡아주고 실어주려 하는 것이지, 올라타거나 넘어가려 하는 것이 아님을 보여주는 것이다. 이처럼 땅의 유순함은 지극한 것이다.[4]

《주역》의 여덟 가지 상징물 가운데 가장 밑에 있는 것이 물과 흙인데, 흙과 물이 만나면 흙은 물속에서도 가장 낮은 곳으로 가라앉는다. 정약용은 이렇게 기꺼이 가장 낮은 곳으로 내려가 다른 것들을 받쳐주는 것이 땅의 본성이라고 설명한다.

본성이 이런 이들은 남을 올라타거나 넘어가려 하지 않는다. 세상은 하늘같이 강한 성품으로 사업이나 조직을 이끌고 나갈 사람도 필요로 하지만, 땅처럼 유순한 성품으로 밑에서 받쳐주고 포용해주는 사람, 어떤 상황에서도 절대 남을 올라타거나 넘어가지 않을 사람도 필요로 한다. 이런 성품을 기른 사람은 다른 사람에게도 도움을 주지만 무엇보다 그런 성품이 자신에게도 길하고 이로울 수 있다.

대지는 무엇을 포용하는가

대지의 포용력이란 무슨 말인가.

땅은 단순한 흙이 아니다. 흙조차도 단순한 바위 부스러기의 미세한 입자가 아니다. 거기엔 썩은 짐승의 뼈와 삭은 낙엽의 섬유질 따위의 온갖 유기물과 무기물이 뒤섞여 있다. 심지어 흙 속을 기어 다니면서 이런 영양분들을 갉아먹고 유기화합물을 토해내는 눈에 보이지 않는 미생물들조차 '흙'이라는 낱말의 구성 요소다.

흙이 이러할진대, 땅 또한 단순한 흙덩어리가 아니다. 대지에는 바위가 있고 나무와 풀이 자라며 사람들이 지은 집의 기초가 박혀 있다. 거기에는 샘이 솟아나고 강물이 흐르며 깊은 늪이 있고 낭떠러지와 험산준령이 있다. 땅은 이 모든 것을 싣고 있는 거대한 수레와 같다.

대지의 포용력이란 이런 것이다. 대지는 산천초목에서 쓰레기까지 어떤 것도 배척하지 않는다. 그래서 대지는 늘 큰사람이 갖추어야 할 포용력의 비유로 쓰였다. 가령 묵자墨子는 이렇게 말한다.

> 큰 가람은 작은 골짜기의 계곡물들이 흘러들어 자신을 가득 채우는
> 것을 싫어하지 않기 때문에 도도한 흐름을 형성할 수 있다.

뛰어난 지도자는 자기가 해야 할 어떤 일도 마다하지 않고 자기가 감싸야 할 어떤 존재도 거스르지 않기 때문에 하늘 아래 큰 그릇이 될 수 있다.

그러므로 도도한 강물은 하나의 샘물에서 흘러나온 것이 아니고, 천금의 값비싼 가죽 외투는 여우 한 마리의 가죽으로 만들 수 있는 것이 아니다. 어찌 하늘 아래 큰 길을 실천하려 하는 이가 자신과 뜻이 같은 이들만을 취하려 들겠는가. 자신과 뜻이 같은 이들만 취하려 하는 이는 더 큰 지도자가 될 수 없다.

그러므로 하늘과 땅은 아기자기하지 않고, 큰 물은 돌돌돌 흐르지 않으며, 큰 불은 타닥타닥 타오르지 않는다. 지도자는 아기자기한 잔정으로 사람을 다루지 않으니, 그러므로 수많은 사람들의 우두머리가 될 수 있는 것이다. ─《묵자》 〈친사親士〉

묵자는 "하늘과 땅은 아기자기하지 않다"고 말한다. 세상의 모든 것을 받아들이는 대지가 어떻게 아기자기하겠는가. 험산준령이 있어서 더러 용암을 뿜어내는 것은 어쩔 수 없는 이치다. 그러나 대지가 유순함과 포용력의 미덕을 지닌다는 점은 변함이 없다. 이런 것이 땅의 미덕, 대지의 본 모습이며, 〈곤괘〉가 우리에게 이야기해주는 지혜이다.

대지의 유순함과 포용력이라니, 참 멀고 먼 이야기로 들린다. 지금 내 몸 하나 추스르기도 힘들고 내 자식 하나 건사하기도 힘들다. 당장 하루하루도 힘겨운데, 그런 엄청난 포용력을 발휘할 겨를이 도대체 어디 있단 말인가. 나는 대지처럼 살아갈 생각도 없고, 그럴 자신도 없고, 그럴 필요성도 느끼지 못한다. 대지의 유순함이나 포용력이 도대체 나와 무슨 상관이 있는가. 이런 반응도 있을 수 있겠다.

앞의 〈건괘〉를 상기해보자. 〈건괘〉가 얘기해준 것은 운명을 이겨내기 위해 스스로 강해지라는 것이었다. 〈건괘〉는 우리에게 어느 정도 강해질 것을 요구했는가. 물속과 하늘 위를 오가는 용처럼 강해질 것을 요구했다. 대부분의 우리는 군주 같은 최고 지도자가 될 것을 목표로 살지는 않는다. 그럼에도 용처럼 강해지라는 〈건괘〉의 권고는 생활인인 우리가 진정으로 강한 사람이 되는 데 도움을 준다.

〈곤괘〉도 마찬가지다. 〈곤괘〉는 〈건괘〉와는 다른 방식으로 강해지는 법을 얘기해준다. 우리는 두 이야기를 다 듣고서 선택의 폭을 넓힐 수 있다. 〈곤괘〉에서 배우는 유순함과 포용력은 〈건괘〉에서 배운 것과는 다른 역량을 우리 내면에서 끌어내어줄 수 있다.

지극한 유순함으로 돌파해야 할 상황

이제 〈곤괘〉의 이야기를 들어보자.

〈곤괘〉는 상괘도 땅☷, 하괘도 땅☷이다.

〈곤괘〉의 가장 큰 미덕은 지극한 유순함이고, 〈곤괘〉가 보여주는 상황은 지극한 유순함이 필요한 상황이다. 앞장서서 이끌고 가거나 공격하는 사람이 필요한 상황이 아니라 이런저런 주장을 다 받아들이고 껴안아서 사태를 진정시키고 갈무리하는 포용적 역량이 필요한 상황이다.

〈곤괘〉는 그러한 상황을 암말을 통해 표현했다. 〈건괘〉에 나오는 용이 상황을 주도하여 강인한 리더십을 발휘하는 인물의 상징이라면, 〈곤괘〉

곤괘

아래 땅, 위 땅

지극한 유순함

지극한 유순함은 크게 형통할 것이다. 이끄는 말을 잘 따르는 암말처럼 바른 것이 이로울 것이다.

군자에게는 갈 길이 있다. 앞서 나가면 길을 잃고, 뒤를 따르면 주인을 얻을 것이다.

서남쪽에서 벗을 얻고 동북쪽에서 벗을 잃으면 이롭고, 바름을 편하게 여기면 길할 것이다.

첫째 그늘: 서리를 밟으면 굳은 얼음이 닥칠 것이다.

둘째 그늘: 곧고 반듯하고 크면 점친 결과가 좋지 않아도 이롭지 않음이 없을 것이다.

셋째 그늘: 아름다운 무늬를 안으로 품어 바르게 할 수 있을 것이며, 혹은 왕이 맡기는 일에 종사할 수도 있을 것이니, 공이 이루어져도 거기에 거하지 않고 끝을 잘 맺을 것이다.

넷째 그늘: 주머니를 잘 묶으면 허물도 없고 명예도 없을 것이다.

다섯째 그늘: (지위가 높이 올라갔음에도 자기를 낮추는) 황색 치마를 두르면 크게 길할 것이다.

맨 위 그늘: 용이 들판에서 싸우니, 그 피가 검고 누렇다.[5]

의 암말은 유순하게 리더 수말을 따르면서 무리를 안정시키는 인물의 상징이다.

유순한 리더십

〈곤괘〉는 전제군주를 지혜롭게 잘 보필하는 신하의 이미지다. 유순한 신하는 자기를 내세우거나 앞서가는 대신 군주를 내세워 일을 성사시킨다. 〈곤괘〉의 괘사에서 "앞서 나가면 길을 잃고, 뒤를 따르면 주인을 얻을 것"이라고 한 것은 이런 말이다.

〈곤괘〉의 상황에서 리더는 이미 존재한다. 문제는 그 리더를 어떻게 잘 보필해서 훌륭한 리더로 길러내느냐 하는 것이다. 진문공 중이를 보필했던 외삼촌 호언이나 외갓집 원나라에서 고려로 돌아오기 싫어했던 철부지 도련님 같은 충선왕을 고국으로 모셔온 이제현과 같은 인물들이 바로 이런 유순한 리더십의 전형을 보여주었다.

〈곤괘〉의 이야기가 반드시 신하가 되라는 뜻은 아니다. 요점은 유순함을 발휘하여 상황을 리드한다는 것이다. 상황을 리드하기 위해 반드시 강인한 리더십을 발휘해야만 하는 것은 아니다.

〈곤괘〉의 괘사에서 "서남쪽에서 벗을 얻고 동북쪽에서 벗을 잃는다"는 말은 약간 주술적으로 들린다. 옛 표현이어서 오늘날 우리에게 그렇게 들릴 뿐, 《주역》이 만들어지던 시절에는 이 구절도 늘 쓰던 표현이었을 것이다. 고대 중국인들의 관념에서 그들의 기운은 서남(가을)에서 시작해 서북(겨울)에서 절정에 이른다. 또 볕의 기운은 동북(봄)에서 시작해 동남

(여름)에서 절정에 이른다. 〈곤괘〉에 나오는 서남은 그늘의 기운이 시작되는 곳, 즉 가을의 방위다. 동북은 볕의 기운이 시작되는 곳, 즉 봄의 방위다. 〈곤괘〉는 여섯 효가 모두 그늘 효인 괘다. 유순함의 역량을 지닌 인물은 그늘의 기운이 시작되는 서남쪽에서는 벗을 얻는다. 다시 말해 자신과 같은 기운인 유순한 인사들과 동지적 관계를 맺는다는 말이다.

그러나 볕의 기운이 시작되는 동북쪽에서는 벗을 버린다. 벗을 버린다는 말은 볕의 기운을 리더로 받아들여 유순함의 역량을 발휘하되, 그늘의 세력과 사사로운 파당 짓기를 하지 않는다는 뜻이다.

〈곤괘〉의 상황에서는 이처럼 자신의 유순함을 발휘하여 그것을 편하게 여길 때 길할 수 있다. 〈곤괘〉의 인물은 지극히 유순한 역량을 통해 제대로 된 리더를 발굴해내고 그를 뒷받침해준다. 이상이 〈곤괘〉의 괘사가 들려주는 이야기다.

〈곤괘〉의 효사는 어떤 이야기를 하고 있을까. 〈곤괘〉 여섯 효사는 겨울이 닥치기 전에 먹을거리를 갈무리하고 집 주변 담장이나 바람구멍을 단속하는 느낌을 준다. 혹은 강한 적군이 곧 쳐들어온다는 통보를 받은 성주가 성을 단속하는 분위기이다. 겉으로 강함을 자랑하는 대신 안으로 깊어지는 이야기들이 이어진다.

우리에게는 어쩌면 잠룡에서 비룡으로 날아오르는 〈건괘〉의 스토리가 더 익숙할 것이다. 반면 〈곤괘〉는 우리가 자기 역량이라고 생각하지 못했던 것들이 사실은 매우 중요한 역량임을 일깨워준다. 유순함을 통해 더 강해지라고 말해주는 〈곤괘〉의 메시지를 좀 더 음미해보자.

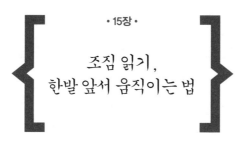

15장

조짐 읽기,
한발 앞서 움직이는 법

〈건괘〉는 잠룡 이야기에서 시작했다. 〈곤괘〉는 조짐 이야기에서 시작한다. 〈곤괘〉에서 가장 중요한 것은 조짐을 알아차리는 것이다.

〈곤괘〉는 대비하고 갈무리하는 상황이다. 그러나 조짐을 읽을 줄 모른다면 언제 무엇을 대비해야 할지 판단할 수 없다. 수세일수록 더욱 선제행동이 필요하다. 더 빨리 움직여야 살아남을 수 있다. 그래서 〈곤괘〉는 "서리를 밟으면 굳은 얼음이 닥칠 것"이라는 통찰에서 출발한다.

오늘 벌어지지 못할 일은 없다

미국 작가 마크 트웨인은 "분명한 것은 오늘 절대 벌어질 수 없는 일이란 없다는 것이다"라고 했다. 반박할 수 없는 주장이다. 오늘 벌어질 수 없는

일이란 없다. 오늘 내가 이 세상을 하직하지 말란 법도 없고, 오늘 지구의
종말이 오지 말란 법도 없다.

그러나 정말 그럴까? 사실은 그렇지 않다.

중국에는 이런 속담들이 있다.

"뚱보는 한 숟갈 먹어서 그렇게 된 것이 아니다."

"세 척이나 되는 얼음은 하룻밤 추위에 그렇게 된 것이 아니다."

"아홉 길 높이의 멧부리가 어찌 하루아침에 쌓아올린 것이겠는가."

이 속담들이 의미하는 바는 다 같다. 몸이 많이 불었다면 오늘 밥 한 숟
갈 더 먹어서 그렇게 된 것이 아니다. 한강물이 강바닥까지 얼어붙었다면
하루 이틀 추워서 그렇게 된 것이 아니다. 피라미드는 하루아침에 쌓아올
릴 수 있는 것이 아니다. 서양 사람들도 "로마는 하루아침에 이루어지지
않았다"고 말한다. 모두 같은 뜻이다.

마크 트웨인의 말처럼 어떤 일도 오늘 벌어지지 말란 법은 없다. 그러
나 우리의 미래가 그렇게 모든 가능성을 향해 완전한 자유운동 상태로 열
려 있는 것은 아니다.

지구의 종말을 예로 들어보자. 오늘 지구의 종말이 오지 말란 법은 없
다. 그러나 온다면 어떻게 올까? 소행성과 충돌해서? 만약 오늘 지구가
소행성과 충돌할 예정이었다면 빠르게는 몇 해 전, 늦게는 몇 달 전부터
세계의 천문대가 들끓었을 것이다. 지구를 향해 맹렬히 날아오는 정체불
명의 천체가 관측되었을 것이므로, 영화에서처럼 그 소행성을 파괴하기
위한 우주선이 발사되었을 수도 있다. 지구와 소행성의 충돌 같은 돌발

상황조차 어느 날 갑자기 벌어지지는 않는다. 모든 일에는 반드시 조짐이 있다. 만약 우리가 까맣게 모른 채 소행성과 충돌했다면 그것은 우리가 조짐을 파악할 능력이 부족했거나 아니면 조짐에 눈을 감았기 때문이다.

지구 전체를 뒤덮을만한 지진과 용암 분출과 화산 폭발과 쓰나미에 의해서? 아무리 지진 예측이 어렵다고는 하지만 이런 일도 어느 날 갑자기 터지기는 힘들다. 지구를 종말에 빠뜨릴 만한 엄청난 충격파의 지진과 상상을 초월할 정도로 거대한 용암이 병아리들 숨바꼭질하듯 발뒤꿈치를 들고 조용히 우리 등 뒤로 다가오는 것은 100만 대군이 적의 정찰병에게 머리카락도 포착되지 않고 적국의 수도까지 침투하는 것보다 더 어려운 일이다. 이런 대규모 용암의 분출은 지각 밑에 머물 때부터 이미 지각을 울퉁불퉁하게 만들고 크게 들썩거리며 폭발 오래전부터 자신의 험악한 존재를 맹렬히 알릴 것이다.

조짐 없는 변화는 없다. 큰 변화일수록 조짐은 여러 차례 더 분명히 드러날 수밖에 없다. 우리가 조짐에 눈을 감을 뿐이다.

조짐 없는 변화는 없다

한 사람의 신상 변화도 마찬가지다. 예를 들어 누구라도 오늘 세상을 하직하지 말란 법은 없다. 그러나 여기에도 조짐은 있다.

암으로 급하게 돌아가는 이들조차 오래전부터 이런저런 증상이 나타난다. 뜻밖의 사고로 돌아가는 이들도 조짐은 있다. 평소에 길을 건널 때 주의를 기울이지 않는다면 그는 교통사고를 당할 확률을 높이고 있는 것이다. 술 마시고 자주 필름이 끊어짐에도 자제하지 않는다면 그는 음주 문제의 발생 확률을 높이고 있는 것이다. 심지어 돌연사조차 조짐이 있다. 평소에 과로를 많이 하고 적절한 휴식을 취할 줄 모른다면, 더구나 스트레스에 예민한 체질이라면, 그는 돌연사의 가능성을 쌓아가고 있는 것이다.

개인사에만 조짐이 있는 것은 아니다. 나라 경제와 기업의 흥망에도 반드시 조짐이 있다. 1997년 겨울 한국이 맞이했던 외환 위기에도 조짐은 있었다. 당시 한국이 국가 부도의 위기에 처한 것은 재벌기업의 문어발식 확장과 금융기관의 무분별한 대출이 주요 원인이었다. 재벌기업과 금융기관의 도덕적 해이는 이런 대형 위기의 가장 뚜렷한 조짐이다.

거대 재벌기업이 쓰러질 때도 조짐은 나타난다. 한도를 모르는 비자금의 축적, 하청업체에 대한 안하무인의 횡포, 길거리 빵집까지 휩쓰는 탐욕은 국민과 소비자들이 그들에게 등을 돌리도록 만든다. 지금 당장 망하지 않더라도 그들은 위기를 키워가고 있는 것이다.

그 조짐을 보라고 각 분야에 장관을 두고 있는 것이고, 외국에 그 많은 외교관과 정보원을 파견하는 것이며, 매일 밤 모든 국경의 철망 앞에 보초가 서 있는 것이다.

순자는 "천년의 일을 알고자 한다면 오늘부터 헤아리고, 억만 가지 일을 알고자 한다면 한두 가지 일부터 살피라"[6]고 했다. 작은 것을 볼 줄 알아야 천년의 역사를 써낼 수 있고, 한두 가지 일을 살펴서 파악할 줄 알아야 세상사를 논할 수 있는 것이다. 이 작은 것들이 바로 조짐이다.

조짐이 없는 변화는 없다. 작은 변화일수록 조짐을 찾아내기 어렵다. 그러나 큰 변화일수록 조짐은 자주 다양하고 분명하게 나타난다.

"서리를 밟으면 굳은 얼음이 닥칠 것"이라는 〈곤괘〉의 첫째 그늘 효사에 대해 《문언전》은 이렇게 말한다.

> 선을 쌓아온 집에는 반드시 좋은 일이 아직 남아 있고, 선하지 않은 일을 쌓아온 집에는 반드시 재앙이 아직 남아 있다. 신하가 군주를 시해하고 자식이 아비를 시해하는 일은 하루 아침저녁에 벌어질 수 있는 일이 아니며, 그렇게 될 원인이 점점 쌓여온 것이니, 그 조짐을 일찍 알아채지 못했기 때문에 그 지경에 이른 것이다. 《역경》에서 말하기를 "서리를 밟으면 굳은 얼음이 이른다"고 한 것은 일이 이렇게 순서에 따라 이루어짐을 말한 것이다.[7]

신하가 임금을 죽이고 자식이 아비를 살해하는 패륜적 행위가 어느 날 하늘에서 뚝 떨어지는 것은 아니다. 신하가 밀실에서 칼을 갈고 자식이 골방에서 패륜적인 음모를 꾸밀 때까지 군주와 아비가 조짐에 까맣게 눈을 감고 있었기 때문에 그런 일이 현실로 닥친 것이다.

사랑을 위해서라도 조짐을 읽으라

1994년 5월, 끔찍한 존속 살해 사건이 벌어졌다. 100억 원대 자산가인 한 의사 부부의 집에 불이 나 부부가 사망했다. 화재 신고는 아들이 했다. 경찰은 처음엔 단순 화재 사고로 처리하려 했으나 주검에서 칼에 찔린 흔적이 발견되어 수사 방향을 바꾸었다. 당시 스물세 살이던 아들 박한상의 머리에서 나온 혈흔과 다리에 깨물린 자국을 조사한 결과 혈흔은 부모의 것이었고 다리의 이빨 자국은 아버지의 치열과 일치했다. 박한상은 피가 튈 것을 우려해 알몸으로 범행을 저질렀지만 가장 치명적인 증거는 인멸하지 못했다. 그는 완강히 범행을 부인했지만 사형 판결이 확정되었다.

박한상 사건은 부모의 몸을 수차례 칼로 찌르고 범행 현장에 불을 질러 화재로 위장하는 등 수법이 잔인하고 계획적이어서 사회에 던진 충격이 컸다.

아들은 부유한 부모 덕분에 부족함 없이 자라났으나 한국 학교에 잘 적응하지 못해 고등학교 때 미국으로 조기 유학을 갔다. 미국에서도 학교 생활에는 적응하지 못해 학업을 완전히 포기한 뒤 술과 유흥에 빠졌다. 나중에는 도박에 빠져 도박 빚이 3700만 원에 이르렀다. 이 사실을 뒤늦게 안 부모는 아들을 억지로 귀국시켰으나 때는 이미 늦었다. 도박벽을 씻어버리지 못한 아들은 부모를 살해한 뒤 유산을 물려받겠다는 끔찍한 계획을 꾸며 실행에 옮겼다. 아버지는 평생 사랑한 아들에게 살해당했고 아들은 사상 가장 끔찍한 패륜 범죄를 저지른 괴물이 되었다.

어디서부터 잘못되었나. 기사를 보면 아비는 어릴 때부터 자식이 해달라는 것은 다 해주면서 키웠다. 잘못은 여기서부터 시작되었다. 어린이에게는 성장 시기에 맞게 그가 감당할 수 있는 좌절을 이겨내도록 하는 것이 중요하다. 때가 되면 갓난아기는 젖을 떼는 아픔을 겪어야 한다. 때가 되면 대소변을 혼자 보아야 하고 밥을 혼자 먹으면서 고립감을 이겨내야 한다. 가지고 싶은 모든 장난감을 다 소유할 수 없다는 것을 배워야 하고, 먹고 싶은 모든 과자를 다 먹을 수 없다는 것을 배워 욕망을 조절할 줄 알아야 한다. 성장기의 이 모든 일들은 감당할 수 있는 좌절이다. 감당할 수 없는 좌절은 아이의 마음에 그늘로 남겠지만, 감당할 수 있는 좌절을 이

겨냄으로써 아이는 심리적으로 더 건강한 사람으로 자란다. 아이들은 좌절을 통해 성장한다. 자식에게 적절한 좌절의 기회를 주지 못한 부모가 되레 잘못이 크다. 자식에게 심리적 성장의 기회를 주는 데 실패했기 때문이다.

적절한 좌절을 겪어보지 못하고 자란 박한상은 미국에서 혼자 생활하면서 더욱 무절제해졌고, 한국에 있는 부모는 자식의 상태에 대해 더욱 어둡게 되었다. 아들의 문제는 이미 용돈 씀씀이를 줄인다고 해결될 수준이 아니었다. 박한상의 부모는 미국에 갈 때마다 여러 차례 불길한 조짐을 보았을 것이다. 어지러운 아이의 방 상태, 학교 출결 상황, 성적표 같은 것들에서 조짐을 읽었어야 했다. 그러나 그이들은 이런 조짐을 읽고 상황을 바꾸는 데 힘쓰지 않은 듯하다. 그 결과 그이들은 가장 끔찍한 비극의 주인공이 되었다.

나는 이 사건을 접한 뒤, 앞에 인용한 〈곤괘〉 첫 효에 관한 《문언전》의 풀이가 떠올랐다. "신하가 그 군주를 시해하고 자식이 아비를 시해하는 일은 하루 아침저녁에 벌어질 수 있는 일이 아니다." 이런 일들은 조짐에 눈 감았을 때 벌어질 수 있다.

어떤 조짐은 내 재산이 다 날아가거나 내 목숨이 위태로워질 것임을 보여준다. 어떤 조짐은 나라가 두 동강 나거나 패망할 것임을 보여준다. 위기를 피하려는 이들이 이런 심각한 조짐에 어찌 눈을 감겠는가. 하물며 운명을 바꾸려는 이라면 더욱 그 조짐에 민감해야 할 것이다.

착한 일도 누대에 걸쳐 작용한다

나쁜 일이 세상에 충격을 던지는 범죄로 터져 나오기까지는 조짐이 쌓이고 쌓인다. 좋은 일도 마찬가지다. 누대에 걸쳐 선업이 쌓였을 때 진정으로 위대한 일이 이루어진다.

볼프강 아마데우스 모차르트는 네 살 때 이미 피아노 소품을 작곡한 천재 소년이었다. 음악의 신동神童이었기 때문에 '아마데우스'라는 별명이 붙었다. 그가 천재성을 발휘할 수 있었던 것은 그의 아버지 레오폴드 모차르트 또한 음악가였기 때문이다. 태어날 때부터 집 안에 피아노와 악기들이 있었기 때문에 그렇게 빨리 음악적 재능을 발휘할 수 있었던 것이다. 만약 집 안에 악기 대신 온통 총포와 도검류만 가득했더라면 제아무리 아마데우스라 할지라도 네 살 때 피아노 소품을 작곡하는 천재로 성장하기는 어려웠을 것이다.

《사기史記》라는 불후의 명작을 써낸 역사가 사마천司馬遷도 마찬가지다. 《사기》는 분량도 방대하지만 다양한 인물과 사건에 대한 객관적이고 생동감 넘치는 묘사로 오늘날까지도 역사 저술의 걸작으로 꼽힌다. 그가 이런 걸작을 남긴 것은 그의 아버지 사마담司馬談의 가업을 이어받았기 때문에 가능했다. 정확히 말하자면 《사기》는 사마담과 사마천 부자의 공저이다.

《주역》에 관한 가장 빼어난 주석으로는 왕필의 《주역주周易注》가 꼽힌다. 왕필은 이 세상에 겨우 24년 머물다 갔다. 그는 《주역》뿐 아니라 《논어》와 《노자》에 대한 주석도 남겼다. 그의 작품들을 읽다 보면 스물네 살에 요절한 청년이 쓸 수 있는 얘기가 아니라는 생각을 지울 수 없다. 피아노에는 신동이 있을 수 있지만 인생의 씁쓸하고 신 맛을 다 겪어야 얻을 수 있는 통찰을 담고 있는 철학에 신동이 있다는 것은 믿기 어려운 일이다. 철학의 신동 왕필의 비밀 또한 그가 가업을 이어받았다는 데 있다. 그의 집안은 한나라가 망할 때 한나라 왕실 도서관의 장서를 이어받았으며, 《주역》과 《노자》에 대한 주석 작업도 그의 집안에 전해 내려오던 주석을 그가 정리한 것이었다.

모차르트, 사마천, 왕필을 보면서 우리는 어떤 위대한 일은 세대와 세대를 잇는 방대한 노력이 쌓여야 이루어진다는 사실을 깨닫는다.

《문언전》은 말한다. "선을 쌓아온[積善] 집에는 반드시 좋은 일이 아직 남아 있다." '적선積善'이라는 말의 출처가 이곳이다. 좋은 일을 하는 것을 '선을 쌓는다'는 뜻에서 적선이라고 한다. 거지들이 동냥할 때 하는, "적선 좀 해주세요"라는 말도 여기서 왔다. 물론 《문언전》이 거지에게 동냥을 많이 하라는 얘기를 하는 것은 아니다. 적선은 곧 길하고 이로운 선택을 많이 하라는 말과 통한다.

운이 좋아지는 법
|

《주역》은 무엇이 길하고 이로운지, 무엇이 흉하고 해로운지를 이야기해주는 책이다. 길하고 이로운 선택을 한다고 해서 하루아침에 모든 일이 다 이루어지는 것은 아니다. 그러나 그렇게 쌓아가다 보면 반드시 좋은 일이 생기고, 더 많이 쌓아두면 좋은 일이 더 많이 생긴다는 것은 틀림없는 법칙이다.

우리 주변에는 운이 좋은 사람들이 있다. 우연히 유복한 환경에서 태어난 사람도 있다. 로또를 맞거나 난데없이 몰랐던 유산이 굴러들어오기도 한다. 줄 잘 서서 벼락출세한 이도 있고, 낙하산으로 요직을 차지하는 이도 있다.

《주역》의 시각에 따르면 이런 행운 뒤에는 재앙이 숨어 있다. "화여! 복이 기대고 있는 곳이로다! 복이여! 화가 엎드려 있는 곳이로다"[8]라는 노자의 말도 같은 뜻이다. 공연한 험담이 아니다. 이유 없는 행운이 있다면 이유 없는 재앙도 거기 숨어 있다고 보는 것이 공정하다. 로또 맞은 이들 가운데 10년 뒤, 20년 뒤 깡통 차는 이들이 적지 않은 것은 이런 때문이다. 쉽게 들어온 재산은 쉽게 나간다. 벼락출세한 이들이나 낙하산들 또한 말로가 좋은 경우가 많지 않다. 그냥 굴러들어오는 행운은 불확실하다. 새옹지마의 이야기처럼 굴러들어온 운은 굴러나간다고 보는 것이 맞다.

운이 굴러들어오길 기다리는 불확실한 삶을 사는 것과 운이 좋아지는 확실한 방법을 쓰며 사는 것, 어떤 선택이 더 낫겠는가. 운이 좋아 보이는 이들의 대부분은 행운을 그냥 길바닥에서 주은 것이 아니다. 그이는 그동안 남모르는 피땀을 흘렸고, 길한 선택과 이로운 선택을 꾸준히 쌓아온 것이다. 《문언전》에 따르면 선한 일을 계속 쌓아온 집안에는 아직도 '여경餘慶'이 남아 있다고 한다. 여경이란 '남은 경사'다. 크게 축하할 일이 아직도 미래에 도열해 있다는 얘기다. 길하고 이로운 선택을 꾸준히 쌓아가는 것이 쉽지만은 않다. 그러나 이것은 복이 그냥 굴러들어오길 수동적으로 기다리는 것보다 자기가 주도적으로 실행할 수 있고 효과도 확실한 방법이다.

조짐을 보는 눈이 혜안이다

조짐이 없는 변화는 없다. 좋은 변화든 나쁜 변화든 어떤 변화에도 조짐은 있다.

특히 나쁜 변화를 잡아내야 할 때 조짐이 더욱 중요하다. 왜 그럴까. 대인배는 공명정대하게 공개적으로 일을 처리한다. 반면 소인배들이 어떤 고약한 일을 꾸밀 때는 물방울이 바위에 구멍을 뚫듯 야금야금 집요하게 접근하는 경향이 있기 때문이다.

모든 사람의 눈에 조짐이 보이는 것은 아니다. 겨울나무에도 좁쌀 크기의 꽃눈이 매달려 있다. 꽃이 핀 것을 본 적이 있는 사람만이 그 작디작은 꽃눈을 보면서 거기에 화려한 꽃송이가 담겨 있음을 안다. 그는 꽃눈이라는 조짐 속에서 화사한 꽃그늘을 보는 혜안이 있는 사람이다.

돼지 콜레라가 발생했다는 보도가 났다고 치자. 어떤 사람은 기사를 본 뒤 집에 전화를 걸어 "여보, 당분간 돼지고기 사지 마"라고 할 것이다. 그는 조짐에서 식중독과 안전을 읽은 사람이다.

1975년 봄 멕시코에서 역병이 발생했다. 필립 아모어는 당시 미국의 아모어 육류가공회사 사장이었다. 신문에서 역병 소식을 접한 아모어는 회사 소속 수의사를 멕시코로 보내 사실 확인을 했다. 실정은 더 심각했다. 그는 멕시코와 인접한 미국 텍사스 주와 캘리포니아 주 등의 목장에도 역병이 번질 것으로 보고, 동원 가능한 모든 자금을 쏟아부어 이 두 지역의 육류를 사들여 냉동 창고를 채웠다. 그의 예상은 적중했고 육류 가격은 폭등했다. 그는 잠깐 사이에 900만 달러(약 90억 원)를 벌어들였다. 그는 조짐에서 기회와 돈을 읽어낸 사람이다.

《주역》은 변화의 경전이다. 변화를 어떻게 예측할 것인가. 합리적이고 과학적인 예측은 반드시 조짐을 실마리로 삼는다. 오늘날 현대 과학의 어떤 예측도 결국은 조짐의 분석을 통해 가능한 것이다. 일기예보나 지진 예측도 대기의 흐름이나 특정 자연현상을 조짐으로 삼아 미래를 예측하는 것이다. 증권가의 애널리스트들도 기업 정보와 주식 변동 그래프에 나타나는 조짐들을 자료 삼아 주가 등락을 예측하는 것이다.

조짐을 보는 눈이 혜안이다. 조짐을 보고 판단해낼 수 있는 사람이 지혜로운 사람이다. 조짐을 보려 하지 않는다면 우리는 눈을 감고 캄캄한 미래 속으로 걸어 들어가는 것과 같다.

조짐에는 두 가지가 있다

모든 조짐이 다 같은 것은 아니다. 《주역》에는 두 가지 조짐이 나온다. 우선 〈곤괘〉가 말해주는 조짐을 다시 음미해보자.

서리를 밟으면 굳은 얼음이 닥칠 것이다.

이 조짐이 보여주는 것은 우리의 힘으로 방향을 바꿀 수 있는 변화가 아니다. 서리가 발에 밟힌다는 것은 이미 늦가을이 되었다는 뜻이다. 서리는 점점 된서리로 바뀔 것이고 길가의 물웅덩이에는 얼음발이 뻗칠 것이다. 이것은 필연적인 변화다. 이런 조짐을 보았다면 가을이 겨울로 가지 않도록 노력할 일이 아니라 겨울을 대비해야 한다. 우리는 이 조짐에 순응할 수밖에 없다. 이런 조짐은 그 변화의 방향을 인간의 힘으로 바꿀 수 없다. 이것이 첫 번째 유형이다.

필연적 추세를 보여주는 조짐만 있는 것이 아니라 선택의 기로에 선 인간에게 나타나는 조짐도 있다. 〈둔괘屯卦, 개척하는 어려움의 틀〉䷂에는 다음과 같은 이야기가 나온다.

사슴을 만났으나 몰이꾼이 없으니, 다만 숲에 들어갈 따름이다. 군자라면 조짐을 살펴야 하니, 머물러 주둔하고 있는 것만 같지 못하다. 계속 숲으로 들어간다면 어려움에 빠질 것이다.[9]

고대 중국에서 귀족들이 사냥할 때는 늘 몰이꾼과 함께했다. 몰이꾼이 반대 방향에서 사냥감을 몰면 사냥하는 이들은 기다렸다가 자기를 향해 오는 사냥감을 활로 쏘는 것이다. 그런데 이 상황에서는 몰이꾼이 없다. 다시 말해 지원 세력이 없다. 이런 상황에서 조급하게 성과를 내기 위해 사슴을 좇아 숲으로 들어간다면, 사슴을 잡기는커녕 사냥꾼이 큰 위험에 빠질 수도 있다.

이 효에는 두 가지 조짐이 있다. 하나는 사슴이다. 사슴은 성과를 낼 수 있는 긍정적 조짐이다. 눈앞으로 사슴이 휙 지나갔다. 사냥 나온 사람이 어떻게 이걸 그냥 지나치겠는가. 이런 상황에서 사슴을 좇지 않는다면 사람이 아니다. 위험에 빠질 줄을 뻔히 알면서도 좇는 것이 인간의 심리이자 욕망이다.

다른 하나는 몰이꾼이 없다는 것이다. 이것은 위험에 빠질 수 있다는 부정적 조짐이다. 몰이꾼이 필요한 사냥터라는 말은 매우 넓고 험한 자연

산림이란 뜻이다. 등산을 많이 다녀본 이들은 등산로 없는 자연 산림이 얼마나 위험한지 알 것이다. 몰이꾼이 안내자로 동행하지 않으면 길조차 찾아내기가 쉽지 않다. 이건 명백한 위험 신호다.

〈둔괘〉는 새로운 사업을 처음 개척하는 상황에 관한 괘이다. 지금까지 해보지 않았던, 혹은 세상에 없었던 분야를 개척하는 일이기 때문에 수많은 리스크 속에서 움직이게 된다. 함부로 전진하는 것보다는 지뢰밭을 지나듯 긴장의 끈을 늦추지 말아야 한다.

위험 속에서 움직이는 개척자의 고뇌를 담고 있는 괘가 〈둔괘〉이다. 여기 인용한 효는 드디어 초기 성과를 낼 수 있을 만한 가시적인 목표가 눈에 띈 상황이다. 사슴이 그것을 상징한다. 자기 역량으로 이 사슴을 잡을 수 있다면 개척자는 빨리 움직여야 한다. 그러나 상황은 그렇지 않다.

눈앞에 분명한 욕망과 분명한 위험이 함께 존재한다. 사슴을 좇을 것인가, 위험을 피할 것인가. 막무가내로 사슴을 좇는 사람은 위험에 빠지기 쉬운 모험주의자다. 사슴을 좇고 싶다면 몰이꾼을 불러와 자기의 객관적 역량을 보강해야 한다. 몰이꾼을 부를 사정이 못 된다면 사슴 대신 사냥하기에 손쉬운 대상으로 자기 욕망을 조절해야 한다. 톨스토이의 민화 〈사람에게는 얼마만큼의 땅이 필요한가〉에 나오는 농부 바흠은 자기 욕망만 좇느라 위험의 조짐을 보고도 그 욕망을 조절하는 데 실패해 죽음에 이르렀다.

새로운 사업을 시작할 때도 마찬가지다. 시장 조사는 늘 신사업의 가능성과 초기 성과에 대해 긍정적인 신호를 보낼 것이다. 신사업을 위해 시장 조사에 착수하는 이들은 이미 휙 지나간 사슴을 본 사람들이기 때문이다. 만약 이 분야의 선두 주자가 있다면 선두 주자의 매력적인 성공담은 우리를 더욱 강하게 흡인할 것이다. 그러나 신사업에는 늘 사슴 사냥과 똑같이 위험의 조짐도 함께 숨어 있다. 만약 전인미답의 신사업이라면 몰이꾼이 없는 사냥처럼 사업 개시 이후 길을 잃을 가능성이 늘 존재한다. 선두 주자가 있더라도 마찬가지다. 선두 주자의 성공담이 딱 거기까지일 수도 있고, 그는 그 분야에서 이미 발을 뺄 준비를 하고 있을 수도 있다. 긍정적인 조짐과 부정적인 조짐이 함께 있다면 우리는 늘 부정적인 조짐에 가중치를 두어야 하고, 부정적 요인을 모두 제거한 뒤 행동에 착수해야 한다. 사냥이든 사업이든 군사 행동이든 위험한 조짐, 부정적 요인, 지뢰 같은 위협 요인을 완벽하게 제거하고 행동에 나서야 한다. 그렇게 철저히 대비한 뒤 행동에 나서더라도 예기치 못한 또 다른 복병이 나타나는 것이 우리의 인생이다. 하물며 위험한 조짐을 무시하고 욕망만 좇는 행동이 얼마나 위태로운지는 두말할 나위도 없다.

　우리는 앞에서 운명을 바꿀 수 있는 것과 바꿀 수 없는 것으로 나누었다. 특히 바꿀 수 없는 것만을 숙명이라고 부르기로 했다. 마찬가지로 조짐에도 두 가지가 있다. 하나는 우리 힘으로 어쩔 수 없는 객관적 조건 변화의 조짐이다. 이런 조짐을 보았다면 객관적 조건을 바꾸려는 대신 우리 자신을 조절하거나 바꾸어야 한다. 다른 하나는 우리가 선택할 수 있는 조짐이다. 이 경우는 〈둔괘〉에 나오는 사슴 사냥의 예처럼 흔히 긍정적인 것과 부정적인 것의 두 가지 조짐이 함께 등장한다. 우리는 늘 부정적 조짐에 가중치를 두어 평가해야 하고, 부정적 조짐의 완전한 제거를 목표로 삼아야 한다.

조짐에서 싸움을 시작하라

조짐을 읽는다는 것은 운명을 읽는 것과 거의 같은 말이다. 조짐을 읽을 줄 모른다면 자기 삶에 대해 어떤 개입도 할 수 없다. 조짐을 읽으면서 비로소 자기 운명에 개입해 들어가는 것이다. 사과를 깎을 줄 모르는 사람도 사과를 허리부터 깎지는 않는다. 조짐은 우리가 사과를 깎을 때 처음 칼을 대는 부위와 같은 곳이다.

조짐은 우리가 운명과 싸움을 벌이는 가장 중요한 싸움터이다. 연약한 싹일 때는 손으로 잘라낼 수 있지만 아름드리나무가 되면 땀 흘려 반나절 톱질로 잘라내야 한다. 조짐에 대해 매우 중요한 통찰을 들려주는 이는 노자이다. 그는 이렇게 말한다.

어려운 일은 그것이 쉬울 때 도모하고
큰일은 그것이 아직 작을 때 하라.
하늘 아래 어떤 어려운 일도 반드시 쉬운 데서부터 일어나며
하늘 아래 어떤 큰일도 반드시 작은 데서부터 비롯한다.[10]

어떤 어려운 일도 처음엔 쉬운 데서 시작하며, 어떤 큰일도 처음엔 작은 일에서 시작한다. 이렇게 아직 쉬운 상태, 아직 작은 상태를 우리는 조짐이라고 부른다.

노자는 또 이렇게 말한다.

안정되었을 때 유지하기가 쉽고,

아직 조짐이 드러나지 않았을 때 도모하기가 쉽다.

아직 약할 때는 주무르기가 쉽고,

아직 미약할 때는 흩어버리기가 쉽다.

그러므로 아직 생겨나지 않았을 때 일을 벌이고,

아직 어지러워지지 않았을 때 다스려라.

아름드리나무도 아주 작은 싹에서 생겨나고,

아홉 층 높은 누각도 흙 한 줌 쌓는 것에서 세워지며,

천 리 길도 한 걸음 발 아래서 시작한다.[11]

여기서 아주 작은 싹, 흙 한 줌, 한 걸음 같은 것들이 다 조짐이다. 아주 작은 싹을 자르면 아름드리나무를 베는 수고를 하지 않아도 된다. 그러나 이걸 방치하면 아름드리나무와 전쟁을 벌여야 한다. 베어버리더라도 땅속에는 깊은 뿌리가 낙마처럼 대지를 부여잡고 있을 것이다. 한 줌 흙을 흩으면 아홉 층 누각을 헐어버리는 일을 하지 않아도 된다. 그러나 이걸 내버려두면 잘못 지은 누각을 철거하느라 엄청난 시간과 비용을 낭비해야 한다. 첫 발걸음의 방향을 제대로 잡으면 원하는 곳에 갈 수 있다. 그러나 첫 발걸음의 방향이 틀렸으면 천 리 길을 가는 수고를 했더라도 되돌아와야만 한다.

텔레비전에서 사자와 함께 사는 조련사를 본 적이 있다. 이 조련사는 사자의 입에 손을 넣어도 사자가 물지 않는다. 어떻게 이것이 가능한가. 조짐의 단계에서 사자의 본성과 투쟁해 조련사가 이겼기 때문이다. 이미 야생에서 커버린 사자에게는 아무리 채찍과 몽둥이로 위협을 해도 이런 훈련이 불가능하다. 사자가 갓 태어난 새끼일 때부터 조련사가 자기 손으

로 길들였기 때문에 사자조차 야수의 기질을 버리고 유순한 반려동물로 변한 것이다.

우리가 대결해야 할 운명은 사자의 야수적 본성만큼이나 억세고 강인하다. 그렇기 때문에 운명과의 투쟁 또한 늘 조짐의 단계에서 벌여야 승산이 있다.

증상을 꿰뚫어본 편작 이야기

《사기》에는 명의 편작扁鵲 이야기가 나온다. 편작은 고대 중국에서 한나라 말기의 화타華陀와 더불어 의술이 가장 신묘한 경지에 도달했다는 의사이다.

한 번은 편작이 채蔡나라 환후桓侯를 만났다. 편작은 환후를 보자마자 이렇게 말했다. "임금님께서는 지금 병이 살갗에 있습니다. 지금 치료하지 않으면 병이 점점 깊이 들어가 병세가 무거워질 것입니다." 환후는 "과인은 병이 나지 않았소" 하고는 편작이 물러가자 신하들에게 "의사가 이익을 탐하여 병도 없는 사람을 고쳐 자기 공으로 삼으려 한다"라고 비난했다.

열흘 뒤 편작이 다시 환후를 만나 "임금님의 병이 살갗 속으로 들어갔습니다. 지금 치료하지 않으면 더 깊은 곳으로 들어갈 것입니다"라고 했다. 환후는 또 "과인에게는 병이 없소" 하고는 불쾌해했다.

다시 열흘 뒤 편작이 환후를 만났을 때는 "임금님의 병이 장과 위 사이까지 들어갔습니다. 지금 치료하지 않으면 더 깊어질 것입니다"라고 했다. 환후는 대꾸도 하지 않았다.

다시 열흘 뒤 편작이 환후를 만났을 때 편작은 환후를 보더니, 아무 말도 않고 그냥 나왔다. 환후가 사람을 보내 까닭을 물었다. 편작은 이렇게 답했다. "병이 살갗에 있을 때는 뜨거운 찜질로 고칠 수 있습니다. 병이 살갗 속으로 들어가면 돌침으로 고칠 수 있습니다. 병이 장과 위에 있을 때는 약제로 고칠 수 있습니다. 그러나 병이 골수까지 들어가면 여기서부터는 사람의 목숨을 관장하는 신의 소관이기 때문에 어떻게 해볼 도리가 없습니다. 지금 임금님의 병은 골수까지 들어가 있습니다. 그래서 아무 말씀도 드리지 못한 것입니다."

그로부터 닷새가 지나 환후는 몸이 아파 급히 편작을 불렀으나 편작은 이미 진나라로 달아난 뒤였고 환후는 곧 죽었다. 이 이야기는《한비자》〈유로喩老〉에 실려 있다.

편작 이야기는 조짐에 관한 매우 좋은 은유다. 편작의 관점에서 볼 때 죽을병에 걸린 사람을 살려내는 것은 명의가 아니다. 좋은 의사는 병이 깊게 들어가지 않았을 때 치료하기 때문에 사람들이 아무 일도 하지 않는 줄로 착각한다. 그래서 환후 같은 사람들로부터 "의사가 이익을 탐하여 병도 없는 사람을 고쳐 자기 공으로 삼으려 한다"는 비난을 살 수도 있다.

그보다 좀 못한 의사는 약간 병이 깊어졌을 때 치료에 착수하기 때문에 좀 더 무거운 약을 써야 한다. 그러면 사람들은 그 의사가 대단한 줄 안다. 살을 째고 대수술을 거쳐 환자를 고치는 의사는 그보다 더 못한 의사이지만 세상 사람들은 그가 최고의 명의인 줄 안다.

진정한 명의는 아주 작은 조짐만 보고도 병세를 알아내는 사람이다. 그는 간단한 운동이나 음식을 바꾸는 것만으로도 큰 병을 미리 예방할 수 있는 사람이다. 사과 궤짝과 부레의 가르침을 준 황 도사는 단전호흡과 스트레칭만으로 평생 건강을 지킬 수 있다고 했다. 이런 사람이 진정한 명의이다.

조짐을 스스로 진단하라

우리는 모두 자기 인생의 의사이다. 감기나 배탈이 평생 한 번도 안 나는 사람이 있을 수 없듯 문제가 발생하지 않는 인생은 없다. 누구나 다 크고 작은 문제를 안고 산다. 인생은 문제 덩어리이다.

문제 덩어리 인생에서 어떤 이는 늘 일이 잘 풀리는데, 어떤 이는 늘 일이 꼬인다. 그 차이는 다른 것이 없다. 얼마나 조짐을 빨리 알고 제대로 치료하느냐에 달려 있다. 이미 결정이 내려지고 결재가 난 사안을 뒤엎기는 매우 어렵다. 어떻게 할지 지금 막 고민이 시작된 미결 사안이라면 적극적인 개입을 통해 결론을 뒤집을 수 있는 가능성이 훨씬 크다.

운명의 조짐은 매일 닥친다. 우리가 눈 감고 지나칠 따름이다. 조짐 단계에서 싸울 수 있으려면 평소에 스스로 조짐을 읽는 훈련을 하는 것이 중요하다.

처음 국회의원에 당선된 이와 점심을 먹은 적이 있다. 나는 그를 보고 깜짝 놀랐다. 예전의 그가 아니었다. 어깨에 엄청나게 힘이 들어가 있었고, 주변 사람 누구에게나 반말에 가깝게 얘기했다. 걸음걸이에서부터 거들먹거림이 눈에 띌 정도였다. 지위가 높아질수록 겸손해지는 것은 그가 사람들로부터 계속 신망을 얻으리라는 조짐이며, 지위가 높아졌을 때 오만해지고 함부로 다른 사람을 하대하는 것은 사람들이 곧 그로부터 등을 돌리게 되리라는 조짐이다. 이미 스스로 자신이 매우 잘났다고 여기는 사람에게는 상당한 친분이 있지 않는 한, 충고 한마디 해주기도 쉽지 않다. 그의 의정 활동은 보잘것 없었고 다음 총선에서 그는 낙선의 고배를 마셨다. 나는 그이와 점심 먹을 때 이미 그 조짐을 보았다.

상商나라의 현자인 기자箕子는 폭군 주紂임금이 상아로 만든 젓가락을 쓰자 이를 상나라가 망할 조짐으로 여겼다. 상아 젓가락을 쓰면서 흙으로 빚은 질그릇에 음식을 먹을 리 없고, 뿔이나 주옥으로 만든 호사스러운 그릇을 쓸 것이며, 이는 다른 사치와 방종을 낳아 결국 나라를 망칠 것이라는 것이 그의 판단이었다. 상나라는 결국 주임금의 사치와 방종 때문에 망했다. 기자는 상아 젓가락 하나에서 망국의 조짐을 읽어냈다.

평소에 끊임없이 조짐을 읽어내는 연습을 하지 않으면 급박해졌을 때 조짐을 잘못 읽는다. 국왕 암살의 흉계를 실행해 권력을 쥔 맥베스는 마녀들로부터 "여자에게서 태어난 자는 당신을 넘어뜨리지 못할 것이며, 숲이 움직이지 않는 한 당신의 권력은 끄떡없을 것"이라는 예언을 듣는다. 훗날 궁지에 몰린 맥베스는 반대 세력인 맥더프가 나무와 풀로 위장해 성을 공격하자 "숲이 움직인다"고 착각한다. 또 맥베스는 맥더프가 태어날 때 정상 분만된 것이 아니라 제왕절개로 "어머니의 찢어진 태내에서 꺼내졌다"는 얘기를 듣자 그가 바로 "여자에게서 태어나지 않은 자"라고 여겨 전율한다. 맥베스는 스스로 붕괴할 수밖에 없었다.

과속으로 달리면 교통 표지판을 정확히 읽어내기 어려운 것처럼, 절박해지거나 절망에 빠졌을 때는 조짐을 제대로 읽어내지 못할 수 있다. 절박해지기 전에 조짐을 읽는 눈을 길러두는 것이 중요하다.

조짐은 우리의 운명을 건 싸움터다. 우리는 조짐을 파악하는 혜안을 길러야 한다. 그러나 혜안만으로는 부족하다. 조짐의 장에서부터 과감하게 전투를 벌일 대범함과 의지와 역량이 있어야 한다. 다음에는 조짐의 싸움터에서 승리하기 위해 〈곤괘〉가 어떤 역량을 기를 것을 요구하는지 들어볼 것이다.

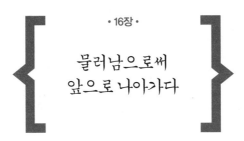

16장

물러남으로써
앞으로 나아가다

〈건괘〉는 잠룡이던 군자가 종일건건해서 비룡이 될 때까지 무리를 앞서 나가며 전진 또 전진하는 스토리이다.

조짐 이야기에서 시작한 〈곤괘〉는 〈건괘〉와 달리 자신이 앞서나가지 않는다. 다른 이들과 늘 함께 간다. 혹은 다른 이들을 앞세우고 자신은 뒤로 물러난다. 뒤로 물러난다는 것은 혼자 도망친다는 뜻이 아니라 자기를 내세우지 않고 다른 이들을 뒷받침해준다는 뜻이다.

자기를 널리 알리려고 온힘을 쏟아도 모자란 노출 과잉의 시대에 스스로 나서지 말라니, 너무 구닥다리 이야기 아닌가 싶을 수도 있다. 그러나 이것 또한 오늘날 우리가 다양한 상황에서 활용할 수 있는 역량 가운데 하나이다.

231

협력적 리더십

〈건괘〉는 각 효들이 스스로 강해지기 위한 단련의 과제를 보여주었다. 〈곤괘〉는 네 효를 통해 스스로 더 깊어질 수 있도록 단련할 과제를 부여하고 있다. 그것은 다음과 같다.

> **다섯째 그늘** : (지위가 높이 올라갔음에도 자기를 낮추는) 황색 치마를 두르면, 크게 길할 것이다.
>
> **넷째 그늘** : 주머니를 잘 묶으면 허물도 없고 명예도 없을 것이다.
>
> **셋째 그늘** : 아름다운 무늬를 안으로 품어 바르게 할 수 있을 것이며, 혹은 왕이 맡기는 일에 종사할 수도 있을 것이니, 공이 이루어져도 거기에 거하지 않고 끝을 잘 맺을 것이다.
>
> **둘째 그늘** : 곧고 반듯하고 크면 점친 결과가 좋지 않아도 이롭지 않음이 없을 것이다.

〈곤괘〉의 메시지는 위에서 아래로 내려올수록 더 깊어진다. 그래서 여기서는 이 네 효사의 순서를 거꾸로 인용했다.

《주역》은 군주시대에 만들어졌기 때문에 《주역》의 지은이들이 〈건괘〉에는 주로 군주의 도리를 담고 〈곤괘〉에는 주로 신하의 도리를 담으려 한 것은 틀림없어 보인다. 그러나 오늘날 우리가 이를 굳이 군주-신하 관계로 읽을 필요는 없다. 오늘날의 언어로 얘기하자면 〈건괘〉에서는 앞서나가는 강인한 리더십을 읽을 수 있고, 〈곤괘〉에서는 리더십과 팔로워십을 함께 배려하는 협력적 리더십을 읽을 수 있다. 앞서나가는 강인한 리더십이 인내와 용기를 필요로 하는 데 비해 협력적 리더십은 그보다 더 깊은 지혜와 통찰을 필요로 한다.

〈곤괘〉가 이 네 효를 통해 들려주는 메시지는 다음과 같은 것이다.

> (1) 지위보다 지지를 구하라.
>
> (2) 불리할 때도 원칙을 지켜라.
>
> (3) 공을 세우기보다 업무를 완수하라.
>
> (4) 언제나 반듯하면 어떤 상황에서도 불리하지 않다.

이제 우리의 또 다른 역량, 협력적 리더십을 단련시키기 위해 〈곤괘〉가 들려주는 이야기를 차례로 들어보기로 하자.

황색 치마를 두르라

〈곤괘〉가 협력적 리더십 단련을 위해 먼저 권하는 것은 "지위보다 지지를 구하라"는 것이다.

〈곤괘〉의 다섯째 그늘 효사는 "황색 치마를 두르면 크게 길할 것"이라고 말한다. 《주역》에서 다섯 번째 효는 군주의 자리다. 〈곤괘〉의 다섯째 그늘은 이 상황에서 지위가 가장 높은 존재다. 그럼에도 황색 치마를 둘렀다. 당시 중국인의 관념에서 높은 신하는 하늘을 상징하는 검은색 치마〔玄裳〕를 두르고, 그다음은 땅을 상징하는 황색 치마〔黃裳〕를 두르며, 낮은 신하는 검은색과 황색이 반반씩 섞인 잡색 치마〔雜裳〕를 두른다. 〈곤패)의 다섯째 그늘은 지위가 가장 높으면서도 단계를 낮추어 황색 치마를 둘렀다. 이는 겸허히 자기를 낮춘 것을 뜻한다.

협력적 리더십은 자기를 낮추는 데서 출발한다. 이는 지위보다 지지를 구하는 태도다. 지위를 목표로 삼으면 행동 반경이 좁아진다. 한 나라에 대통령이라는 자리는 하나밖에 없고 재상(총리) 자리도 하나밖에 없다. 한 기업체에 사장이란 자리는 하나밖에 없고 공장장이란 자리도 하나밖에 없다. 검은색 치마를 두를 수 있는 존재는 극소수다. 지위를 목표로 삼으면 자기와 비슷한 역량을 지닌 모든 사람들이 경쟁 상대로 변한다. 그경우 격렬한 권력투쟁 이외에 다른 선택 수단이 없다. 자신이 승리할 수도 있지만 비참하게 몰락할 가능성도 똑같이 존재한다. 승리하더라도 반드시 빛나는 승리가 아닐 수도 있다. 투쟁 과정에서 운신이 불편할 정도로 깊은 상처를 입을 수도 있다. 물리친 경쟁자들은 언제라도 다시 재기해 그 자리를 노릴 숨은 적들로 변한다.

권력투쟁을 통해 장악한 최고위층의 자리는 늘 암투와 모략과 자객과 반란에 대한 근심으로 잠 한번 곤히 자지 못하는 자리이다. 진시황은 얼마나 자객의 공포에 시달렸던가. 조조와 그 뒤를 이은 조상과 사마의 같은 권력투쟁의 화신들은 또 얼마나 술수와 잔머리와 뒤통수 때리기의 악몽 뒤숭숭한 잠자리에서 뒤척거리다 뜬눈으로 삶을 마감했던가. 지위를 목표로 삼는 노골적인 권력투쟁은 그다지 지혜로운 선택이 아니다.

〈곤괘〉의 다섯째 그늘은 최고의 자리에 오를 수 있는 존재임에도 스스로 한 단계 낮추어 황색 치마를 두른다. 이런 사람을 적으로 삼을 사람은 그렇게 많지 않다.

모략의 관점에서 보더라도 이건 매우 훌륭한 전략이다. 그가 황색 치마의 자리로 내려옴으로써 검은색 치마의 자리는 비게 된다. 그의 적들은 검은색 치마의 자리를 차지하기 위해 죽기 살기로 권력투쟁을 벌일 가능성이 높다. 그들이 격렬한 투쟁으로 서로에게 깊은 상처를 남기고 재기 불가능한 폐허로 변했을 때 스스로 황색 치마를 선택한 이는 실질적으로 검은색 치마 수준의 리더십을 발휘할 수 있다.

황색 치마를 두르라는 말은 자리나 지위를 탐내지 말고 겸손함과 온건함으로 사람들의 지지를 탐하라는 뜻이다.

지위보다 지지를 구하라

나는 중국에서 기업체의 법인장으로 일한 경험이 있다. 중국에서 합작 파트너와 계약서를 쓸 때의 일이다. 쌍방이 대등한 합작이었다. 쟁점이 매우 많았지만 몇 달에 걸친 고래 힘줄 협상으로 모든 것을 다 해소했다.

계약서 초안을 한국 본사에 보냈더니, 황당한 반응이 날아왔다. 왜 중국 파트너가 '갑'이고 우리가 '을'이냐는 것이다. 우리가 남의 나라인 중국에 들어가서 합작을 하는 것인데, 어떻게 그들이 '갑'이 아닐 수 있겠느냐고 항변했지만 '높은 분'이 이런 표기를 보면 언짢아하실 수 있다는 답이 돌아왔다. 본사의 담당자가 '높은 분'을 팔고 있다는 혐의가 없지 않았지만 일단은 합작 파트너와 이 문제를 다시 상의해보기로 했다.

합작 파트너가 '갑'과 '을'의 표기를 바꾸는 데 동의해준다고 해도 그 대가로 나 또한 무언가를 양보해야 할 터인데, 이미 모든 쟁점을 다 해소한 상황이었기 때문에 나는 그에게 줄 것이 아무 것도 없었다. 난감했다.

합작 파트너에게 이 이야기를 조심스럽게 꺼냈다. 먼저 '갑'과 '을'에 대한 한국의 일반적인 정서를 충분히 설명한 뒤, 본사 담당자의 우려를 전달했다. 파트너는 내 이야기를 다 듣자마자 한순간의 망설임도 없이 이렇게 말했다.

"그럼 바꿉시다. 우리를 '을'이라고 하고 당신네를 '갑'이라고 합시다."

나는 깜짝 놀라 귀를 의심했다. 그 또한 중국에서 '집단'이라 불리는 그룹 산하의 법인 대표이므로, 상위 집단으로부터 일처리를 왜 그렇게 했느냐는 문책이나 질타를 받지 않을까 걱정이 앞섰다. 그렇게 해도 괜찮겠느냐고 되레 내가 물었다. 그는 이렇게 말했다.

"중국인에게는 갑과 을의 관계가 한국처럼 그렇게 치우친 관계를 뜻하지 않는다. 그런 관념도 희박하다. 계약 내용이 중요하지, 누구를 갑이라고 쓰느냐 을이라고 쓰느냐가 뭐가 중요한가. 혹시 누가 뭐라고 하더라도 당신들이 중국에 손님으로 왔으니, 손님을 대접해준 것이라고 하면 된다."

나는 그의 설명에 안심이 되어 그렇게 처리하기로 했다. 그래서 그 계약서에는 한국 쪽이 '갑'으로, 중국 쪽 파트너가 '을'로 되어 있다.

나중에 다른 중국 친구들에게 이 문제에 대해 물어보았다. 그들은 웃으면서 내가 "멋진 파트너를 만난 것"이라고 했다. 중국인들도 '갑을관계'라는 말을 쓰기는 한다. 그러나 한국의 갑을 관계처럼 을이 갑에게 굽실거려야 한다는 뜻으로 쓰지는 않는다. 일반적으로 '양자의 관계'라는 뜻일 뿐이다. 그럼에도 순서상 갑이 먼저 나오고 을이 다음에 나오므로, 중국인에게도 먼저 나오는 갑을 선호하는 관념이 없을 수는 없다는 것이다. 나는 그 얘기를 들은 뒤에야 파트너가 매우 시원스럽게 양보를 해주었으며, 심지어 약간의 거짓말로 나의 마음까지 편하게 해주었다는 사실을 깨달았다. 그때 〈곤괘〉의 다섯째 그늘 효가 떠올랐다. 그는 기꺼이 황색 치마를 두른 것이다. 그런 그를 내가 어떻게 지지해주지 않을 수 있겠는가. 그는 지금까지도 나의 좋은 친구이다.

황색 치마를 두른다는 것은 이처럼 자기를 낮춤으로써 되레 친구, 동지, 사람을 얻는 것을 뜻한다. '높은 분'의 심기를 헤아려가며 굳이 '갑'이 되기를 고집하는 것보다 "계약 내용이 중요하지 누구를 갑이나 을로 표기하느냐가 중요한 것은 아니다"라는 실용적인 태도로 자기를 낮출 수 있는 이가 더 강한 마인드를 지닌 것이다. 황색 치마를 두르라는 것은 지위나 자리를 목표로 삼는 대신, 동료의 지지를 얻고, 동지를 만들고, 사람을 얻으라는 뜻이다. 그러면 그게 되레 당신에게 크게 길하다고 〈곤괘〉는 말하고 있다.

불리할 때도 원칙을 지키라

〈곤괘〉의 넷째 그늘 효사는 "주머니를 잘 묶으니, 허물도 없고 명예도 없을 것"이라고 말한다.

이에 대해 《문언전》에서는 이렇게 말했다.

하늘과 땅이 변화를 일으키면 풀과 나무가 무성하며, 하늘과 땅이 닫

아 갈무리하면 어진 사람이 숨는다. 《주역》에서 "주머니를 잘 묶으니,
허물도 없고 명예도 없다"고 한 것은 대개 삼가야 함을 말한 것이다.[12]

봄 기운이 왕성하게 일어나면 신록도 우거진다. 가을 기운이 매서워지
면 낙엽이 흩날린다. 인간 세상도 자연의 변화와 마찬가지다. 군자가 득
세했을 때는 군자가 등용된다. 그러나 소인이 득세했을 때 군자는 위험에
빠진다. 이런 상황에서는 황색 치마를 두른다고 해서 문제가 해결되지 않
는다. 황색 치마조차 노리는 소인배들이 득시글거리는 상황이기 때문이
다. 이렇게 불리한 상황에서는 물러나고 또 물러나야 한다.

"주머니를 잘 묶는다"는 것은 물러나고 또 물러나 갈무리한다는 뜻이
다. 이미 주머니에 넣는 것 자체가 한 번 물러나 갈무리한 것이다. 그 주
머니의 주둥이를 다시 꽁꽁 묶으니, 이는 이미 물러나 갈무리한 것에서
한 걸음 더 물러나 갈무리하는 것이다. 그만큼 상황이 불리한 것이다.

비록 물러나고 또 물러나지만 소인배의 세력과 원칙 없이 타협한다는
뜻은 아니다. 주머니에 갈무리한 것은 바로 아무리 상황이 불리하더라도
그가 지켜야 할 원칙이다. 이렇게 갈무리하고 또 갈무리하면 허물도 없지
만 명예도 없다. 사람들은 허물로 인해 처벌을 받는다고 생각하지만 사실
은 명예를 추구함으로 인해 허물이 생기고, 허물로 인해 망가지는 것이
다. 장자는 이렇게 말했다.

착한 일을 하더라도 이름을 날릴 정도에 가까이 가지는 말고, 나쁜 짓
을 하더라도 형벌을 받을 정도에 가까이 가지는 마라.[13]

장자는 매우 냉정한 얘기를 하고 있다. 이름을 날리는 것은 곧 허물을 얻는 지름길이다.

왜와의 전쟁, 국내의 당쟁 등 크고 작은 시련 속에서도 공정함을 잃지 않기 위해 애썼던 조선 중기의 명신 이항복은 결국 만년에 당쟁 때문에 함경도 북평으로 귀양살이를 가면서 이런 시조를 남겼다.

> 귀먹은 소경이 되어 산중에 들어서니
>
> 들은 일 없거든 본 일이 있을소냐
>
> 입이야 성하다마는 무슨 말을 하리오

이항복의 시조를 읽으면 "주머니를 잘 묶으니, 허물도 없고 명예도 없다"는 구절이 떠오른다. 난세를 만난 그는 애써 명예를 추구하지 않았고 애써 자기변명도 하지 않았다. 주머니를 묶고 또 묶은 뒤 귀양을 떠났다. 그는 머잖아 복권되었다. 당쟁의 한가운데 있었지만 그가 공명정대한 인물이었다는 점은 당파를 떠나 적지 않은 이들이 높이 평가한다. 주머니를 잘 묶을 줄 아는 사람, 불리한 상황에서도 원칙을 지킬 수 있는 사람은 끝내 적들로부터도 공정한 평가를 받고 인정을 받게 된다.

여기까지 읽고 경악할 수도 있다. 〈곤괘〉는 정녕 우리를 도인으로 만들려고 작정했단 말인가! 그게 아니다. 우리는 속세를 떠난 도인이 되는 것이 목표가 아니라, 삶의 달인이 되는 것이 목표다.

평범한 삶에도 어느 순간 출구가 보이지 않는 시련이 닥칠 때가 있다. 이때 어떻게 처신하는 것이 우리에게 유리하고 길한가. 이런 때는 주머니를 묶고 또 묶어, 명예도 허물도 없도록 하는 것이 최선일 수 있다. 상황이 너무 불리하기 때문에 그렇게 기다려야 할 때가 있는 법이다. 계절은 바뀌고, 시절은 변하며, 권력도 변하게 마련이기 때문이다.

아직 경악할 때가 아니다. 〈곤괘〉는 우리의 마음 씀씀이가 이보다 더 깊어져야 할 때도 있다고 말한다.

공을 세우기보다 업무를 완수하라

〈곤괘〉셋째 그늘 효사는 "아름다운 무늬를 안으로 품어 바르게 할 수 있을 것이며, 혹은 왕이 맡기는 일에 종사할 수도 있을 것이니, 공이 이루어져도 거기에 거하지 않고 끝을 잘 맺을 것"이라고 말한다.

이건 대체 무슨 소리인가. 두 가지 이야기가 섞여 있다. 하나는 "아름다운 무늬를 안으로 품으라"는 말이다. 누구보다 앞서려고도 하지 말고, 누구에게 과시하지도 말고, 자기를 위해 자신을 아름답게 가꾸라는 말이다.

이것은 세 단계나 더 깊어진 것이다. 황색 치마를 두르는 것(다섯째 그늘)은 누구를 앞지르려 하지 않는 것이다. 주머니를 잘 묶는다는 것(넷째 그늘)은 누구에게 과시하려는 것이 아니다. 여기서 더 나아가 그렇게 갈무리한 자기 내면을 더 아름답게 하라는 것이다. 이렇게 세 단계 깊어지는 것은 결코 손해 보는 일이 아니다. 그만큼 자기 실력이 더 깊어지고 강해지는 과정이다.

이렇게 자기 내면이 깊어지고 더 깊어지면 왕이 명령을 내려 일을 맡길 수도 있다. 성을 쌓으라고 할 수도 있고 적을 물리치라고 할 수도 있다. 셋째 그늘은 자기 실력을 깊이 쌓고 역량을 강하게 만들어왔기 때문에,

왕이 맡긴 일을 아마도 잘 이루어낼 것이다.

〈곤괘〉는 여기서 한 단계 더 깊어지고 더 강해질 것을 요구한다. 그것은 "공이 이루어져도 거기에 거하지 말고 끝을 잘 맺으라[无成有終]"는 것이다. 이건 또 무슨 소리인가.

비록 왕이 내린 명령을 제대로 잘 수행했더라도 그것을 자기 공으로 돌리지 말라는 뜻이다. 이것은 군주제 치하의 신하가 지켜야 할 절대 원칙이다. 그렇지 않으면 자기 목이 위험할 수도 있기 때문이다. 조선시대에 북방 육진 개척에 공이 컸던 젊은 장군 남이처럼 모함 때문에 억울한 죽음을 맞이할 수도 있다.

비단 군주제 시대에만 그런 것이 아니다. 오늘날 거대 조직의 비즈니스맨이라면 누구나 자신이 어떻게 처신해야 하는지 잘 알 것이다. 한 번 잘했다고 해서 완결되는 일은 없다. 한 번 잘했다고 영원한 믿음을 얻는 관계도 없다. 한 번 잘했다고 해서 영원히 차고 앉아 있을 수 있는 자리도 없다. 한 번 잘한 것은 그저 그것일 뿐이다. 우리는 거기에 머물 생각을 지우고 서슴없이 다음 걸음을 내딛어야 한다. "공이 이루어져도 거기에 거하지 말고 끝을 잘 맺으라"는 권고는 오늘날에도 유효하다.

〈건괘〉의 넷째 별에서는 작은 성과에 만족하지 말고 한 단계 더 뛰어올라야 한다고 했다. 두 괘는 대칭 관계에 있으므로 이에 대응하는 것은 〈곤괘〉의 셋째 그늘이다. 이 상황에서는 자기 성과를 내기 위해 한 단계 더 뛰는 것이 아니라 명백하게 자신이 이뤄낸 성과조차 왕의 이름으로 돌려야 한다. 그 성과를 자기 것으로 삼으려 했다가는 탐욕스럽거나 야심으로 가득 찬 존재라는 의심을 살 수 있기 때문이다.

어떤 이들은 공을 이루면 그 공을 자기의 사유물로 삼는다. 크게는 나라를 사유물로 삼고, 작게는 기업이나 학교나 종교단체를 자기 사유물로 삼는다. 그렇게 세상의 공기公器를 사유물로 삼은 이들은 세상 사람들이 등을 돌린다. 적어도 그런 이들을 아름답게 기억하지 않는다. 자기가 위대한 공을 세웠음에도 거기에 머물지 않고 그 공을 자기의 공로로 돌리려 하지 않은 이들을 우리는 아름답게 기억한다.

춘추시대 진문공 중이의 다섯 신하 가운데 한 사람인 개자추介子推는 진문공이 19년 동안 천하를 떠돌 때 죽을 고생을 함께했다. 진문공을 살리기 위해 자기 허벅지 살을 베어 먹이기도 한 충신이다. 그러나 그는 공이 이뤄진 뒤에는 상을 탐하지 않고 낙향해 어머니와 산속에 들어가 살았다.

백범 김구는 독립한 나라의 문지기로 일할 수 있으면 족하다고 했다.

언젠가 현충사에 갔을 때 그곳에서 일하는 이순신 장군의 15대 후손이라는 할아버지는 이순신 장군에 대해 "우리 할아버지가 큰 공은 못 세웠어도 애국심은 있었지요"라고 설명했다. 그의 말을 듣는 순간 귀가 번쩍 뜨였다. 이순신 장군은 임진년 조선과 왜의 전쟁 때 나라를 구한 위대한 분인데, 그저 "애국심은 있었다"고 말하는 후손의 겸손함은 참으로 이순신의 후예답게 비범한 것이었다.

이런 이들은 공을 이루고도 거기에 거하지 않을 수 있는, 복 받은 이들이다. "공이 이루어져도 거기에 거하지 말고 끝을 잘 맺으라"는 말은 오늘날 협력적 리더십의 원리와도 통한다. 협력 관계에서 무언가를 자기 것으로 돌리려 하면 협력은 깨어지고 추잡한 밥그릇 싸움이 시작된다. '무성유종无成有終'의 태도는 협력적 리더십에서 가장 중요한 덕목이다. 우리는 이 덕목을 쌓음으로써 더 고차원의 문제를 해결할 수 있는 리더십을 갖출 수 있다. 그것이 더 득이 되고 길하고 이로울 수 있다.

자연의 지지를 얻으라

이제 마침내 〈곤괘〉의 가장 깊은 곳까지 왔다. 이제 경악할 준비를 해도 좋다. 〈곤괘〉의 둘째 그늘은 이렇게 말한다.

> **둘째 그늘** : 곧고 반듯하고 크면 점친 결과가 좋지 않아도 이롭지 않음이 없을 것이다.

"곧고 반듯하고 크다"는 것은 땅의 성질을 요약한 것이다.

땅은 만유인력의 방향으로 곧다. 중간에 떠 있거나 휘어 있는 곳이 없다. 정약용의 말처럼 물에 넣어도 만유인력의 방향으로 정직하게 가라앉는 것이 땅의 곧은 성질이다.

땅은 반듯하다. 땅의 반듯한 성질은 땅의 곧은 성질에서 온다. 2차원 면의 관점에서 보면 곧고 3차원 입체의 관점에서 보면 반듯하다. 어디는 채우고 어디는 채우지 않는 법이 없다.

땅은 광활하다. 끝이 보이지 않을 정도로 넓고 큰 것이 땅의 세 번째 성질이다.

〈곤괘〉는 우리에게 황색 치마를 두를 것에서 더 나아가 명예를 추구하지 말고 자루 주머니를 아예 꽉 묶어버릴 것을 얘기했다. 더 나아가 아름다움을 안으로 품어 가꿀 것을 요구했고, 왕의 일을 하더라도 공을 자기 것으로 돌리지 말라고 했다. 〈곤괘〉는 마침내 우리에게 땅의 미덕을 본받아 무한히 곧고, 무한히 반듯하고, 무한히 클 것을 요구한다.

우리가 어떻게 이런 도인이 되겠는가. 이제 경악해도 좋다.

우리가 〈건괘〉에서 '하늘 위로 날아오르는 용'이 되는 것을 목표로 스스로 강해지기 위해 단련해야 함을 배운 것을 상기하자. 우리 모두가 비룡과 같은 존재가 되기는 어렵겠지만 목표를 원대하게 세워야 작은 일이라도 성취할 수 있다. 5층을 겨냥하고 공을 던지면 3층에 떨어진다. 10층짜리 건물의 옥상을 넘기겠다는 각오로 던져야 겨우 5층을 맞출 수 있다. 멀리 가본 사람만이 우리가 어디까지 갈 수 있는지 한계를 안다.

〈곤괘〉도 마찬가지다. 둘째 그늘 효가 제시하고 있는 것은 비룡 수준의 목표다. 우리가 이 정도로 곧고 바르고 큰 내면을 만들겠다는 목표, 이 정도로 강한 내면을 만들겠다는 목표를 세웠을 때 우리는 공을 세우고도 내 것으로 삼지 않고, 불리한 상황에서도 원칙을 고수하며, 사람과 동지와 동료를 얻기 위해 스스로를 낮출 힘이 생기는 것이다.

이렇게 대지처럼 곧고, 반듯하고, 큰 내면의 역량을 갖춘 사람은 어떻게 되는가. 〈곤괘〉 둘째 그늘은 "점친 결과가 좋지 않아도 이롭지 않음이 없을 것"이라고 말하고 있다. 이건 《주역》 전체를 통틀어서 최고의 찬사이다. 《주역》에는 길함과 이로움에 관한 여러 가지 표현이 등장한다. "크게 길할 것이다", "불리함이 없을 것이다" 등이 그렇다. 그러나 "점친 결과가 좋지 않아도 이롭지 않음이 없을 것"이라고 한 곳은 〈곤괘〉 둘째 그늘이 유일하다.

땅의 미덕을 배워 곧고 반듯하고 큰 내면을 갖춘다는 것은 그만큼 위대한 역량을 갖추는 것이며, 그만큼 어려운 일이다. 자기 내면이 곧고 반듯하고 커지도록 하라는 말은 자연의 지지까지 얻어내라는 말로 해석할 수 있다. 겸손함으로 동료의 지지를 얻어낼 수 있다. 원칙을 지킴으로써 적들의 동의와 존경을 끌어낼 수 있다. 공을 탐내지 않음으로써 생사여탈권을 쥐고 있는 최고 권력자의 믿음을 얻을 수 있다. 그다음 단계는? 땅과 같은 미덕을 지닌 인간이 됨으로써 어떤 상황에서도 불리하지 않은 존재가 된다는 것은 자연법칙조차 지지하는 인간이 된다는 뜻이다. 이런 사람은 비록 세상이 다 버리더라도 자연이 그를 원하는 곳으로 데려다줄 것이다.

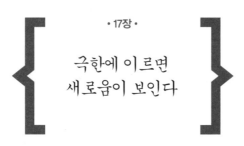

17장

극한에 이르면
새로움이 보인다

이제 〈곤괘〉의 마지막 맨 위 그늘만 남았다. 여기서는 뜻밖의 일이 벌어
진다.

맨 위 그늘 : 용이 들판에서 싸우니, 그 피가 검고 누렇다.

갑자기 무슨 얘기일까. 매우 상징적인 언어다. 용은 〈건괘〉의 주인공으
로 강건함의 상징이다. 그가 누구와 싸우는 걸까. 〈곤괘〉의 맨 위 그늘과
싸우는 것이다. 어떻게 그것을 알 수 있는가. "그 피가 검고 누렇다〔其血
玄黃〕"는 데서 알 수 있다. 《천자문》 첫머리는 "하늘은 검고 땅은 누렇다"
는 '천지현황天地玄黃'이다. 이를 보면 검은 피는 하늘의 것이고 누런 피는
땅의 것임을 알 수 있다.

어떻게 갑자기 이런 사태가 벌어졌을까. 갑자기가 아니다. 〈곤괘〉가 첫

머리에서 이야기한 것이 바로 '조짐'에 관한 것이 아니었던가. 조짐이 외치고 외쳤건만 그 조짐에 귀 막고 고개 돌리기를 거듭하고 거듭한 끝에 지극히 유순한 땅이 지극히 강인한 하늘에 맞서는 건곤일척乾坤一擲의 싸움, 생사와 흥망을 다 걸고 마지막으로 벌이는 단판 승부의 대결 상황까지 치달린 것이다.

이것은 혁명의 상황이다. 무능한 군주, 잔인한 폭군을 타도하기 위해 신하가 더 이상 황색 치마나 두르고 앉아 있지 않고 창과 칼을 움켜쥐고 들고 일어선 상황이다.

혹은 너무 세력이 강대해져 하늘과 맞서려는 반란 세력에 대해 용이 직접 나서 일전을 벌이는 상황일 수도 있다.

옛 주석가들은 대체로 후자의 해석을 지지했다. 그러나 나는 두 가지 해석이 다 가능하다고 본다. 하나라의 폭군 걸을 타도한 혁명을 일으킨 것은 걸의 신하이던 탕임금이었으며, 상나라의 폭군 주를 타도한 군사 행동을 주도한 것 또한 주의 신하이던 무임금이었다.

〈곤괘〉는 이 효에 대해 "그 피가 검고 누렇다"라고 하여 하늘도 피를 흘리고 땅도 피를 흘릴 것이라고만 하고 있지, "흉할 것"이라든가 "불리할 것"이라는 식의 판단은 유보하고 있다. 이는 나의 해석을 지지하는 대목이다.

〈곤괘〉는 마지막 효에서 변화의 힘, 변화의 근거를 강렬하게 보여준다. 그것은 상반상성相反相成과 물극필반이라는 법칙이다. 이 두 가지 법칙은 《주역》64괘 전체를 꿰고 있다. 이 두 가지를 순서대로 이야기해보자.

바뀜의 근거 1 : 상반상성

《주역》의 64괘는 그늘과 볕을 여섯 번 겹쳐 만들어졌다. 《주역》의 기본 단위는 그늘과 볕이다.

그늘과 볕이라는 이 두 가지 힘은 어떻게 서로 작용하는가. 서로 사랑하기도 하고 서로 투쟁하기도 한다. 남성과 여성은 서로 목숨 바쳐 사랑하기도 하고 서로 죽도록 싸우기도 한다. 그 사랑과 투쟁이 인간 세상의 모든 이야기들을 만들어낸다.

우주를 이루고 있는 볕과 그늘의 힘은 서로 어긋나는 듯하지만 사실은 같은 일을 함께하고 있다. 남성과 여성은 엄연히 다르지만 남녀가 함께 존재함으로써 인간이라는 종을 이룬다. 암나사가 있다면 수나사가 있어야 물건을 고정시킬 수 있다. 양전자와 음전자가 공존해야 하나의 원자를 이룬다.

이를 '상반상성'이라고 한다. 상반상성이란 그늘과 볕, 암컷과 수컷, 남성과 여성의 성향이 전혀 다르고 어긋나지만 서로 사랑할 수 있고 서로 이루어줄 수 있다는 얘기다. 우주와 만물이 다 이 원리에 의해 이루어졌다는 통찰이 상반상성이다.

충성 경쟁의 대안은 없는가

상반상성이 왜 그렇게 중요한가. 먼저 사례를 하나 들어보자.

H는 보스를 모시는 사람이다. 그가 일하는 분야에서는 보스가 모든 것

을 결정한다. 보스와의 관계가 무엇보다 중요하다. '어두운' 직종은 아니다. '어두운 곳에서 일하면서 밝은 곳을 지향하는' 직종도 아니다. 밝고 정상적인 직종이다.

얼마 전부터 H에게 심각한 고민이 생겼다. 새로 젊은 직원이 들어왔는데, 보스가 이 젊은 직원을 점점 총애하는 것처럼 보이기 때문이다. 젊은 직원은 H보다 직급도 낮고 경력도 부족하지만 옆에 서 있으면 두뇌 회전의 높은 알피엠rpm 수치가 피부로 느껴질 정도로 머리가 좋다. 회의 때 참신한 의견도 많이 내놓는다. 더러 H의 의견을 매우 예의 바르게 지그시 누르기도 한다. 보스는 매 사안마다 이 친구의 의견을 꼭 물어보고 개별적으로도 과제를 주기 시작했다.

이 바닥에서는 보스와의 관계가 가장 중요한데, 내가 지금 보스의 총애를 잃고 있는 것은 아닌가 하는 것이 H의 고민이다. 새로운 젊은 직원에게도 한 가지 약점은 있다. 조직에 대한 충성도가 높지 않다는 점이다. 이것은 대체로 유능한 이들의 공통적인 약점이다. 어떻게 할 것인가. H는 지금 보스에게 젊은 직원의 낮은 충성도에 관한 사례를 종합 보고하고, 자신의 충성도가 얼마나 높은지 보여주어야 할 때가 아닌가 심각하게 고민하고 있다.

친밀함에서 길 떠남으로

이 경우를 두고 주역점을 치니, 〈비괘比卦, 친밀함의 틀〉에서 〈여괘旅卦, 길 떠남의 틀〉로 옮겨가는 상황이 나왔다.

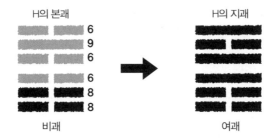

〈비괘〉는 친밀함의 틀이다. 다섯째만 볕이고 나머지 다섯 효가 모두 그늘이다. 《주역》의 괘에서 다섯 번째는 흔히 군주의 자리라고 한다. 군주 혼자만 볕이고 나머지는 다 그늘인 형국이므로, 다섯 효가 모두 군주와 친밀하기 위해 애쓰는 상황을 보여준다.

〈비괘〉는 본디 천자의 세계 질서 구축에 관한 내용을 담고 있는 정치적인 괘이다. 〈비괘〉의 유일한 볕인 다섯째 효는 세계 질서의 중심으로서 천자를 상징한다. 나머지 다섯 그늘은 문무백관과 만백성을 상징하며, 이들은 예외 없이 천자의 신민臣民이다.

H는 〈비괘〉에서 셋째, 넷째, 다섯째, 맨 위(여섯째) 등 네 효가 변효로 나왔다. 네 효의 효사는 이렇다.

셋째 그늘 : 제대로 되지 않은 사람과 친밀한 것이다.

넷째 그늘 : 밖으로 친밀하니 바르면 길할 것이다.

다섯째 볕 : 친밀함을 드러낸다. 왕이 세 곳으로 사냥감을 몰아 앞으로 달아나는 사냥감을 놓치지만 그 고을 사람을 벌하지 않으니, 길할 것이다.

맨 위 그늘 : 친밀함에 시작이 없으니, 흉할 것이다.[14]

〈비괘〉는 친밀함에 관한 다양한 상황을 보여준다.

셋째는 잘못된 사람과 친밀한 경우다. 이 효는 지금 내가 가장 친밀하게 지내는 사람, 내가 가장 많은 시간을 함께 보내는 사람, 내가 가장 중요한 일을 함께 의논하는 사람이 제대로 된 사람인지 한 번쯤 생각해보라는 뜻이다. 만약 제대로 되지 않은 사람과 친밀하다면 단호하게 빨리 그를 떠나는 수밖에 없다.

넷째는 자신의 본디 마음을 버리고 겉으로 보스를 좇는 경우다. 이는 보스가 좋아서라기보다 그래야 하기 때문에 좇는 상황이다. 대부분의 사람들이 이런 처지에 놓여 있다. 회사원이나 공무원 가운데 이렇지 않은 경우가 어디 있겠는가.

만약 보스가 바르지 않은데도 그렇게 한다면 문제가 있다. 한 친구는 자신이 다니던 회사의 보스가 심각한 정경유착을 저지르는 것을 지근거리에서 상세히 지켜본 뒤, 염증을 느껴 그 회사를 그만두었다. 처자식도 부양해야 하는 그가 그런 결단을 내리기란 쉬운 일이 아니었다. 나는 그의 말을 지금도 기억한다. "한 번 사는 인생인데, 멋있게 살다 가고 싶다." 그는 작지만 안정적인 다른 기업으로 갔다.

조직에 들어가면 어쩔 수 없이 보스를 따를 수밖에 없는 상황에 처한다. 그러나 보스나 조직이 심각한 반사회적, 반인륜적 행위를 저지르고 있다면 가차 없이 떠나야 한다. 그래서 "바르면 길할 것"이라고 했다.

다섯째는 〈비괘〉의 주인 효이다. 이는 유일한 보스로서 억지로 복종할 것을 강요하지 않고 자기 덕을 과시하는 경우다. 여기서 "친밀함을 드러낸다"는 것은 천자가 자기 세계의 질서를 억압이나 강제를 통해 구축하지 않고, 모든 신민들에게 똑같이 어질게 대하여 결국 천자에게 복종하게 만든다는 뜻이다.

"왕이 세 곳으로 사냥감을 몰아 앞으로 달아나는 사냥감을 놓친다"는 것은 천자가 사냥할 때의 예법이다. 사냥감을 세 방향에서만 몰고 한 곳을 터놓는 것은 관용을 과시하는 것이다. 앞으로 달아나는 사냥감을 쏘지 않고 마주 달려오는 짐승만 사냥하는 것은 세계 질서를 억압과 강제로 구축하지 않음을 과시하는 것이다. 사냥감을 놓쳤다고 해서 그 고을 사람을 벌하지 않는 것 또한 천자가 관용과 순리에 따름을 과시하는 것이다. 이렇게 이상적인 세계 질서를 구축할 수 있는 천자 수준의 보스라면 길할 것이라는 말이다.

맨 위는 친밀함에 시작도 없고 끝도 없어서 맺고 끊는 것이 없는 경우이다. 이런 사람은 대개 어떤 이도 자신의 상관이나 동료로 받아들이지 못한다. 오늘날의 말로 옮기자면 개인주의의 극치이거나 조직 부적응자라 할 수 있다.

충성 경쟁과 다른 선택

나는 H가 〈비괘〉에 나열된 다양한 친밀함의 경우를 보며, 자신이 어디에 해당해왔는지 반성적으로 볼 수 있기를 기대했다. 그의 보스는 진정 보스로 섬길 만한 사람인가. 섬길 만한 사람이라면 나는 그에게 진실한 마음을 다 하고 있는가. 거꾸로, 나는 그가 친밀함을 다할 만한 가치가 있는 사람인가.

여기서 끝이 아니다. H의 케이스는 〈비괘, 친밀함의 틀〉에서 〈여괘, 길 떠남의 틀)로 변했으므로, 〈비괘〉를 참조해 〈여괘〉의 괘사를 보아야 한다. 이는 다음과 같다.

> 길 떠남은 조금 형통할 것이며, 길 떠남이 바르면 길할 것이다.[15]

〈여괘〉는 지금까지 거주해온 기반을 버리고 약간의 노잣돈 혹은 시종을 데리고 길을 떠나야 하는 상황이다. 더러 노잣돈이 없어 곤욕을 치르기도 하고, 시종이 없어 고통을 겪기도 한다. 하지만 길에서 만나는 상황을 잘 이겨낸다면 길할 수 있다.

H에게 여기까지 설명해주자 그는 알겠다고 한 뒤 돌아갔다. 며칠 뒤 전화를 받았다. 고맙다는 것이다. 왜 고마운지는 설명하지 않았다. 그 뒤 H는 중앙을 떠나 지방으로 갔다. 그는 보스를 둘러싼 충성 경쟁을 깨끗이 포기하고 지방에서 자기 기반을 닦고 있다.

훗날 다시 만났을 때 H는 주역점의 결과를 들으면서 뒤통수를 맞는 느낌이었다고 했다. 보스를 둘러싼 충성 경쟁 말고는 전혀 다른 대안을 생각할 수 없었는데, '길 떠남'에 관한 괘가 나왔다는 얘기를 들으면서 비로소 다른 길도 있겠다는 생각이 떠올랐다는 것이다.

그는 지금 지방에서 충실히 자기 기반을 다지며 경력을 쌓고 있다. 보스는 뜻밖으로 여기면서도 그를 높게 평가하고 있다. 그가 지방에서 기반을 다지고 나면 보스와 한 단계 발전한 관계를 맺을 수 있을 것이다.

32쌍의 맞짝과 풍요로운 대립

H의 이야기는《주역》이 보여주는 상반상성의 사고가 어떤 것인지 이해를 돕는 좋은 사례다. 우리는 남성과 여성이 똑같이 중요하다는 것을 잘 알고 있다. 우리는 이쪽만이 아니라 저쪽도 중요하다는 것을 잘 알고 있다. 그러나 정작 어떤 문제에 부닥쳤을 때 양쪽을 다 보면서 사고하는 포용성과 유연성을 발휘하기란 매우 어렵다.

그런 점에서 반대쪽의 풍경을 여러 색깔로 풍요롭게 보여주는《주역》의 상반상성의 사고방식은 매우 독특하고 유용하다.

《주역》의 64괘는 일정한 원칙에 따라 배열되어 있다. 가장 중요한 것은 상하괘가 서로 점대칭을 이루는 괘들이 짝을 이루고 있다는 점이다. 점대칭이 자기 자신과 같은 〈건괘〉, 〈곤괘〉, 〈감괘坎卦〉, 〈이괘離卦〉만이 예외이다. 짝을 이루고 있는 괘들은 서로 의미도 반대이거나 대칭적이다. 예를 들어 하늘을 상징하는 〈건괘〉는 땅을 상징하는 〈곤괘〉와 짝을 이루고 있고, 소통의 세상을 보여주는 〈태괘泰卦〉는 불통의 세상을 보여주는 〈비괘〉와 짝을 이루고 있다. 64괘는 32쌍의 맞짝 괘로 이루어져 있다. '맞짝'이란 서로 대립하면서 서로를 이뤄주는 상반상성의 관계에 있는 한 쌍의 대립물을 말한다.

이 맞짝들은 각각 다양한 방식으로 상반상성의 원리를 보여준다. 조금 어렵게 들릴 수도 있는, '비대칭asymmetry'이라는 말을 한 번만 써먹기로 하자.《주역》에서 상반상성은 대칭적이면서 비대칭적이다. 예를 들어 하늘과 땅은 대칭적이다. 덜어냄과 더함, 물과 불, '물을 이미 건넘[旣濟]'과 '물을 아직 건너지 않음[未濟]' 같은 짝들도 대칭적이다. 이런 경우는 대칭성을 파악하기가 어렵지 않다.

그런데 왜 맞짝을 이루고 있는지 바로 감이 잡히지 않는 경우도 적지 않다. 〈겸괘謙卦〉와 〈예괘豫卦〉, 〈서합괘噬嗑卦〉와 〈비괘賁卦〉 같은 짝이 그런 경우다.

〈겸괘〉는 자신을 낮춤으로써 사람들과 함께하는 내용이고, 〈예괘〉는 즐김으로써 사람들과 함께하는 내용이다. 그 배경에는 움츠림과 드러냄의 방식이 서로 맞짝을 이루고 있다.

〈서합괘〉는 형벌로써 잘못을 바로잡는 내용이고, 〈비괘〉는 아름답게 꾸미는 내용이다. 이는 고대 중국인들의 두 가지 통치술인 형벌과 예법을 상징한다. 고대 중국의 정치에서 "예법은 서민까지 내려가지 않고 형벌은 대부까지 올라가지 않는다"[16]라는 것이 원칙이었다. 귀족을 다스릴 때는 예법을 통해 질서를 잡고 서민을 다스릴 때는 형벌을 쓴다는 뜻이다. 〈서합괘〉와 〈비괘〉는 형벌과 예법이 서로 맞짝을 이루고 있다.

32쌍의 맞짝 괘들이 어떻게 상반상성을 이루고 있는지를 다 설명하는 것은 이 책의 범위를 넘어선다. 중요한 것은 《주역》이 단순하게 기계적인 대칭성을 보여주고 있는 것이 아니라 우리가 상상하지 못했던 방식으로, 다시 말해 비대칭적인 방식으로 상반상성을 보여주고 있다는 점이다. 그래서 우리는 《주역》을 읽으면서 날마다 새로운 발견을 할 수 있다.

H가 주역점을 본 뒤 머리가 신선해진 것은 그 때문이다. 그의 머릿속에는 보스의 총애를 어떻게 회복할까 하는 생각밖에 없었다. 그런데 주역점은 그에게 떠나라는 얘기를 해준 것이다. 우리가 《주역》에서 생각하지 못했던 시각이나 틀을 빌릴 수 있는 것은 우연이 아니다. 그것은 《주역》의 64괘가 32쌍의 맞짝으로 이루어져 있으면서 그들이 서로 짝을 이루는 까

닭이나 방식이 대칭적이지 않기 때문이다.

사랑의 여러 가지 반대말들

'친밀함'과 '길 떠남', '충성 경쟁'과 '길 떠남'이 어떻게 맞짝이 될 수 있는 가. H의 상황에서는 맞짝이 될 수 있었다.

이건 반대말 놀이로 설명할 수 있다. 예를 들어 '사랑'의 반대말은 무엇일까. 국어사전은 '미움'이라고 답할 것이다. 그러나 '사랑'의 반대말이 어떤 이의 상황에서는 '돈'이 되기도 하고, '결혼'이 되기도 한다. 어떤 이의 상황에서는 '직장'이 될 수도 있고, '이별'이 될 수도 있으며, '전쟁'이나 '자식'이 될 수도 있다.

예를 들어 《장한몽》의 심순애에게 사랑의 반대말은 '돈'일 수 있다. 영화 〈봄날은 간다〉에서 한 번 결혼했다가 상처를 입었기에 결혼 얘기가 나오면 질색하는 여주인공에게 '사랑'의 반대말은 '결혼'일 수 있다.

어떤 사람이 어떤 상황과 맥락에 처했느냐에 따라 다양한 개념이 반대말이 될 수 있다. 《주역》의 비대칭적인 맞짝들은 우리가 자기 상황과 맥락을 뒤집어볼 수 있도록 비대칭적 사유를 자극한다.

바뀜의 근거 2 : 물극필반

상반상성과 더불어 《주역》을 구성하는 또 다른 구성 원리는 '물극필반'이다. 물극필반에 대해서는 1부 5장에서 이미 《주역》의 동그라미 운동을 설명하기 위해 간략하게 이야기했다.

물극필반이란 "어떤 사물이 극한 지점에 이르면 반드시 반대 방향으로 발전한다"는 뜻이다. 태양이 한낮에 이르면 기울기 시작하고, 달도 보름에 이르면 이지러지기 시작한다. 《주역》은 그늘과 볕이 상반상성의 관계에 있으면서 각각 극점에 이르면 반대 방향으로 발전한다고 본다.

위와 아래가 잘 소통되는 태평성세를 보여주는 〈태괘〉에는 이런 이야기가 실려 있다.

> 평평한 땅도 언젠가는 기울어지지 않을 수 없고 떠난 것들도 언젠가는 돌아오지 않을 수 없다.[17]

평지는 지각운동에 의해 변형을 겪어 비탈길로 변하고 비탈길은 비바람에 깎이고 깎여 평지로 변한다. 뽕나무밭은 푸른 바다로 변하고 푸른 바다가 언젠가는 들판으로 변할 수도 있다. 떠난 사람들은 돌아오고 만난 사람은 다시 헤어지게 마련이다. 어떤 것도 절대적인 것은 없다. 모든 것이 변한다는 사실 이외에 어떤 것도 변화로부터 자유로운 것은 없다. 모든 것이 변하되, 그 극한점에 이르면 전혀 반대 성질의 것으로 변한다. 이를 물극필반이라고 한다.

극한과 변화

《주역》 64괘는 서로 맞짝을 이루는 32개의 쌍으로 이루어져 있다고 했다. 맞짝을 이루는 한 쌍에 속한 두 괘는 극한에 이르면 서로 반대 방향으로 전화하는 양상을 보여준다. 예를 들어 〈건괘〉의 마지막 효와 〈곤괘〉의 마지막 효는 다음과 같다.

> **맨 위 볕** : 지나치게 높이 올라간 용이니, 후회할 것이다.
> **맨 위 그늘** : 용이 들판에서 싸우니, 그 피가 검고 누렇다.

〈건괘〉는 물속에 잠겨 있던 용이 각고 분투해 하늘까지 날아오르는 이야기를 담고 있다. 그 마지막 효에서는 "지나치게 높이 올라갔으니, 후회할 것"이라는 메시지를 보내고 있다. 승승장구하던 상승 운동이 극한점에 이르러 이제 반대 방향으로 선회할 것이라는 경고다.

〈곤괘〉는 그늘 효만으로 이루어진 괘이다. 〈곤괘〉는 유순한 그늘 효가 강인한 볕 효에 부응해 행동하는 방식을 보여준다. 그러나 그 마지막 효에서는 그늘 효가 억세져서 볕 효의 상징 동물인 '용'과 싸우는 상황이 벌어진다. 그래서 "용이 들판에서 싸우니, 그 피가 검고 누렇다"고 했다.

《주역》의 64괘 32쌍은 모두 이런 물극필반의 대립전화를 제각기 다른 방식으로 보여준다. 이를 가장 잘 보여주는 것은 《서괘전》이다. 64괘의 순서에 대해서 전문적으로 분석한 《서괘전》은 다음과 같이 얘기한다.

> 〈태평성세의 틀〉이라는 것은 위아래가 소통이 되는 시대라는 뜻이

다. 세상이 언제나 소통될 수는 없으므로 〈막힘의 틀〉이 그 뒤를 잇는
다. (…)

〈덜어냄의 틀〉에서 계속 덜어내가면 반드시 더해지게 되므로, 〈더함
의 틀〉이 그 뒤를 잇는다. (…)

〈물을 이미 건넘의 틀〉에서 세상의 만물이 다할 수는 없으므로 〈물
을 아직 건너지 않음의 틀〉이 그 뒤를 이어 《주역》을 마친다.[18]

언제까지나 태평성세가 이어질 수 없으므로, 태평성세는 막힘의 세상
으로 전화한다. 언제까지나 덜어내기만 할 수 없으므로, 덜어냄이 극한에
이르면 더해줌으로 전화한다. 세상 만물의 변화에 끝은 없으므로, 어떤
일이 종말을 고하면 새로운 일이 시작된다. 《서괘전》은 《주역》의 64괘가
이런 원리에 따라 배열되어 있다고 이야기한다.

바뀜의 근거 3 : 인간의 주관 능동성

물극필반의 변화는 자동으로 이루어지는가. 그렇지 않다. 물극필반은 자
연의 필연적인 추세이자 법칙이지만 인간 세상에서는 인간의 실천에 따
라 그 변화가 지연되기도 하고 변화 방향이 달라지기도 한다. 하늘과 땅
이 서로 자리를 바꿀 정도의 변환이 어떻게 저절로 쉽게 이루어질 수 있
겠는가. 불통의 세상을 무너뜨리고 소통의 세상을 만들기 위해서는 인간
의 능동적 실천이 반드시 필요하다.

이 문제에 관해서는 조선의 임금 정조가 《주역》 공부 시간에 신하와 나

눈 대화가 흥미롭다. 임금의 경연장으로 들어가 이들의 대화를 한번 엿들어보자. 이날 임금의 《주역》 공부 시간에는 13명의 신하가 참석해 함께 〈비괘否卦, 막힘의 틀〉를 읽었다. 다 읽은 뒤 정조가 신하들에게 다음과 같은 질문을 던졌다.

"평평한 땅도 언젠가는 기울어지지 않을 수 없고, 떠난 것들도 언젠 가는 돌아오지 않을 수 없으며, 막힘이 극한에 이르면 소통의 태평성세 가 오는 것은 떳떳한 하늘의 이치다. 그런데 지금 〈비괘〉의 맨 위 별 효 사에서 '막힘이 기울어진다否傾'고 하지 않고 '막힘을 기울인다傾否'고 한 것은 어째서인가. (…) 태평성세와 막힘의 때가 서로 교차하거나 만 날 때 인간이 능동성을 발휘해 태평성세를 지키거나 막힘을 변화시키 는 도리가 있을 것이다. 만약 그럴 수 있다면 오랫동안 태평성세를 유지 하면서 막힘의 때는 없도록 할 수 있다는 말인가? (…) 자연법칙과 인간 의 주관 능동성 사이에 어느 쪽이 더 강하게 작용하는가?" ─《홍재전서 弘齋全書》 〈경사강의經史講義〉 권100

정조의 질문은 매우 예리하다. 물극필반이 자연의 법칙인데, 거기에 인 간의 주관 능동성이 작용할 수 있다면 태평성세를 계속 유지시키고 막힘 의 시대는 오지 않도록 할 수도 있다는 얘기 아닌가? 정말 그게 가능한 가? 도대체 하늘의 운행과 인간의 힘은 어느 편이 더 센 것인가? 두 힘 사 이의 비중이 있다면 어느 정도인가?

"사람이 많으면 하늘을 이긴다"

개혁 군주로서 정조는 과연 인간이 자기 힘으로 할 수 있는 한계가 어디까지인지 알고 싶었다. 이 질문에 대해 신하 13명 가운데 신복申馥이 나서 다음과 같이 대답했다.

> "아무리 큰 열매이더라도 심지 않으면 저절로 나지 않고, 그릇이 기울어질 때 붙잡아주지 않으면 바르게 놓이지 않습니다. 비중을 따져보자면 사람의 힘이 차지하는 비중이 더 많습니다. 그래서 신포서申包胥가 '사람이 많으면 하늘을 이긴다'고 말한 것입니다.
>
> 그럼에도 후세의 임금과 신하들이 위기를 맞아 망해가는 상황에서도 가만히 앉아 쳐다보기만 하고 세상을 구해낼 수 없었던 것은 이러한 이치를 몰랐기 때문입니다.
>
> 그러므로 〈비괘〉의 맨 위 볕에서 '막힘이 기울어진다'고 하지 않고 '막힘을 기울인다'고 한 것은 대개 사람의 힘이 하늘의 운행을 이김을 보여주는 것입니다. 앞선 선비들의 여러 논의가 어찌 생각한 바 없이 그런 이야기를 했겠습니까?
>
> 세상에 태평성세만 오랫동안 계속되는 경우가 없는 까닭은 하늘의 운행이 번갈아 바뀌기 때문이기도 하지만 그 바뀔 때에 사람의 힘이 하늘을 이기기에 부족했기 때문이기도 합니다. 어찌 하늘의 운행만을 평계로 삼아 변화와 지킴의 방도에 대한 고민을 게을리하겠습니까."
> ─《홍재전서》, 같은 곳

이상은 세상을 바꾸려 했던 군주와 신하 사이에서 오간, 주관 능동성에 대한 믿음과 자신감이 배어 있는 대화록이다.

신복이 답변에서 인용한 신포서라는 사람은 중국 춘추시대 초나라의 대부이다. 서기전 506년 오吳나라 왕이 오자서伍子胥를 시켜 초楚나라를 공격하자 신포서는 진秦나라의 애공哀公을 찾아가 구원병을 요청했다. 진 애공이 이를 거부하자 신포서는 이레 동안 아무 것도 먹지 않고 밤낮으로 통곡했다. 이를 보고 감동한 진애공은 전차 500대의 부대를 보내 초나라를 위기에서 구해냈다.

신포서가 진나라에 가서 진애왕을 감동시키지 않았더라면 초나라는 망했을 것이다. 신포서라는 한 인간의 주관 능동성으로 인해 초나라는 망국의 위기를 넘길 수 있었다. 신복은 신포서의 예를 들어 인간의 주관 능동성이 객관 법칙을 이길 수 있다고 주장했다.

썩은 담장도 저절로 무너지지는 않는다

신복의 답변은 인간의 주관 능동성을 지나치게 강조하는 주관주의의 경향을 보이고 있다. 우리는 이미 인간의 힘으로 바꿀 수 있는 것과 바꿀 수 없는 것을 구분했고, 시기가 무르익지 않았을 때 행동에 나서는 맹동주의가 끔찍한 비극을 초래할 수도 있음을 이야기했다.

여기서 강조하려는 것은 세상이 아무리 물극필반의 객관적 법칙에 따라 움직인다 해도 인간이 주관 능동성을 발휘해야만 우리가 원하는 방향으로 변화를 주도할 수 있다는 점이다. 《주역》 또한 객관 법칙과 인간의 주관 능동성을 똑같이 중시한다.

한비자는 '망국의 조짐'이라는 글에서 나라가 망할 조짐을 무려 마흔일곱 가지나 나열한 뒤, 이렇게 말한다.

> 망할 조짐이라는 것은 반드시 망할 것이라는 말이 아니라 망할 가능성이 있다는 이야기이다. (…) 나무가 부러지려면 반드시 벌레가 먹어야 하고, 담장이 무너지려면 반드시 틈새가 생겨야 한다. 그러나 나무가 벌레를 먹었어도 강풍이 불지 않으면 부러지지 않고, 담장에 틈새가 생겼어도 큰 비가 내리지 않으면 무너져 내리지 않는다. -《한비자韓非子》〈망징亡微〉

소인배가 다스리는 불통의 세상이 극한에 이르면 그 나라는 반드시 망한다. 이것은 물극필반의 객관 법칙이다. 그러나 아무리 썩은 나라도 저절로 망하지는 않는다. 썩은 나무나 부실한 담장도 폭우가 쏟아지고 강풍이 불어닥쳐야 부러지고 무너지는 것과 같은 이치이다.

인간의 주관 능동성이란 바로 이렇게 썩은 나무와 부실한 담장을 결정적으로 무너뜨리는 폭우와 강풍의 구실을 하는 것이다. 이런 주관 능동성의 작용이 없다면 불통의 세상이 무너진 뒤 다시 또 다른 불통의 세상이 올 수도 있다. 오직 주관 능동성을 발휘해야 우리가 원하는 방향으로 변화를 주도할 수 있다.

국가나 사회만 그런 것이 아니라 개인사도 마찬가지다. 기나긴 잠룡의 시간, 힘겨운 고통의 터널을 통과하면 누구에게든 기회의 시간은 다가온다. 그러나 그것을 장악하느냐 흘려보내느냐는 순전히 그 사람이 얼마나 주관 능동성을 발휘할 수 있느냐에 달려 있다.

지금까지 〈곤괘〉를 통해 유순함이라는 역량을 어떻게 기르고 어떻게 쓸 것인지 이야기했다. 조짐의 파악과 주관 능동성의 발휘에 대해서도 이야기했다. 〈곤괘〉는 우리에게 다음과 같은 질문을 던진다.

나는 지금까지 살아오면서 어떤 조짐을 읽어낸 적이 있던가. 그 조짐에 어떻게 대처했는가. 지금 내 주변과 내 상황에서 어떤 조짐을 읽어낼 수 있는가. 그에 대해서는 어떻게 대처하는 것이 최선이겠는가.

나는 지위 대신 지지를 구한 적이 있는가. 내 인생에서 가장 크고 멋진 양보는 어떤 것이었던가.

나는 불리한 상황에서 원칙을 지켜낸 적이 있는가. 혹은 원칙을 어긴 적이 있는가. 어떤 것이 장기적으로 유리했나. 지금 다시 그때와 똑같은 상황을 만난다면 어떻게 하겠는가.

나는 내가 이룬 일의 공을 남에게 돌린 적이 있는가. 그렇게 함으로써 장기적으로 유리했던가, 불리했던가. 지금이라면 내가 이룬 일의 공을 남에게 돌릴 수 있겠는가.

나의 성품은 곧고 반듯하고 크다고 할 수 있는가.

5부

왕처럼 점을 치라

얼마나 좁은 문이 나를 기다리고 있든,
얼마나 많은 형벌이 쏟아지든 상관없다.
나는 내 운명의 주인이며,
나는 내 영혼의 선장이므로.

_ 윌리엄 어네스트 헨리

왕은 자신에게 내려진 점의 결과를 이해할 수 없거나 받아들일 수 없을 때
충분한 설명과 해결 방법을 당당하게 요구할 것이다.
왕처럼 점을 치지 않으면 어떤 미래도 운명도 엿볼 수 없다.
그러나 우리는 운명을 마치 판결문처럼 받아들인다.
오늘날 왕처럼 점을 친다는 것은 어떤 태도를 말하는가.

· 18장 ·

{ 주역은 어떻게
운명의 지도가 되었나 }

지금까지 《주역》이 운명에 관해 들려주는 다섯 가지 이야기에 귀를 기울여보았다. 그것은 운명을 성숙한 눈으로 직시하라(관괘), 조화롭게 결단을 내려라(쾌괘), 믿음을 얻어야 운명을 바꿀 수 있다(혁괘), 강건함으로 운명을 돌파하라(건괘), 유순함으로 운명을 견뎌내라(곤괘)는 다섯 가지 메시지였다.

《주역》의 메시지는 운명에 수동적으로 끌려다니는 대신 운명을 주도할 수 있는 용기와 통찰을 기르라는 것이다. 본디 점을 치는 책으로 지어진 《주역》이 어떻게 이런 도전적인 메시지를 담게 되었을까. 《주역》은 적어도 수백 년 동안 하늘의 뜻과 인간의 운명을 알기 위해 갈망했던 사람들의 노력을 집대성한 결과이다. 《주역》의 메시지를 풍부하게 이해하기 위해 《주역》이 만들어지는 과정을 잠시 추적해보자. 먼저 시간을 거슬러 올라가 싸움터로 나서는 어느 왕의 전차를 뒤따라가 볼 것이다.

거북이를 구워서 치는 점

지금부터 3200여 년 전 11월, 상商나라[1]의 왕 무정武丁[2]은 1만여 명의 대군을 이끌고 서쪽 이웃나라인 부ண나라를 침략했다. 부나라를 공격하려면 치ண나라를 지나가야 하므로, 치나라와도 충돌을 피할 수 없었다.

상나라의 군사가 수도인 대읍상大邑商[3]을 떠나기 직전, 무정은 왕궁에서 이 운명적인 전쟁을 두고 점을 쳤다. 그가 쳤던 점 기록은 오늘날까지 남아 있다. 왕이 어떻게 점을 치는지 엿볼 수 있는 매우 좋은 자료다.

상나라 사람들은 갑골점을 쳤다. 갑골점이란 거북이의 배딱지 또는 들짐승의 고두리뼈를 손질한 뒤, 여기에 점칠 내용을 칼로 새겨 넣고 불에 구워 터진 모양을 보고 길흉을 판단하는 점이다. 길흉 판단에 대해서는 여러 주장이 있지만 대개 점 복卜 자처럼 깔끔하게 터지면 길하고, 지리멸렬하게 터지면 흉한 것으로 판단했다고 한다.[4] 여기에 칼로 새긴 글이 한자의 조상인 갑골문이다.

갑골점을 총괄하는 신하는 '정인貞人'이라 불렀다. 정인은 장차관급의 고위 관리였다. 당시 사람들에게 점은 나라의 큰일 가운데 하나였다. 임금은 여러 명의 정인을 거느렸다. 정인은 수십 명의 중하급 관리를 거느렸다. 거북이를 사오는 이, 기르는 이, 죽이는 이, 배딱지를 떼어내 손질하는 이, 불에 구울 자리를 내는 이 등이 다 따로 있었다. 거북점을 한 번 치려면 관리 수십 명이 동원되어야 했다.

다시 무정을 따라가 보자. 무정의 군대는 아직 상나라 왕궁에서 출발하지 않았다. 무정은 11월의 '임자일'이라는 날에 각殼과 쟁爭이라는 이름의 정인 두 사람에게 각각 이 전쟁의 길흉을 점치도록 했다.[5]

상나라 왕들은 '거북점 실명제'를 도입해 거북이 배딱지에 담당 정인의 이름을 남겼다. 어떤 정인의 점이 더 영험한지 사후 평가를 하기 위해서다. 그 덕분에 오늘날에도 우리는 당시 정인들 가운데 누가 '영발'이 더 센지 알 수 있다. 실명제는 역시 위대하다.

우선 정인 각은 다음과 같은 내용으로 점을 쳤다.

"임자일에 거북점을 쳐서 정인 각이 묻습니다. 우리나라가 치나라를
쳐부술 수 있겠습니까?"[6]

정인 각은 위의 문장을 거북이 배딱지에 능숙하게 칼로 새겨 넣은 뒤 불에 구웠다. 탁! 탁! 타닥! 탁! 거북이 배딱지를 불에 구울 때 잘 터지도록 미리 손질해놓은 부분에 불길이 닿아 터지는 소리가 폭죽처럼 이어졌다. 정인은 다 구운 거북이 배딱지를 왕실 쟁반에 올려놓고 왕에게 바쳤다. 왕은 진지한 표정으로 단백질 태운 냄새가 아직 가시지 않은 거북이 배딱지를 살펴보더니, 이렇게 선포했다.

"길한 조짐이 나왔도다! 쳐부술 것이다!"[7]

정인 각은 왕에게서 거북이 배딱지를 돌려받은 뒤, 점쳐 물은 내용을 적은 문장에 이어 "왕이 점을 판단하여 말하기를〔王占曰〕"이라고 쓰고 왕의 입에서 나온 해석을 그대로 기록에 남겼다.

거북이가 출정을 연기시키다

같은 날 정인 쟁도 전쟁과 관련한 내용으로 거북점을 쳤다. 내용은 조금
달랐다.

> "임자일에 거북점을 쳐서 정인 쟁이 묻습니다. 오늘 우리나라가 공격
> 하면 치나라를 쳐부술 수 있겠습니까?"[8]

정인 각은 치나라와 전쟁을 벌이면 이길 승산이 있는지를 물었고, 그
결과가 길하게 나오자 이어 정인 쟁은 공격 개시의 시점을 물었다. 이 배
딱지도 정성껏 구워서 왕에게 바쳤을 것이다. 우리는 이 배딱지를 보면
서 무정이 뭐라고 했는지는 알 수가 없다. 정인 쟁의 이 기록 뒤에는 "왕
이 점을 판단하여 말하기를"로 시작하는 기록이 없기 때문이다. 이 기록
이 없다는 것은 흉한 결과가 나왔다는 뜻이다. 무정은 이 때문에 공격 날
짜를 늦췄다. 그걸 어떻게 아는가. 이어지는 기록이 있기 때문이다.

다음날인 '계축일', 정인 쟁은 다시 공격 개시 날짜를 묻는 거북점을 쳤
다. 전날 사용했던 거북이 배딱지를 다시 사용했다. 당시에도 바다거북은
매우 귀한 동물이었기 때문에 거북이 배딱지 하나에는 여러 차례의 점 기
록이 남아 있는 것이 보통이다. 정인 쟁은 다른 귀퉁이에 다음과 같이 새
겨 넣었다.

> "계축일에 거북점을 쳐서 정인 쟁이 묻습니다. 오늘부터 (나흘 뒤인)
> 정사일 사이에 우리나라가 공격하면 치나라를 쳐부술 수 있겠습니까?

오늘부터 정사일 사이에 우리나라가 공격하면 치나라를 쳐부술 수 없 겠습니까?"[9]

긍정과 부정 의문문을 나란히 써서 묻는 것은 상나라 때 점을 치는 관 습이었다. 더러 뒤의 부정 의문문을 생략하기도 하지만 뜻은 같다. 전날 흉한 조짐을 받았던 정인 쟁은 이날 정석대로 긍정-부정 의문문을 정성 껏 새겨 거북점을 쳤다.

전날 거북점을 칠 때는 "오늘 공격 개시를 할까요?"라고 물었다. 이것 은 1만여 명의 군사들이 이미 출정 준비를 마치고 대오를 갖추어 초겨울 찬바람을 맞으며 거북점 결과를 기다리고 있었다는 뜻이다. 만약 거북점 이 길하게 나온다면 지체 없이 출정할 수 있어야 하기 때문이다. 이날 정 인 쟁은 전날처럼 "오늘 바로 공격을 개시할까요?"라고 다급하게 묻지 않고 "오늘부터 나흘 뒤까지 닷새 동안 언제가 좋을까요?"라고 느슨하게 질문을 바꿨다. 신에게도 선택의 여지가 있는 편이 좋을 것이다. 다그치 듯 물으면 그이도 좀 숨 가쁘지 않겠는가.

정인 쟁이 바친 거북이 배딱지를 본 왕 무정은 이렇게 선포했다.

"(나흘 뒤인) 정사일에도 우리는 치지 않을 것이다. 다가올 갑자일에 칠 것이다. 열하루 뒤이다."[10]

정인 쟁은 두 번이나 불에 들어갔다 나온 거북이 배딱지를 왕에게서 돌 려받은 뒤, 점칠 때 새긴 문장 뒤에 "왕이 점을 판단하여 말하기를"이라 고 쓰고 방금 왕이 점에 대해 해석한 내용을 새겨 넣었다.

여러 차례 전쟁의 길흉과 성패를 점친 뒤, 무정의 군대는 처음 거북점을 친 날로부터 열사흘 지난 12월 갑자일에 치나라를 공격한다. 이것은 어떻게 아는가. 처음 치나라 침략이 성공할 것인지 말 것인지를 두고 점을 쳤던 정인 각의 거북이 배딱지에 결과까지 기록이 남아 있기 때문이다. 각의 배딱지에는 마지막에 다음과 같이 새겨져 있다.

"열사흘 지난 갑자일에 (상제께서) 칠 것을 허락하셨다."[11]

갑골점을 친 거북이 배딱지에는 대개 세 가지 내용이 시차를 두고 새겨진다.

우선, 가장 먼저 점을 쳐서 물어볼 때의 내용("임자일에 거북점을 쳐서 정인 각이 묻습니다. 우리나라가 치나라를 쳐부술 수 있겠습니까?")이 새겨진 뒤, 불에 들어갔다 나온다. 이걸 '명사命辭'라고 한다. 운명을 묻는 말씀이란 뜻이다.

다음, 조짐이 나오면 왕이 이에 대한 판단("길한 조짐이 나왔도다! 쳐부술 것이다!")을 내린다. 정인은 "왕이 점을 판단하여 말하기를"이라고 쓴 뒤, 왕의 해석과 판단을 옮겨 새긴다. 이걸 '점사占辭'라고 한다. 점에 대한 판단이란 뜻이다.

마지막으로, 실행에 옮겼을 때 결과가 어땠는지("열사흘 지난 갑자일에 칠 것을 허락하셨다")를 이어서 기록한다. 이건 '험사驗辭'라고 한다. 점친 결과가 실제와 부합하는지 사후에 기록을 남기는 것이다. 이 험사가 매우 중요하다.

거북이와 함께 행군을

|

무정의 치나라 공격에 동원된 두 명의 정인 각과 쟁 가운데 무정은 누가 더 영발이 세다고 보았을까. 당연히 정인 각이다. 각은 전쟁 전체의 승패를 점쳤다. 이런 중요한 임무는 당연히 영발이 더 센 정인에게 맡겼을 것이다. 그런 뒤 구체적인 공격 날짜와 같은 세부 내용은 정인 쟁이 담당했다.

정인 쟁은 제 구실을 못한 것으로 보인다. 한 번에 최상의 공격 날짜를 잡아내지 못해 다음날 다시 점을 쳤다. 무정의 기분이 좋았을 것 같지 않다. 다음날엔 선택의 폭을 넓혀 닷새 중에 하루를 얻어내려고 점을 쳤지만 그조차 썩 탐탁지 않았다. 왕이 이를 보고 닷새에서 한참 지난 열하루 뒤로 공격 날짜를 잡았기 때문이다.

이어지는 거북점 기록을 보면 치나라는 오래 버텼다. 무정의 전차 부대가 공격했으나 실패로 돌아간 일도 기록에 있다. 무정은 겨울 전쟁터에서 해를 넘겨 67일 만에 치나라를 무너뜨린 뒤, 본래 목표이던 부나라를 향해 진격을 시작한다. 부나라도 무정의 침략에 맞서 두 달 이상 완강히 저항했지만 결국 패하고 일부 군사는 북쪽으로 달아났다. 무정은 넉 달 이상 걸린 이 원정에서 거북점을 수십 번 쳤다. 정인과 거북점 담당 관리들은 전쟁터에서도 거북이 배딱지를 모시고 다니며 계속 왕의 요구에 따라 점칠 내용을 칼로 새겨 넣고 배딱지를 불에 구워야 했다.

이 전쟁터에서 거북점을 담당한 이는 계속 정인 각으로 나온다. 정인 쟁이 보이지 않는다. 그는 어떻게 되었을까. 아마 두 발로 집에 돌아갈 수 있었다면 최상의 행운이 아니었을까 싶다.

《주역》을 공부하는 나로서는 상나라 때 왕이 주재한 거북점이 도대체 얼마나 잘 들어맞았는지, 안 맞을 경우 어떻게 했는지, 점이 잘 맞지 않는 정인은 도대체 어떤 대우 혹은 처벌을 받았는지 같은 문제들이 궁금하다. 그러나 그런 연구는 거의 없다.

하늘의 뜻이 궁금하다

무정은 상나라를 50년 이상 통치했다. 그의 묘호는 고종高宗이다. 그는 재위 중에 모두 81차례나 주변 겨레와 전쟁을 벌인 호전적인 군주였다. 잦은 침략 전쟁으로 영토를 확장했기 때문에 그는 상나라의 중흥 군주로 불린다. 특히 그가 북방 오랑캐인 귀방鬼方과 벌인 전쟁은 3년이나 끌었다. 그 전쟁은 《주역》 〈기제괘〉와 〈미제괘〉의 효사에도 기록이 남아 있다.[12]

이렇게 호전적인 군주가 점은 왜 그렇게 많이 쳤을까. 아마 그도 두려운 것이 많았을 것이다. 오랑캐를 이길 수 있을까. 이번 전쟁에서 패배해 되레 침략당할 빌미를 제공하는 것은 아닐까. 상제께서 이 모든 전쟁을 지지하고 보호해주실까. 장군이나 대신 가운데 반기를 들 인사는 없을까. 그 또한 하늘의 뜻이 궁금해 점을 치고 또 쳤을 것이다. 그러나 하늘은 아무 말도 하지 않는다. 어떻게 해야 하늘의 뜻을 알 수 있는가. 이런 심정으로 무정은 조상들이 고안해낸 갑골점을 치고 또 쳤다.

상나라의 군주들이 갑골점을 친 것에 대해 우리는 그 몽매함을 비웃기 전에, 어떻게 해서든 하늘의 뜻을 알고자 했던 그들의 간절함을 우선 높이 사야 한다. 그들도 오늘날의 우리와 마찬가지로 삶과 미래와 운명에 깊은 관심이 있었다.

하나의 사안을 두고 열여덟 번 점을 치다

신령한 존재에게 미래나 운명을 물을 때는 군말을 할 수 없는 것이 동서 고금의 공통된 법칙이다. 자기 아비를 죽이고 어미와 결혼할 것이라는 신탁이 마음에 들 리 없었지만 오이디푸스는 그 신탁을 취소하고 다른 신탁을 주시면 안 되겠느냐고 토를 달지는 못했다. 그건 신성모독이기 때문이다.

점칠 때도 마찬가지다. 상나라 때도 한 가지 사안에 대해 한 번 점을 치는 것이 불문율이었다. 점괘가 마음에 들지 않는다고 다시 치고 또 치는 것은 점을 주재하는 신령을 더럽히는 행위로 받아들여졌다.

그런데 상나라 왕들이 점을 치면서 정말 그렇게 페어플레이만 했을까? 오늘날 남아 있는 갑골문을 보면 그들이 그렇게 독실하지만은 않았던 것 같다. 하나의 사안을 두고 한 번 점친 경우도 적지 않지만, 2~3번 점친 경우도 흔하고, 심지어 가장 많게는 18번까지 점친 기록이 나온다.[13]

왕이라면 모름지기 필요할 경우 하나의 사안을 두고 말을 바꿔가며 여러 차례 점을 칠 수도 있고, 아주 작은 조짐을 가지고 큰 해석을 내릴 수도 있으며, 심지어는 점괘를 뒤바꿀 수도 있어야 한다. 군주는 자기가 다스리는 공동체의 운명을 책임지고 있는 사람이기 때문이다.

전쟁에 나가는데 점괘가 불리하다면 군사들의 사기에 나쁜 영향을 끼칠 수 있다. 이미 적들이 국경을 넘었기에 전쟁을 피할 수도 없다. 이미 준비를 다 마쳤는데, 좋은 점괘를 얻을 때까지 군대를 마냥 잡아놓을 수도 없지 않겠는가. 이런 경우라면 군주는 벼락 맞을 각오를 하고 "우리가 반드시 이길 것이라는 결과가 나왔다! 진격하라!"고 외칠 수밖에 없다. 군주라면 모름지기 이런 정도의 배짱과 책임 의식과 주체성이 있어야 한다.

하나라의 폭군 걸桀을 치기 위해 탕湯왕이 봉기했을 때다. 하나라의 수도로 진격하라는 명령을 내려야 할 시점인데, 점이 흉하다고 나왔다. 탕왕이 최고 참모인 이윤에게 물었다. 어떻게 할 것인가. 이윤은 단호하게 지금은 점보다 시기를 놓치지 않는 것이 더 중요하다며 진격을 주장했다. 탕왕은 그 길로 하나라의 수도로 쳐들어가 걸을 몰아냈다.

공동체의 운명을 책임져야 하는 이들은 이런 정도의 책임 의식과 주체성을 가지고 사안을 판단하고 행동해야 한다.

국가가 확인한 점의 신빙성

무정만이 아니라 상나라의 역대 왕들은 지극정성으로 거북점을 쳤다. 나라의 중대한 일인 전쟁과 제사를 앞두고는 시시콜콜한 내용까지 점쳐 물었다. 농사, 혼인, 축성, 사냥 등 일상사에 대해서도 점을 쳤다.

이 점이 잘 들어맞았을까? 상나라 왕들은 점과 결과를 비교하는 험사를 적도록 함으로써 점이 잘 맞는지 확인하려 했다. 험사를 적은 덕분에 상나라 왕들은 거북점이 그다지 신통하지 않다는 것을 점차 깨달아갔을 것이다.

상나라에서 갑골점을 수백 년 동안 쳐서 그 점이 맞는지 안 맞는지를 검증해본 것은 매우 소중한 인류의 유산이다. 상나라 왕들은 정말 대단한 일을 한 것이다. 그들은 국가의 모든 역량을 동원해서 점을 쳐서 결과와 비교해보았다. 그들의 실험은 어떤 결론에 이르렀을까. 거북이 배딱지가 어떻게 터지느냐보다 인간의 생각과 행동이 미래에 더 큰 영향을 끼친다는 점을 서서히 깨달아가지 않았을까?

상제께서 비를 내리신다고 한 날 폭염이 쏟아지거나 상제께서 승리를 거두게 해주신다고 한 전쟁에서 크게 패하고 돌아왔을 때 군주는 어떻게 했을까. 군주는 점을 주관한 정인을 이글이글 타는 눈으로 쏘아보며 물었을 것이다. "도대체 왜 점이 안 맞았는가!" 제대로 답을 못하면 정인은 당장 목이 달아날 처지다. 만약 당신이 정인이라면 어떻게 대답할 것인가.

점이 맞지 않아 분노한 왕에게 정인들이 어떻게 답을 했다는 기록은 아직 발견되지 않았다. 그러나 논리적으로 보면 다음과 같은 답이 가능했을 것이다.

첫째, 비록 점의 결과는 길하지만 왕의 덕이 부족해 비가 오지 않거나 전쟁에서 패했다는 주장이 가능하다. 상나라를 멸망시킨 주나라는 상나라 왕들의 덕이 부족해 천명이 상나라에서 주나라로 옮겨왔다고 주장한다. 이것은 고대 중국 사상의 주류인 유가儒家의 천명사상 혹은 덕치주의德治主義와 같은 주장이다. 왕이 덕으로 다스려야 하늘도 그에게 천명을 내리고 그를 보호한다는 주장이다.

둘째, 길함 속에 흉함이 숨어 있고 흉함 속에 길함이 담겨 있다는 주장도 가능하다. 비록 점괘가 길하더라도 길함을 지키려는 노력이 없으면 흉함으로 전환한다는 것이다. 이런 설명은 도가道家의 주장이다. 가령 노자는 다음과 같이 말한다.

화여! 복이 기대고 있는 곳이로다.
복이여! 화가 엎드려 있는 곳이로다.[14]

점괘가 길하다고 그것을 믿고 방자하게 굴면 사람들이 등을 돌려 재앙을 입게 되고, 점괘가 흉하더라도 그로 인해 각고 분투하면 흉함을 길함으로 전환할 수 있다는 말이다. 이는 상반상성과 물극필반의 주장이다.

이런 설명이 억측은 아니다. 하지만 상나라 사람들은 아직 이런 주장을 분명하게 펴지는 못했다. 그들은 아직 거북점의 세계에 머물러 있었다. 거북점의 세계를 넘어선 것은 상나라를 타도한 주나라 사람들이었다. 그들이 만들어낸 《주역》에는 앞에서 본 것처럼 덕을 중시하는 사고방식과 더불어 상반상성 – 물극필반에 관한 생각이 분명하게 담겨 있다.

《주역》은 상나라 사람들이 굽고 또 구웠던 거북이 배딱지의 폐허에서 탄생했다. 《주역》을 만든 사람들은 거북점을 넘어서려 했다. 그들은 거북이 배딱지와 하늘의 뜻이 아무런 상관관계가 없다는 것 정도는 파악했다. 그들은 인간의 생각과 행동이 훨씬 더 길흉과 상관관계가 깊다는 판단에 이르렀다. 그래서 《주역》의 지은이들은 덕과 상반상성 – 물극필반을 길흉과 연결 짓는 텍스트를 만들어낸 것이다.

점의 개혁 : 갑골점에서 시초점으로

상나라를 타도하고 중원을 차지한 주나라는 점치는 방법도 개혁했다. 점을 개혁하다니, 별 우스운 개혁도 다 있다 싶을 것이다. 그러나 이 개혁은 인류의 역사에 등장하는 수많은 개혁 중에서도 매우 의미심장하다. 거북점에서 주역점으로 무게중심이 이동한 과정은 확실히 중요한 개혁이었다. 《주역》의 등장은 인간이 운명 또는 몽매와의 싸움에서 올린 혁혁한 개가 가운데 하나로 기억해도 좋다.

상나라 왕들은 엄청난 국가 예산을 동원해 대대적으로 꾸준히 갑골점을 쳤다. 시간이 흐르면서 갑골점의 신통력에 회의적인 이들이 늘어갔다. 그 결과 갑골점을 대신할 주역점이 등장했다. 주역점의 등장은 갑골점이 신통치 않았다는 사실의 반증이다. 갑골점이 신통했다면 우리는 아마 지금까지도 거북이 배딱지를 굽고 있지 않을까?

갑골점을 치기 위해서는 돈과 인력이 많이 들었다. 왕이나 귀족이 아니면 함부로 칠 수도 없었다. 이에 비하면 주역점(시초점)은 매우 간편하다. 산가지와 《주역》 책, 이 두 가지만 있으면 누구나 점을 칠 수 있다. 산가지를 셈해 괘와 효를 얻은 뒤, 그에 해당하는 내용을 《주역》에서 찾아보면 점괘를 알 수 있기 때문이다.

정확히 말하면 상나라 때도 거북점과 시초점이 있었고 주나라 때도 두 가지 점을 다 쳤다. 상나라 사람들은 시초점을 칠 때 《주역》 대신 《귀장歸藏》이라는 점책을 이용했다. 《귀장》은 오늘날 전해오지 않는다.

상나라 때는 갑골점이 국가 행사였기 때문에 시초점은 권위 면에서 갑골점에 비교가 되지 않았다. 주나라 초기에도 절차가 복잡한 갑골점이 시초점보다 권위가 높았다. 그러나 시간이 지나면서 번거로운 갑골점은 점차 시초점으로 대치되었다. 춘추전국시대를 거치면서 갑골점은 사라졌으나 주역점은 오늘날까지 살아남았다.

국가 빅 데이터를 활용한 편찬

《주역》은 흔히 세 시대에 걸쳐 세 명의 위대한 인물의 손으로 편찬되었다고 이야기된다. 하夏나라 때의 복희씨伏羲氏가 팔괘를 만들고, 상나라 말기의 문왕文王이 팔괘를 겹쳐 64괘를 만든 뒤 괘사卦辭를 지었으며, 주周나라 초기의 주공周公이 효사爻辭를 지었다는 설이 그것이다.

이런 설명은 전설이다. 이런 전설은《주역》이 그만큼 오랜 세월을 거쳐 만들어졌다는 이야기일 뿐이다. 복희씨, 문왕, 주공 등의 통치자들이 직접《주역》 문헌을 만들었다는 뜻이라기보다 오랜 세월 국가적 사업으로 《주역》을 편찬했다는 뜻이다.

《주역》에는 인간이 세상에서 만날 수 있는 거의 대부분의 경우를 망라한 예순네 가지 상황이 담겨 있다. 이 내용들은 매우 풍부하고 구체적이어서 한두 사람의 머리에서 나온 상상력의 결과라고 보기는 어렵다.《주역》을 통독해보면, 기존 빅 데이터의 풍부한 자료를 집대성해 핵심을 추리는 방식으로 만들어졌을 거라는 판단을 뒷받침해주는 구절을 여러 곳에서 찾아볼 수 있다. 거기에는 상나라의 왕 왕해王亥, 고종高宗(무정武丁), 제을帝乙 등의 이야기가 있고, 형벌과 예법을 만들고 집행했던 흔적이 있으며, 농사짓고 가축을 기르며 억센 짐승을 길들인 경험이 담겨 있다. 풍부한 자료로부터 풍부한 이야기와 통찰이 나왔다고 보는 것이 온당한 추정이다. 《주역》은 이 방대한 자료 속에서 어떤 판단과 결정이 맹목적이고 어리석은지, 어떤 통찰과 행동이 타당하고 지혜로운지 원만한 시각에서 설명할 수 있게 되었을 것이다.

《주역》이 집대성한 방대한 이야기와 통찰의 중요한 참고 자료는 상나라와 주나라의 국가 기록물 보관소였을 것이다.

1936년 상나라 말기의 수도가 있던 안양安陽 샤오툰小屯의 인쉬殷墟에서는 YH127이라는 일련번호가 매겨진 발굴 지역에서 갑골 1만 7000여 편이 무더기로 발굴되었다. 지금까지 발견된 갑골이 모두 15만 편임을 감안하면 YH127의 갑골이 얼마나 많은 양인지 가늠할 수 있을 것이다. 당시 발굴 작업을 맡았던 둥쭤빈董作賓 등 고고학자들은 이걸 하나하나 캐낼 수 없어서 발굴지 옆을 파 갱도를 만든 뒤, 이 거대한 갑골 무더기를 밧줄로 묶어 수레에 실어 끌어올렸다.

왜 갑골을 여기에 모아둔 것일까. 이곳은 상나라 사람들이 점친 기록을 모아놓은 국가 기록물 보관소였다. YH127은 상나라 왕의 궁전 바로 옆에 위치한다. 상나라를 멸망시킨 주나라 사람들은 상나라의 갑골문을 알고 있었다. 그들은 상나라의 궁궐에 입성한 뒤 상나라의 모든 자료를 장악했을 것이다. 그리고 상나라 사람들과 자신들의 시행착오를 종합해서 덜 것은 덜어내고 더할 것은 더해 《주역》이라는 문헌을 만들어냈을 것이다. 《주역》은 국가 빅 데이터를 활용해 편찬한 문헌이다.

점이 바꾼 세상 풍경

갑골점과 비교해볼 때 주역점은 획기적인 차별성을 지니고 있었다. 우선, 갑골점은 점의 조짐이 임의적이었다. 거북이 배딱지를 불에 구워 임의로 터진 모양은 보는 사람에 따라 얼마든지 달리 해석할 수 있었다. 반면에 주역점은 산가지를 셈하여 떨어지는 숫자로 점괘를 정하기 때문에 점의 임의적인 면은 사라졌다. 갑골점과 주역점의 차이는 아날로그와 디지털의 차이만큼이나 뚜렷했다.

다음으로, 주역점은 해석의 임의성도 없앴다. 갑골점은 구운 배딱지를 보고 왕이 해석을 했다. 거북이 배딱지의 조짐 자체가 모호하기 때문에 왕은 얼마든지 자의적으로 해석할 수 있었다. 반면 주역점은 점괘에 대한 해석이 《주역》이라는 책에 명시되어 있다. 갑골점과 비교해본다면 주역점이 훨씬 객관적임은 두말할 나위도 없다.

갑골점에서 시초점으로 점치는 방식이 바뀌면서 점과 관련해 몇 가지 중요한 사회 풍경도 변했다.

우선 점을 칠 수 있는 사람의 범위가 크게 확대되었다. 갑골점은 왕과 귀족이 아니면 칠 수 없는 점이었다. 또 갑골점은 왕이나 정인 같은 전문가가 해석해야 하기 때문에 일반인이 칠 수 있는 점은 아니었다. 이에 비해 시초점은 치기도 간편하고 가격도 쌌기 때문에 점을 칠 수 있는 사람의 범위가 폭발적으로 확대되었다. 심지어 평민들도 시초점은 칠 수 있었다.

이렇게 만들어진 《주역》과 주역점인 만큼 주나라가 상나라를 대신한 뒤 거북점을 치는 빈도수는 계속 줄어들고 주역점을 치는 경우는 점점 늘어났다.

왕처럼 점을 친다는 것

상나라를 멸망시킨 주나라 사람들은 거북점 대신《주역》과 주역점을 만들었다.《주역》의 지은이들은 거북이 배딱지의 터진 무늬 사이로 하늘의 뜻을 알아내려 하는 대신, 두 가지 장치를《주역》의 예순네 가지 이야기 안에 심어놓았다. 하나는 인간이 어떤 생각과 행동을 하느냐에 따라 미래의 길흉이 달라질 수 있다는 관점이고, 다른 하나는 미래가 상반상성과 물극필반의 동그라미 운동을 한다는 관점이었다.《주역》이란 이렇게 편찬된 것이기 때문에 여기에 어떤 상황을 점쳐 묻더라도 매우 설득력 있는 답을 얻게 마련이었다. 그것은 결국 자신의 덕을 돌아보거나 상반상성과 물극필반의 관점에서 미래를 예비하라는 것이었다. 그럼으로써《주역》은 매우 실현 가능한 운명의 지도를 성공적으로 그려낼 수 있었다.

우리는 앞에서 사랑에 관해 점친 사람이 물 빠진 연못에 관한 이야기를 얻거나, 사업에 관해 점친 사람이 여행에 관한 이야기를 점괘로 얻는 경우를 보았다. 점쳐 물은 상황과 전혀 다른 상황에 대입해 생각해보도록 하는 것은《주역》의 독특한 특징이다.

《주역》64괘 32쌍은 상호 참조cross reference의 구조를 이루고 있다. 집안일로 주역점을 쳐서 정치에 관한 괘를 얻을 수도 있고, 거꾸로 정치 문제로 주역점을 쳤는데 집안일에 관한 괘가 나올 수도 있다. 앞의 경우는 국가 경영을 은유로 받아들여 집안일을 바라보라는 것이며, 뒤의 경우는 반대로 집안일을 은유로 삼아 국가 경영에 대해 사고해보라는 권유이다.

이렇게 상호 참조로 주역점을 해석할 수 있는 까닭은《주역》의 64괘가 모두 제각기 상반상성과 물극필반의 원운동을 하고 있기 때문이다. 우리의 인생 자체가 물극필반의 원운동 안에 있다.

지금 당신이 주역점에 묻고 있는 문제도 자신의 원운동 안에 위치한다. 그런데 그 상황 안에 있을 때는 원운동의 방향이 잘 보이지 않는다. 그것을 주역점에서 얻은 전쟁, 여행, 물 건너기, 결혼 등이 그리고 있는 원운동과 견주어 생각해보라. 그럼으로써 지금 당신이 처한 상황을 객관적으로 혹은 다른 각도에서 읽어낼 힘이 생긴다. 《주역》이 상호 참조의 구조를 끌어들인 것은 이런 전략에서이다.

거북점이라는 불합리한 방식의 점을 대신해 주역점이 나올 수 있었던 것은, 상나라의 왕들이 점친 결과가 맞는지 틀리는지를 확인했기 때문이다. 왕의 부릅뜬 눈 아래서 점치는 이들은 어떻게든 미래와 운명을 엿보는 가장 합리적인 방법을 고안해내야 했다. 그 덕분에 《주역》이 세상에 나올 수 있었다.

상나라 왕들의 이야기에서 우리는 무엇을 교훈으로 얻어야 할까. 왕처럼 점을 치지 않으면 어떤 미래도 운명도 엿볼 수 없다는 것이다. 만백성의 생사여탈권을 쥐고 있는 상나라의 군주들조차 거북점이 제 맘대로 되지는 않았다. 적어도 왕과 같은 태도로 점을 치지 않는다면 점치는 사람들에게 농락당하지 않을 수 없다.

오늘날 왕처럼 점을 친다는 것은 어떤 태도를 말하는가. 《주역》의 천기에 관한 이야기를 먼저 한 뒤, 다시 이야기를 이어가기로 하자.

19장

주역에 관한
세 가지 천기누설

이제 《주역》에 관한 천기를 무려 세 가지나 누설할 참이다. 이 가운데 첫 번째 천기는 바로 앞 장에서 이미 거의 누설했다. 이 세 가지 천기에는 《주역》을 지은 이들의 의도가 반영되어 있다. 《주역》이 거의 3000년 동안 생명력을 이어올 수 있었던 것은 이 세 가지 장치 때문이다.

첫 번째 천기 : 괘효사의 비밀

첫 번째는 괘효사의 비밀이다.

앞에서 우리는 갑골점이 잘 들어맞지 않을 때 정인들이 상나라 왕들에게 할 수 있는 대답이 두 가지 있을 것이라고 했다. 하나는 군주의 덕이 부족해서 그런 것이니, 당신이 덕을 닦아야 한다는 주장이다. 다른 하나는 길함과 흉함이 상반상성과 물극필반의 관계에 있어서 길함은 흉함으로 전화하고 흉함은 길함으로 전화할 수 있다는 주장이다.

《주역》의 괘효사에는 이 두 가지 주장이 고루 반영되어 있다.

예를 들어보자.

지금 내가 하는 사업을 두고 주역점을 쳐서 〈건괘〉 다섯째 별 "용이 날아올라 하늘에 있으니, 큰사람을 봄이 이로울 것이다"라는 점괘를 얻었다고 하자. 매우 길한 점괘가 나온 셈이다. 그런데 사업은 지지부진하다. 왜 그런가.

《주역》은 이렇게 해명할 것이다. 점괘는 당신의 사업이 무조건 길할 것이라고 얘기해준 것이 아니다. 당신의 덕을 먼저 돌아보라. 먼저 용처럼 굳센 덕을 닦아야 한다. 〈건괘〉 다섯째 별의 비룡은 어느 날 갑자기 땅에서 솟은 것이 아니다. 잠룡의 시기와 현장에서 '종일건건'하는 시기와 '혹약재연或躍在淵'의 시기를 다 거친 것이다. 당신이 그만큼 뼈를 깎는 노력을 한다면 당신의 사업은 용이 하늘을 날 듯 번창하는 시기를 맞이할 것이다. 아직은 당신의 덕이 비룡의 길함을 누리기에 부족한 것이다.

좋은 점괘란 어떤 것인가

다른 예를 들어보자.

대선을 앞두고 이른바 수많은 '잠룡'들이 활동하고 있을 때였다. I라는 인물이 아직 대통령 후보가 되기 전이었다. 한창 《주역》에 빠져 있던 나는 공부를 겸해서 수많은 잠룡들의 집권 가능성을 주역점으로 쳐보았다.

I는 〈비괘比卦, 친밀함의 틀〉䷇가 〈겸괘謙卦, 겸손함의 틀〉䷎로 변하는 상황을 얻었다.

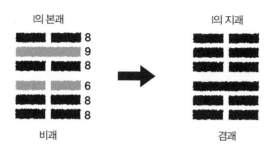

〈비괘〉의 셋째 그늘과 다섯째 별 효사는 다음과 같다.

셋째 그늘 : 제대로 되지 않은 사람과 친밀한 것이다.

다섯째 별 : 친밀함을 드러낸다. 왕이 세 곳으로 사냥감을 몰아 앞으로 달아나는 사냥감을 놓치지만 그 고을 사람을 벌하지 않으면 길할 것이다.[15]

〈비괘〉는 황제가 천하를 어떻게 다스릴 것인지에 관해 이야기한 괘다. 천자는 가까운 이와 먼 이를 가리지 않고 친밀함으로 대하여 이들의 자발적인 지지를 바탕으로 세계 질서를 구축해야 한다는 이상을 담고 있는 것이 〈비괘〉이다.

천자는 모든 사람과 친밀해야 하지만 인도를 저버린 사람들과 친밀해서는 안 된다. 그런 사람들과 친밀하다면 결과가 흉할 것임은 말할 것도 없다. 셋째 그늘은 그런 얘기를 하고 있다.

천자는 사냥을 하더라도 자기 방향으로 오는 짐승만 잡고 등을 돌린 짐승은 놓아준다. 그걸 놓친 주변 사람을 벌하지도 않는다. 그만큼 자발적인 친밀감을 중시한다. 이런 태도로 사람들과 친밀함을 나눈다면 길할 것이라고 하고 있다.

이 두 효사는 그가 대권 도전에 성공하려면 세상의 모든 사람과 친밀해야 하지만 제대로 되지 않은 사람과 친밀해서는 안 되며, 사람들의 자발적인 친밀함을 끌어내야 한다고 말하고 있다.

여기서 끝나지 않고 이 괘의 변효를 모두 변화시키면 〈겸괘〉를 얻는다. 〈겸괘〉는 위가 땅☷, 아래가 산☶이다. 땅 아래에 산이 있으니, 땅 속에 산이 파묻혀 있는 형국이다. 세상의 모든 존재 위로 드높이 우뚝 솟을 수 있는 산이 자기를 낮추어 땅 속에 묻혀 있으니, 이 괘는 '겸손함'을 상징한다. 〈겸괘〉의 괘사는 다음과 같다.

> 겸손하면 형통할 것이다. 군자가 자기 생애를 마칠 때까지 겸손함의
> 길을 잘 지킬 것이다.[16]

이상의 이야기를 종합해볼 때 I는 어떻게 해야 대권을 쥘 수 있다는 얘기일까. 메시지는 다음의 세 가지다.

(1) 제대로 되지 않은 사람들과 가까이하지 마라.
(2) 천자가 세계 질서를 구축할 때와 같이 사람들의 자발적 친밀함을 존중하고 받아들여라.
(3) 죽는 날까지 겸손하라.

어디에도 흉하다는 얘기는 없다. (2)처럼 하면 길하다고 했고, (3)처럼 하면 형통할 것이라고 했다. 좋은 점괘라고 판단하기 쉽다. 그러나 나는 I가 갈 길이 매우 멀고 험하다는 권고로 받아들였다. 그는 지금 대권을 전제로 이 점괘를 얻은 것이기 때문이다.

목표에 따라 하중도 달라진다

대권을 전제로 할 때 앞의 세 가지를 실천한다는 것은 지극히 어려운 일이다. 우선 정치를 하면서 '제대로 되지 않은 사람들'과 가까이하지 않는다는 것은 실로 불가능에 가깝다. 평범한 유권자에서부터 모리배와 협잡꾼에 이르기까지 별별 사람들을 다 만나야 하는 것이 정치다. 더구나 대권 도전을 선언하고 나면 표를 모아주겠다고 찾아오는 사람들이 또 얼마나 많겠는가. 게다가 "천자가 세계 질서를 구축하는" 수준으로 사람들과 친밀해야 한다니, 얼마나 많은 발품을 팔라는 뜻인가. 거기에 더해 죽는 날까지 겸손할 것을 요구하고 있다.

"길할 것이다"라거나 "형통할 것이다"라는 말이 있다고 해서 좋은 점괘인 것은 아니다. 실천을 통해 길함과 이로움을 실현시킬 수 있는 점괘가 좋은 점괘인 것이다.

만약에 한 기업체의 운영을 두고 같은 점괘를 얻었다면 나는 달리 판단했을 것이다. 이걸 실천하기가 그렇게 지난한 것은 아니다. 기업 활동에 방해가 되는 '제대로 되지 않은 사람들'을 멀리해야 하는 것은 당연한 일이다. 또 직원들과 성심성의껏 친밀해야 하는 것도 당연한 일이다. 기업을 운영하면서 평생 겸손하게 살아간다는 것이 그렇게 불가능한 일은 아니다.

이와 비교해볼 때, 비록 같은 점괘이지만 대권 도전을 코앞에 둔 이가 《주역》의 요구에 부응하려면 얼마나 무겁고 힘든 짐을 지고 가야 하는지 이해할 수 있을 것이다.

결과적으로 I는 대권 도전에 실패했다. "길할 것"이라거나 "형통할 것"이란 내용이 있었는데 왜 실패했는가. 《주역》은 그가 길함과 형통함의 전제 조건을 충분히 만족시키지 못했기 때문이라고 평할 것이다.

길함 속에 흉함이 싹트고 있다

본래 이야기로 돌아가자. 《주역》은 점의 결과에 대해 이미 해석을 공개하고 있으면서 어떻게 수많은 사람들이 점친 다양한 내용에 대해 만족스러운 응답을 줄 수 있는가.

괘효사의 비밀은 당신이 그 점의 결과를 무턱대고 누릴 수 있는 것이 아니라 그걸 누릴 수 있는 덕을 갖추어야 한다는 점에 있다.

다른 한편으로 괘효사의 비밀은 길하거나 형통하거나 이롭다고 해서 무턱대고 좋은 것이 아니라, 당신이 점쳐 물은 내용과 관련한 전제 조건을 충족시켜야 좋은 점괘를 누릴 수 있다는 것이다. 길하다는 것도 공짜 축복이 아니고, 흉하다는 것도 막무가내의 저주가 아니다. 전제 조건을 충족하지 못하면 길함은 흉함으로, 형통은 불통으로, 이로움은 해로움으로 전화한다. 당신이 점쳐 물은 내용이 큰일이면 큰일일수록 전제 조건을 충족시키기가 쉽지 않을 것이다.

흉하거나 불리한 것도 전제 조건이 있다. 그 흉하거나 불리해질 전제 조건과 같은 행동을 하지 않는다면 흉함과 불리함을 피할 수 있다. 그러면 흉함은 길함으로, 불통은 형통으로, 해로움은 이로움으로 전화한다. 당신이 점쳐 물은 내용이 클수록 흉함을 피하기 위해 더 많은 노력을 해야 한다. 괘효사의 이런 비밀과 관련해 주희朱熹는 다음과 같이 명쾌하게 말했다.

> 무릇 《주역》의 한 효는 대개 두 가지 뜻을 함께 가지고 있다. 이러이러하면 길하다는 말은 이러이러하지 못하면 흉하다는 뜻이다. 또 이러이러하면 흉하다는 말은 이러이러하지 않으면 길할 수 있다는 뜻이다. 예를 들어 '문밖으로 나가 사람들과 함께한다出門同人'는 효사는 모름지기 안에서 밖으로 나가서 사람들과 함께하면 길할 것이라는 말이다. 만약 그러지 않고 사람들을 이용해 자기 욕망만 좇는다면 흉할 것이라는 말이다. —《주자어류朱子語類》 67권, 〈역易〉3

주희의 이 말은 괘효사의 비밀을 폭로한 것이다. 우리도 지금까지 이런 관점에서 《주역》을 이야기해왔다.

만약 한 효에 길흉이 다 포함되어 있다면 왜 굳이 어떤 효에서는 "길하다"고 하고, 다른 효에서는 "흉하다"고 했을까? 강조하고 싶은 내용을 내세웠다고 볼 수 있다. 길하다고 한 곳에서는 길함을 쟁취하도록 노력하라는 점을 강조한 것이고, 흉하다고 한 곳에서는 흉함을 피하는 것이 중요하다고 강조한 것이다.

두 번째 천기 : 주역은 점을 부정한다

《주역》의 첫 번째 비밀을 읽고 허탈할 수도 있다.

덕을 닦아야 길함과 이로움을 누릴 수 있다는 것은 잘 알겠다. 또 길흉이 상반상성의 관계에 있어서 길함과 흉함이 서로 전환한다는 것도 잘 알겠다. 그러면 굳이 점을 칠 필요가 없지 않을까? 열심히 덕을 닦고, 길함이 흉함으로 변하지 않도록 주의하고, 흉함을 길함으로 전환시키기 위해 노력하면 되는 것 아닌가.

맞는 얘기다. 《주역》을 지은 사람들은 점을 칠 필요가 없다는 사실에 동의할 것이다. 《주역》은 점을 부정하는 점서다. 점치는 책이 점을 부정하다니, 이게 말이 되는 얘기인가. 이 모순을 조금만 참아주기 바란다.

우선 《주역》에는 이런 상황이라면 점칠 필요가 없다는 얘기가 다섯 번이나 나온다. 〈곤괘〉의 둘째 그늘, 〈손괘損卦〉의 다섯째 그늘, 〈익괘益卦〉의 둘째 그늘과 다섯째 볕, 〈혁괘〉의 다섯째 볕 등이 그런 예다.

(1) 곧고 반듯하고 크면 점친 결과가 좋지 않아도 이롭지 않음이 없을 것이다. (〈곤괘〉 둘째 그늘)

(2) 누군가가 더해줄 것이다. 매우 값비싼 거북으로 친 거북점도 어길 수 없을 것이니, 크게 길할 것이다. (〈손괘〉 다섯째 그늘)

(3) 누군가가 더해줄 것이다. 매우 값비싼 거북으로 친 거북점도 어길 수 없을 것이니, 길이 바르면 길할 것이다. 왕이 하느님에게 제사를 드리니, 길할 것이다. (〈익괘〉 둘째 그늘)

(4) 미더움이 있어 마음으로 은혜롭게 하니, 점쳐 묻지 않더라도 크게

길하다. 미더움이 있으니, 나의 덕을 은혜롭게 여길 것이다. (〈익괘〉 다섯
째 별)

　(5) 큰사람이 호랑이처럼 변신하니, 점쳐 물어보지 않더라도 미더움
을 얻을 것이다. (〈혁괘〉 다섯째 별)[17]

　(1) 〈곤괘〉의 둘째 그늘은 앞에서 보았다. 대지처럼 곧고 반듯하고 큰
사람은《주역》이 요구하는 덕을 가장 깊게 닦은 사람이다. 이 정도 덕을
갖춘 사람이 뭐가 불리하고 흉하겠는가. 이런 사람이라면 굳이 점에 연연
할 필요가 없다.《주역》을 통틀어 이런 표현은 여기 단 한 번 나온다.

　(2) 〈손괘〉는 덜어냄의 도를 얘기하는 괘이다. 덜어낸다는 것이 반드시
손해만 보는 것은 아니다. 도박이나 마약 같은 나쁜 습관을 덜어내는 것
은 금단현상은 있겠지만 좋은 일이다. 자기 아집을 버리는 것과 같은 덜
어냄도 있다. 〈손괘〉의 다섯째 그늘은 덜어냄의 도 가운데 자기의 아집을
덜어내 다른 사람의 지혜에 귀를 기울이는 덜어냄이다. 그런 이에게 어떤
불리함이 있겠는가. 그렇게 경청하여 얻어낸 지혜라면 당시 천자나 칠 수
있었던 매우 값비싼 거북점의 결과보다 더 소중하다.

　(3) 〈익괘〉는 군주가 다양한 방식으로 백성들에게 베푸는 것을 보여주
는 괘이다. 이 괘에는 점의 결과와 상관없이 좋을 것이라는 얘기가 두 번
이나 나온다. 〈익괘〉의 둘째 그늘은 〈손괘〉의 다섯째 그늘과 앞부분의 내
용이 같다. 두 괘는 점대칭의 관계에 있기 때문이다. 여기서도 더해주는
것이 단순한 물질이 아니라 지혜다. 지혜를 더해주는 것은 가장 귀중한
것을 더해주는 일이다. 지혜에 기울일 귀가 있는 사람이라면 굳이 점에
귀를 기울이지 않아도 된다는 얘기다.

(4) 〈익괘〉의 다섯째 별은 무언가 보상이나 대가를 바라서 베푸는 것이 아니라 진정으로 백성을 위하는 마음이 우러나와 베푸는 것이다. 이런 지도자가 길하지 않을 이유가 없다. 그래서 "점쳐 묻지 않더라도 크게 길하다"고 했다.

(5) 〈혁괘〉는 혁명의 괘이다. 공동체 또는 개인의 운명을 바꾸는 순간이다. 이 괘의 다섯째 별은 혁명의 지도자가 호랑이처럼 변신하여 강력한 리더십을 발휘하는 상황이다. 혁명의 순간은 이미 닥쳤고, 그 결정적 시기에 확고하고 정확하게 대처하고 있다면 사람들의 지지를 받지 않을 리가 없다. 그러므로 그럴 수 있다면 "점쳐 물어보지 않더라도 미더움을 얻을 것"이라고 말하고 있다.

이 다섯 효는 《주역》에서 매우 중요한 위치를 차지한다.

〈곤괘〉 둘째 그늘은 《주역》이 요구하는 가장 높은 수준의 덕이고, 〈익괘〉와 〈혁괘〉의 다섯째 별은 각각 안정된 시기와 변혁의 시기에 《주역》이 요구하는 가장 이상적인 리더십을 갖춘 사람의 모습이다. 또 〈손괘〉의 다섯째 그늘과 〈익괘〉의 둘째 그늘은 자기의 아집을 덜어내고 지혜에 귀를 기울이라는 얘기와 가장 소중한 보탬은 지혜를 더해주는 것이라는 얘기를 하고 있다. 이런 경우라면 점을 칠 필요도 없다고 《주역》은 말하고 있다.

결국 《주역》이 요구하는 덕을 잘 갖추고, 지혜의 목소리에 귀를 기울이며, 때에 맞게 적절히 변화의 물결을 탈 수 있으면 점을 칠 필요가 없다는 얘기다. 덕과 지혜와 변화에 대해 자기를 부정할 정도로 무한한 경의를 표하는 것, 이것이 《주역》을 만든 사람들의 세계관이다.

내가 아는 한의사 한 분은 "보약 먹지 말라"는 진단으로 고객들의 신뢰를 얻었다. 조카가 일곱 살일 때 부모들이 총명탕을 먹이고 싶어 해서 조카를 데리고 이 한의사를 찾아갔다. 그는 조카를 보더니, "보약 먹일 필요가 없다"고 단언했다. 저렇게 혈기 방장한 녀석에게 보약까지 먹이면 끓어오르는 볕의 기운을 되레 주체 못한다는 것이다. 한의원이 보약 팔아서 돈 번다는 것은 세상이 다 안다. 그럼에도 그는 보약이 필요 없을 정도로 영양 과잉인 아이들에게는 소신껏 보약 먹이지 말라고 단언함으로써 되레 고객들의 신뢰를 얻었다.

《주역》의 얘기는 이 한의사의 단언과도 같다. 곧고 단정하고 관용적인 덕을 잘 닦은 사람, 자기 아집을 버리고 지혜의 목소리에 충심으로 귀 기울일 수 있는 사람, 세상 모두에게 고루 베푸는 지도자, 변화를 주도할 수 있는 지도자라면 이미 충분히 이롭고 길한 행동을 하고 있기 때문에 마치 영양 과잉의 어린아이가 굳이 보약 먹을 필요가 없듯 점칠 필요조차 없는 것이다. 그래서 순자는 "《주역》을 잘 아는 사람은 점을 치지 않는다"[18]고 한 것이다.

사람들은 여전히 점을 칠 것이다

내가 《주역》을 공부해온 과정은 《주역》을 만든 사람들의 의도를 깨달아오는 과정이었다. 《주역》을 만든 사람들이 관심을 가진 것은 자기 운명을 개척하고 미래를 주도할 수 있는 덕과 지혜였다. 그들이 관심을 가진 덕은 시시각각 변화하는 상황에 능동적으로 잘 대처할 수 있는 강건함과 유순함의 덕이다. 그들이 관심을 가진 지혜는 어떤 상황의 전개과정에서 조짐을 알아차려서 그 상황이 미래에 어떻게 발전해갈 것인지를 파악할 수 있는, 상반상성과 물극필반에 관한 지혜다.

덕과 지혜에 관심이 있는 사람들이 "덕을 쌓고 지혜를 기르라"는 책을 쓰지 않고, 왜 점치는 책으로 《주역》을 편찬했을까. 그들은 비록 점을 부정했지만 사람들은 여전히 점을 칠 것임을 너무도 잘 알았기 때문일 것이다. 어차피 점을 칠 것이라면 애먼 거북을 죽이고 정인들을 괴롭히는 대신 《주역》에 담긴 덕과 지혜의 틀을 통해 세계를 보는 것이 더 낫겠다고 그들은 판단했을 것이다. 그래서 그들은 어떤 문제로 주역점을 치든, 《주역》에서 다음과 같은 목소리를 듣도록 이 점책을 편찬한 것이다.

"당신의 소망을 이루기 위해 자기 덕을 충분히 담금질할 수 있는가?"

"당신의 소망을 이루려면 먼저 한동안 가시밭길을 걸어야 하는데, 그걸 견뎌낼 수 있는가?"

"당신이 소망하는 일이 정점에 이르면 흉하고 끔찍한 사태로 발전할 수도 있는데, 그에 대해 미리 대비할 수 있는가?"

점치는 사람들은 미래와 운명에 관심이 있다. 《주역》을 만든 사람들은 점치는 사람들이 이런 질문을 들으면서 자신의 덕과 역량을 돌아보고 미래를 주도할 수 있기를 바란 것이다.

세 번째 천기 : 점을 다시 칠 때도 있다

《주역》에서 점치는 이야기는 단 두 곳에 등장한다. 하나는 〈몽괘蒙卦, 몽매함의 틀〉☶의 괘사이고, 다른 하나는 〈비괘比卦, 친밀함의 틀〉☵의 괘사다.

처음에 시초점에 물으면 알려주지만 두 번 세 번 물으면 더럽히는 것
이다. 더럽혀지므로 알려주지 않는다. (〈몽괘〉 괘사)

친밀하면 길할 것이다. 거듭 점을 쳐서 크게 형통하고 영원히 바르면
허물이 없을 것이다. 편히 따르지 않는 나라도 올 것이니, 늦게 오는 이
는 흉할 것이다. (〈비괘〉 괘사)[19]

〈몽괘〉의 괘사는 몽매함을 깨우쳐야 하는 상황에서 두 번 세 번 주역점
을 쳐달라고 하면 그것은 주역점을 모독하는 것이므로, 한 가지 사안에
대해 딱 한 번만 치는 것을 원칙으로 내세우고 있다.

그런데 〈비괘〉에서는 다른 얘기를 하고 있다. "거듭 점을 쳐서 크게 형
통하고 영원히 바르면 허물이 없을 것"[20]이라고 하고 있는 것이다. 〈비괘〉
는 우리가 '친밀함의 틀'이라고 옮겼는데, 사실은 천자가 세계 질서를 구
축하는 내용을 담고 있는, 《주역》을 만든 사람들의 관점에서 볼 때 정치
적으로 매우 중요한 괘이다.

군주의 자리인 다섯째 효에만 볕이 하나 있고, 나머지 다섯은 모두 그
늘인 괘가 〈비괘〉이다. 군주는 세계 질서를 구축하면서 친밀함을 바탕으
로 해야 한다. 그 점을 강조하기 위해 이 괘의 이름을 〈비괘〉라고 했다.

천자는 세계 질서를 구축하기 위해 만방의 제후를 거느려야 한다. 혹시
점괘가 좋지 않게 나오면 점을 다시 쳐서라도 만방을 포용할 수 있는 길
을 찾아야 한다. 그럴 수 있다면 비록 점을 다시 치더라도 허물이 되지 않
는다. 〈비괘〉는 그런 얘기를 하고 있다.

이어지는 내용에서는 "편히 따르지 않는 나라도 올 것이니, 늦게 오는
이는 흉할 것"이라고 하고 있다. "편히 따르지 않는 나라도 온다"는 것은

본디 천자의 세계 질서에 들어오기를 거부하는 나라조차 점을 다시 쳐서 품었기 때문에 그런 결과가 나온다는 것이다.

〈비괘〉의 괘사를, 아무 때나 점을 거듭 치라는 얘기로 해석하는 것은 맞지 않다. 천자의 세계 질서 구축과 같은 원대한 사업에 관한 점이라면 점을 다시 쳐서라도 친밀하게 포용할 대상을 확대하라는 뜻이다. 상나라의 어떤 왕은 같은 사안을 가지고 18번이나 점을 쳤던 것을 기억하자.

천기를 아는 왕과 모르는 왕

나는 지금 《주역》에 관한 천기를 세 가지나 누설했다. 그것은 다음과 같은 것들이다.

첫째, 《주역》에서 길한 것과 흉한 것은 동전의 양면이다. 공짜로 길한 것도 없고 무조건 흉한 것도 없다. 길흉은 당신의 생각과 행동, 덕과 지혜에 달려 있다. 길함을 누릴 덕이 있으면 길함은 당신의 것이고 흉함은 당신에게 다가오지 못한다. 또 변화의 조짐을 볼 수 있는 지혜가 있으면 당신은 흉함을 피하고 길함을 쟁취할 수 있다.

둘째, 《주역》은 점을 부정한다. 미래는 점을 쳐서 나오는 길한 점괘나 흉한 점괘에 달려 있는 것이 아니라 오로지 당신의 덕과 지혜에 달려 있다. 그러므로 길러야 할 것은 덕과 지혜다. 그러나 사람들은 점을 통해 미래를 알고자 하는 욕망을 영원히 버리지 못할 것이다. 그래서 《주역》을 만든 사람들은 주역점을 치는 사람들이 점괘를 얻은 뒤, 그 점괘를 통해 자신의 덕과 지혜를 돌아보지 않을 수 없도록 《주역》을 설계했다.

셋째, 비록 점은 한 번만 치는 것이 원칙이지만 점을 다시 칠 때도 있다. 아무나 그럴 수 있는 것은 아니다. 최고 통치자가 세계 질서의 구축을 위해 만방을 다 포용하고자 할 때는 이렇게 원칙에서 벗어나 점을 재차 칠 수도 있는 것이다.

우리는 앞 장에서 모름지기 왕처럼 점을 쳐야 점으로부터 농락당하지 않는다고 했다. 왕처럼 점을 치려면 적어도 이 세 가지 천기는 알아야 한다. 이걸 모르고 주역점을 치는 사람은 점괘에서 길하다거나 흉하다는 글자 하나 때문에 일희일비하는 처지에서 벗어날 수 없을 것이다.

기자의 점치는 법

왕이라면 어떻게 점을 쳐야 하는지에 대해서는 《상서尚書》에 중요한 기록이 남아 있다. 상나라의 마지막 왕인 폭군 주로부터 화를 입지 않기 위해 미치광이 노릇을 하고 다녔던 현인 기자箕子는 상나라가 멸망한 뒤 주나라 무武임금에게 왕이라면 모름지기 어떻게 점을 쳐야 하는지 비교적 상세하게 이야기했다.

임금님께 큰 의문이 있거든 먼저 임금님의 마음에 물어보고, 귀족과 관리들에게 물어보고, 백성들에게 물어보고, 거북점과 시초점에 물어보십시오. 그렇게 해서
(1) 임금님의 마음에 좋고, 거북점이 따르고 시초점이 따르며, 귀족과 관리들이 따르고, 백성들까지 따른다면 이를 일러 크게 하나됨[大同]

이라고 합니다. 임금님께서는 안락하고 자손들은 창성하게 되니, 길합
니다.

(2) 임금님께서 좋고, 거북점이 따르고 시초점이 따른다면 귀족과 관
리들이 거스르고 백성들이 거스른다 해도 길합니다.

(3) 귀족과 관리들이 따르고, 거북점이 따르고 시초점이 따르면 임금
님께서 거스르고 백성들이 거스른다 해도 길합니다.

(4) 백성들이 따르고, 거북점이 따르고 시초점이 따르면 임금님께서
거스르고, 귀족과 관리들이 거스른다 해도 길합니다.

(5) 임금님께서 좋고 거북점이 따르더라도 시초점이 거스르고, 귀족
과 관리들이 거스르고, 백성들이 거스른다면 (관혼상제 등) 안에서 하는
일은 길하고 (전쟁 등) 밖에서 하는 일은 흉합니다.

(6) 거북점과 시초점이 다같이 사람을 어길 때는 가만히 있으면 길하
고 움직이면 흉합니다. ―《상서》〈홍범洪範〉

기자의 말은 매우 중요하다. 무턱대고 점을 치는 것이 아니다. 어떤 사
안이 있을 때 그걸 어떻게 해결할 것인지에 대해 우선 왕이 자기 머리로
충분히 심사숙고를 해본다. 자기 머리로 생각해보는 것이 가장 중요하다.
그래도 해결책이 잘 떠오르지 않으면 귀족과 신하들에게 묻는다. 오늘의
우리라면 지혜로운 친구나 선후배에게 물어볼 것이다. 그래도 해결책이
잘 마련되지 않으면 그다음에는 백성들의 여론을 청취한다. 그래도 해결
책이 잘 떠오르지 않을 때 비로소 점을 치는 것이다.

(2)와 (3)과 (4)처럼 거북점과 시초점이 다같이 따르면 사람들이 어길지
라도 길하다고 한 것을 보면 기자는 확실히 점을 중시한 상나라 사람임을

알 수 있다. 하지만 (5)와 (6)처럼 거북점과 시초점이 다를 때, 또는 거북점과 시초점이 모두 사람을 어길 때일지라도 무조건 흉한 것이 아니라 안에서 하는 일 또는 가만히 있는 경우는 길하다고 한 것을 보면, 점을 그렇게 중시한 상나라 사람들조차도 점이 무조건 운명을 결정한다고 받아들인 것이 아님을 알 수 있다.

결국 기자의 말은 우선 인간의 주체적인 사색을 앞세우고, 그래도 안 될 때는 점에 물어볼 수 있지만 점을 무조건 따르는 것이 아니라 점을 쳐서 얻은 결과와 인간의 사색을 종합해서 결정을 내리라는 것이다.

수隋나라의 학자 왕통王通은 주역점에 대해 다음과 같은 이야기를 전해준다.

> 북산의 황공은 의술에 뛰어났는데, 아픈 이로 하여금 먼저 잘 자고 잘 먹도록 해서 치료를 하다 안 되면 침을 놓거나 약을 썼다.
> 분음의 후생은 주역점에 뛰어났는데, 먼저 사람이 할 수 있는 일을 다 하도록 한 뒤 안 되면 점을 쳐서 점괘를 이야기해주었다.[21]

먼저 사람이 할 수 있는 일을 앞세우라는 왕통의 이야기는 기자의 이야기와 일맥상통한다.

왕처럼 점을 친다는 것은 무엇인가

지금까지 등장한, 여러 가지 점치는 태도를 평가해보자.

먼저 상나라 왕들이다. 나라를 다스리는 사람으로서 이들은 하늘의 뜻을 알고자 점을 쳤다. 그들이 하늘의 뜻을 두려워하고 그것을 알아내고자 한 것은 공동체에 대한 책임 의식에서 나온 것이다. 그러나 그들은 점의 결과에 대해 수동적이었고, 자기 통치의 합리화를 위해 상제와 거북점을 이용하는 데 지나지 않았다. 그들은 거북점과 함께 몽매의 시대를 살다 갔다.

다음은 상나라 말기의 현자인 기자의 점에 대한 생각이다. 그는 왕이 먼저 자기 머리로 충분히 생각해보고 신하들의 의견과 백성들의 여론을 충분히 들어본 뒤, 그래도 판단이 서지 않는 문제를 점치라고 했다. 인간의 판단과 점이 서로 일치하면 좋지만 인간의 판단과 점의 결과가 서로 어긋날 때는 함부로 행동하면 안 된다. 그는 인간이 자기 생각으로 판단을 내릴 수 있는 문제에 대해서는 스스로 책임을 져야 한다고 생각했다는 점에서 상나라 왕들보다 진일보했다.

다음은《주역》을 만든 사람들의 점에 대한 생각이다. 이들은 인간의 길흉을 결정하는 것은 점괘가 아니라 인간의 생각과 행동, 덕과 지혜라고 생각했다. 그래서 바른 덕을 지니고, 바른 실천을 하고, 변화에 바르게 대응하는 경우, 점을 쳐볼 필요도 없이 길하고 유리할 것이라고 했다. 이들은 왕만을 위해서가 아니라 사람이라면 누구라도 자기 운명에 관심을 가진다는 전제 아래《주역》을 만들었다. 길흉은 이제 하늘 저편 어느 구석에서 결정되거나 거북이 배딱지를 태우는 불길 속에서 결정되는 것이 아니라 인간이 스스로 책임져야 하는 문제로 돌아왔다. 나의 길흉에 대한 책임은 하늘에 있는 것이 아니라 궁극적으로 나에게 달려 있다. 상나라 때 하늘의 뜻을 알아내는 일은 왕만이 할 수 있었다. 이제는 모든 인간이 각자 하늘의 뜻을 알아내 생각하고 행동함으로써 자기 길흉을 주체적으로 책임지는 시대가 되었다.

《주역》이 등장한 이후 우리가 점을 친다는 것은 자기 운명에 대해 이런 태도를 가진다는 뜻이다. 상나라 왕들이 공동체에 대한 책임 의식과 주체성을 가지고 점을 친 것처럼, 자기 운명을 누구에게도 맡기지 않겠다는 자세가 필요한 것이다. 이것이 왕처럼 점을 치는 태도이다.

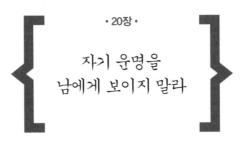

20장

자기 운명을
남에게 보이지 말라

상나라 왕이 점을 주관할 때 점을 담당하는 장관인 정인의 목숨은 왕의 손에 달려 있었다. 갑골점을 쳐서 필요한 내용을 제대로 얻어내지 못한 정인은 어느 순간 갑자기 거북이 배딱지에서 이름이 사라졌다.

오늘날은 어떤가. 점쳐 묻는 사람과 점쟁이의 관계가 거꾸로 뒤집혔다. 이젠 점쟁이가 왕이고, 점쳐 묻는 사람은 피고인석에 앉아 점쟁이의 입에서 떨어지는 판결문을 기다리는 존재가 되었다.

당신을 운명의 손님으로 만들지 말라
|

사람들이 점을 보러 가는 것은 무언가 잘 안 풀리는 일이 있기 때문이다. 취업, 연애, 사업, 공무, 장사 등 구체적인 내용은 다르겠지만 무언가 변

화가 절실한 때문이다. 하지만 지금 무엇을 해야 하는지가 막막할 뿐이지, 무얼 해야 돌파구를 마련할 수 있는지를 명확히 안다면 어떤 일이든 해낼 의지는 있다. 그래서 점도 보는 것이다. 그런 의지가 없는 사람은 점 볼 생각도 나지 않는다.

당신이 점쟁이에게 듣고 싶은 것은 희망과 격려다. 그런 이야기를 해줄 수 있는 점쟁이가 좋은 점쟁이다. 당신은 이 '만약에'를 들으러 점을 치러 가는 것이다. 운명을 바꾸려면 그 '만약에'를 공략해야 하기 때문이다. 《주역》이 450개의 가정문임을 떠올리자.

그러나 좋은 점쟁이를 만날 확률이 높지는 않다. 몇 가지 이유가 있다. 당신이 점집에 발을 들여놓는 순간 점쟁이는 당신의 모든 운명을 아는 전지전능한 존재로 변하고 당신은 미래에 대해 무지한 존재로 전락한다. 점쟁이는 당신에게 운명의 선고를 내리고 당신은 이해가 가지 않더라도 그냥 받아들여야 한다. 좋은 점쟁이라면 당신이 무언가 행동을 취할 실마리를 던져주려고 노력할 것이다. 그러나 자신감이 부족한 점쟁이일수록 고객이 못 알아듣는 소리를 해서 자신을 연막 속에 감출 것이다.

가령 내가 지금 왜 잘 안 풀리고 있느냐고 물었을 때 원진살, 고란살, 백호대살, 현침살, 탄함살, 지살, 혈인살, 구추방해살, 음양차착살, 역마살, 도화살 같은 것이 끼어서 그렇다고 답하는 점쟁이가 있다. 이게 대체 다 뭐하는 살들인가. 이런 살들이 뭔지도 모르는 데 어떻게 당신이 그걸 해결할 수 있는 주체가 되겠는가. 감기 몸살이 뭔지는 알아야 약을 사먹든 민간 요법을 쓰든 하지 않겠는가.

무언가 꼬인 문제를 풀어내기 위해 점집에 갔는데 왜 두통만 더 생기는가. 문제의 원인에 대한 진단(각종 살)도 당신이 이해할 수 없고, 문제의 해결 방법(각종 부적이나 굿)도 당신이 이해할 수 없기 때문이다. 이런 답을 주는 이들은 좋은 점쟁이가 아니다.

이런 풍경은 왕처럼 점을 치는 태도와 거리가 멀다. 만약 당신이 왕이라면 당신의 면전에서 알아들을 수 없는 이야기를 하는 점쟁이에게 뭐라고 하겠는가. "무슨 소리인가! 모든 이야기를 짐이 정확하게 알아들을 수 있도록 이치에 닿게 설명하라!"고 호통을 치지 않겠는가?

왕과 같은 태도를 취하지 않으면 점을 주재할 수 없고, 주체가 될 수 없으며, 자신의 운명에 대해 책임을 질 수 없다. 만약 점쟁이가 "지금 당신의 문제가 풀리지 않는 것은 원진살 때문이다"라고 하면 "원진살을 삼겹살로 바꿔달라"고 말할 수 있어야 당신이 점과 운명을 주재하는 것이다.

사주명리는 근거가 있는가

《주역》을 공부했을 따름인데, 주변 사람들은 내가 사주명리에 대해서도 당연히 알 것이라고 생각하고 이것저것 물어온다. 아는 것은 안다고 하고, 모르는 것은 모른다고 대답할 수밖에 없다. 또 근거가 있는 주장은 있다고 하고, 없는 주장은 없다고 할 수밖에 없다.

《주역》에 관심이 있는 이들은 거의 대부분 사주명리에도 관심을 가진다. 그들은 "《주역》이나 사주명리나 다 똑같은 것 아닌가?" 하고 예단한다. 《주역》 전공자로서 이 모호함을 그냥 넘어갈 수 없다.

오늘날 동아시아 한자 문화권의 점쟁이들이 신봉하는 사주명리학은 춘추전국시대의 음양오행설을 바탕으로 당나라의 이허중李虛中과 송나라의 서자평徐子平이 만든 것이다. 이허중은 인간의 운명이 태어난 해, 달, 날에 의해 결정된다고 주장했고, 서자평은 여기에 태어난 시간까지 더해 운명을 결정하는 네 가지 기둥, 사주四柱를 완성했다. 이어 명나라 때 만민영萬民英은 이들의 주장을 집대성해 《삼명통회三命通會》라는 책을 엮었다.

사주명리의 기본 원리는 이른바 '오행설五行說'이다. 오행설이란 우주에서 가장 기초가 되는 원소가 나무〔木〕, 불〔火〕, 흙〔土〕, 쇠〔金〕, 물〔水〕 등 다섯 가지이며, 이들은 서로 죽이거나 살린다는 주장이다. 오행은 서로 상극相剋이거나 상생相生한다. 사람도 오행의 다섯 기운을 받아 태어나며, 그에 따라 운명이 정해진다는 것이다.

한 사람의 오행은 어떻게 결정되는가. 그가 태어난 해, 달, 날, 시간 등이른바 '운명의 네 가지 기둥'인 '사주'에 의해 결정된다. 사주에는 어떻게 오행이 배열되는가. 옛날 중국에서 해, 달, 날, 시간을 육십갑자로 불렀기 때문에 여기에 오행을 배열하면 사주에도 오행이 생긴다.

우선 육십갑자에 오행을 붙인다. 열 가지 천간天干 가운데 갑과 을은 나무, 병과 정은 불, 무와 기는 흙, 경과 신은 쇠, 임과 계는 물이다. 또 열두 가지 지지地支 가운데 인과 묘는 나무, 오와 사는 불, 진과 술과 축과 미는 흙, 신과 유는 쇠, 자와 해는 물이라고 한다.

이렇게 육십갑자에 골고루 나무, 불, 흙, 쇠, 물의 오행을 배열하면 사람은 누구나 생년월일시의 사주에 따라 네 가지 오행을 얻게 된다. 어떤 한 원소가 중복될 수도 있다. 이렇게 분배받은 오행에 따라 그 사주를 가진 사람의 운명이 결정된다는 것이 이른바 사주명리이다.

가령 어떤 사람이 갑자년 을축월 병인일 정묘시에 태어났다고 하면 그의 사주는 물과 흙이 각각 하나씩 있고 나무가 둘인 경우가 된다. 이 사람

	나무(木)		불(火)		흙(土)		쇠(金)		물(水)	
	볕	그늘	볕	그늘	볕	그늘	볕	그늘	볕	그늘
천간 (天干)	갑 (甲)	을 (乙)	병 (丙)	정 (丁)	무 (戊)	기 (己)	경 (庚)	신 (辛)	임 (任)	계 (癸)
지지 (地支)	범 (寅)	토끼 (卯)	말 (午)	뱀 (巳)	용 (辰) 개 (戌)	소 (丑) 양 (未)	원숭이 (申)	닭 (酉)	쥐 (子)	돼지 (亥)
상생 (相生)	나무는 불을 낳음 (木生火)		불은 흙을 낳음 (火生土)		흙은 쇠를 낳음 (土生金)		쇠는 물을 낳음 (金生水)		물은 나무를 낳음 (水生木)	
상극 (相剋)	나무는 흙을 이김 (木剋土)		불은 쇠를 이김 (火剋金)		흙은 물을 이김 (土剋水)		쇠는 나무를 이김 (金剋木)		물은 불을 이김 (水剋火)	

은 나무의 성질이 강하므로, 나무를 낳아주는 물이 사주에 많은 사람에게는 도움을 받고, 나무가 낳아주는 불이 사주에 많은 사람에게는 도움을 준다. 또 나무를 이기는 쇠가 많거나 나무가 이기는 흙이 많은 사람과는 잘 어울리지 않을 수 있다. 이런 식의 설명이 사주명리의 기본 원리다.

점쟁이들이 얘기하는 살殺이란 것도 원리는 같다. 살은 육십갑자를 하늘의 별과 연결 지어, 그 별을 주관하는 신의 영향을 받아 생긴다고 한다. 가령 그 유명한 도화살桃花煞은 열두 간지 가운데 범, 말, 개띠이면서 사주에 토끼가 더해지거나〔寅吾戌卯〕뱀, 닭, 소띠이면서 사주에 말이 더해지거나〔巳酉丑吾〕원숭이, 쥐, 용띠이면서 사주에 닭이 더해지거나〔申子辰酉〕돼지, 토끼, 양띠이면서 사주에 쥐가 더해지는 경우〔亥卯未子〕끼는 살이라고 한다. 이들은 목욕지궁 별자리와 연결되며, 그 별자리를 주관하는 패신敗神이 간사하고 음탕하여 도화살이 끼게 된다고 한다.

왜 다섯 가지만 오행에 끼었는가?

그러나 사주명리의 주장을 진지하게 받아들여야 할 어떤 근거도 없다. 우선 근본적으로 오행五行이라는 것 자체가 별 근거가 없다. 《주역》의 여덟 가지 자연물은 그늘과 볕을 분화시키고 또 분화시킨 결과다. 《주역》은 기본적으로 그늘과 볕의 이론이다. 그러나 오행설의 다섯 가지 원소는 자의성이 강하다. 《주역》과 비슷하지만 다르다. 우주의 모든 사물을 왜 나무, 불, 흙, 쇠, 물의 다섯 가지에만 배치해야 하는가? 왜 육행六行이나 칠행七行이나 팔행八行이면 안 되는가? 왜 나무나 쇠는 오행에 들어갔는데, 풀이나 꽃이나 짐승은 오행에 들어가지 못하는가? 공기, 빛, 바람, 바위, 소금 등은 왜 오행에 끼지 못하는가? 나는 공기의 기운이 강한 해에, 빛이 강렬하던 달에, 바람의 영향이 강하던 날에 태어났을 수도 있다. 그런데 왜 그걸 나무, 불, 흙, 쇠, 물에만 배치해야 하는가?

사주명리는 육십갑자에 오행 다섯 가지를 배치했지만 이 또한 자의적이다. 예를 들어 인과 묘는 나무이고, 오와 사는 불이며, 신과 유는 쇠이고, 자와 해는 물이라고 한다. 인과 묘는 왜 반드시 나무여야 하는가? 흙이나 불이면 안 되는가? 또 오와 사는 왜 다른 게 아니고 불인가?

근본적으로, 어떤 해에 육십갑자를 배열한 것 자체가 임의적이다. 예를 들어 2014년은 갑오년이다. 왜 2014년이 계사년이나 을미년이면 안 되고 꼭 갑오년이어야 하는가. 그 기준점은 도대체 언제인가. 누가 무슨 근거로 그 기준점을 잡았는가. 그 기준점을 우리가 왜 받아들여야 하는가.

어떤 사람이 태어나는 해, 달, 날, 시간의 영향으로 운명이 정해진다는 것은 증명할 길이 없는 허구다. 한때 한국에서도 유행했던 '바이오리듬'이라는 것이 있다. 이 또한 태어난 생년월일 시간에 의해 생체 리듬이 생겨난다는 주장으로 그 원리는 사주와 매우 비슷하지만 둘 다 과학적으로는 입증할 수 없는 주장이다. 바이오리듬의 실체를 확인할 수 있는 과학적 근거는 누구도 제시한 적이 없다.

인간에게 해를 끼친다는 살은 별자리와 육십갑자를 연결해 만들어낸 것이다. 이것도 아무런 근거가 없는 얘기다. 예를 들어 열두 간지 가운데 범, 말, 개띠이면서 사주에 토끼가 더해진 경우, 왜 하필이면 목욕지궁 별자리와 연결되는가? 그 별자리를 주관하는 신이 간사하고 음탕하다는 엄청난 '천기'는 도대체 누가 어떻게 알아냈는가?

부적은 무슨 효험이 있는가

이른바 살을 부적으로 막을 수 있다는 주장도 아무런 근거가 없다. 예를 들어 도화살을 막아준다는 '도화살 소멸부'를 붙이면 그게 무슨 작용을 어떻게 해서 살을 피해갈 수 있게 해주는 걸까? 그런 부적을 쓰면 그 별자리를 주관하는 패신이 부적을 알아보고 피해가기로 약속한 걸까?

만민영에 따르면 별에 사는 이 귀신들이 만들어내는 살은 무려 120가지나 된다고 한다. 120가지는 각각 육십갑자 가운데 몇 개씩을 꿰어차고 있다. 여기에 안 걸려들 사람이 없다. 이런 것을 따지고 앉아 있다가는 평생 부적이나 써 붙이고 살다 가야 한다. 이런 주장에 귀를 기울이는 것은 《주역》이 나오기 이전 상나라 시대의 몽매로 돌아가는 퇴행이다.

만약에 사주명리의 이런 주장을 근거가 있는 것으로 받아들인다면 오행의 순환에 따라 왕조가 바뀌어간다는 '오덕종시설五德終始說' 따위의 미신도 믿지 않을 이유가 없다.

오덕종시설을 만들어낸 중국 전국시대의 추연鄒衍은 나무가 흙을 이기고[木剋土], 쇠가 나무를 이기며[金剋木], 불이 쇠를 이기고[火剋金], 물이 불을 이기며[水剋火], 흙이 물을 이긴다[土剋水]고 주장했다. 그래서 흙의 덕을 가지고 있던 나라는 나무의 덕을 가진 나라에 의해 망하고, 나무의 나라는 쇠의 덕을 가진 나라에 망하며, 쇠의 나라는 불의 덕을 가진 나라에 망한다. 또 불의 나라는 물의 덕을 가진 나라에 망하고, 물의 나라는 다시 흙의 덕을 가진 나라에 망한다. 만약에 사주명리가 말이 되는 거라면 이런 주장도 말이 되지 말란 법이 없다.

앞에서는 우리가 바꿀 수 있는 것과 없는 것에 대해 구별했다. 사주명리에서 얘기하는 것은 우리가 바꿀 수 없는 것들일 뿐 아니라 확인할 수도 없는 것들이다.

사주명리에서 살이 꼈느니, 삼재수가 들었느니 하는 얘기는 신경 쓸 필요도 없는 얘기들이다. 그런 얘기가 아예 귀에 들어오지 않는 사람이 복 받은 사람이다. 상나라 왕들이 몇백 년 걸려 얻은 결론을 우리는 소중히 참고할 줄 알아야 한다.

백 걸음 양보해 오행 이야기가 다섯 가지 요인에 따라 인간의 성격 유형을 나눠보는 데 그친다면 그건 재미있는 틀로 받아들일 수 있다. 가령 사상四象 의학에서 인간의 체질을 태양인, 소양인, 태음인, 소음인의 네 가지 유형으로 나누어보듯이 말이다. 어떤 사람은 성격이 불같고, 어떤 사람은 목석과 같이 차갑지 않던가. 이런 유형학은 우리의 경험과도 어느 정도 일치한다. 또한 어떤 선천적 형질이나 유형도 배제하는 행동주의 심리학 등 서방 학문이 지니는 한계를 보충해줄 수도 있다. 그러나 태어난 해, 달, 날, 시에 따라 오행이 '결정'되고 그에 따라 운명이 '결정'된다는 사주명리 점쟁이들의 결정론적 주장은 어떤 근거도 없다. 사상 의학에서도 경험적 진단을 통해 사람들의 체질을 나누지, 태어난 해, 달, 날, 시에 따라 체질을 나누지는 않지 않던가.

잡귀잡신의 운명 해킹

점치는 방법은 두 가지로 요약할 수 있다. 하나는 산가지로 셈을 하든, 사주를 헤아리든, 거북이를 굽든 무언가 조작을 해서 얻은 사인을 가지고 치는 것이고, 다른 하나는 신이나 귀신으로부터 직접 영감을 받아 점을 치는 것이다. 고대 로마의 키케로도 점술을 두 가지로 나눈다. 하나는 '점치는 방법을 배울 수 있는 점'이고, 다른 하나는 '무아지경에서 신의 영감을 받아야 하는 점'이다. 점의 분류는 동서의 차이가 없다.

한국의 점쟁이도 이렇게 두 가지로 나뉜다. 사주명리는 '점치는 방법을 배울 수 있는 점'에 속하고, 자기가 모시는 귀신이 무언가를 알려준다는 점쟁이는 '무아지경에서 신의 영감을 받아야 하는 점'에 속한다. 이들은 이른바 '예지몽'이라 불리는 꿈이나 환상을 통해 미래나 운명을 알게 되거나, 아니면 귀신이 직접 자기 몸속에 들어와(이른바 '빙의') 미래나 운명을 알려준다고 주장한다.

귀신을 모시는 점쟁이들은 직관으로 점을 친다. 사주 따위를 말해주지 않아도 고객을 보기만 하면 얘기가 줄줄 나온다. 이들은 어디서 그런 영감을 얻는가. 영험한 점쟁이들은 억울한 혼령이 씌웠거나, 혹은 그런 혼령을 모시는 이들이라고 한다. 요절하거나 억울하게 죽은 귀신, 뜻을 이루지 못한 채 죽은 임경업 장군이나 관운장 같은 귀신이 그런 영험한 귀신들이라고 한다. 나는 억울한 죽음이나 혼령에 대해서는 명복을 빌어주고 삼가 예의를 갖추어야 한다고 생각하지만, 그렇다고 점쟁이나 무당을 통해 그이들의 힘을 빌려 내 운명을 알고 싶은 생각은 추호도 없다. 이유는 두 가지다.

첫째, 내 운명에 잡귀잡신들이 함부로 접근하도록 허락하지 않을 것이다. 일기장도 남에게 보여주지 않는데, 하물며 내 운명의 책을 어떻게 잡귀잡신에게 열람하도록 허락할 것인가.

둘째, 나는 잡귀잡신에 의지해야 할 만큼 나약하지 않으며, 나의 운명을 읽는 데 잡귀잡신이 나보다 나을 것이 조금도 없다고 본다. 나는 잡귀잡신이 내 운명을 나보다 더 잘 알 수 있다는 주장을 믿지 않는다.

인간의 운명은 미리 예정되어 닫혀 있는 것이 아니라 열린 미래다. 설혹 내 운명이 이미 정해져서 책처럼 쓰여 있다 하더라도 잡귀잡신으로 하여금 이 운명의 책을 함부로 열어보도록 허락할 필요가 없다. 그런 것을 허락하는 것은 자기 운명에 대한 모독이다.

왕처럼 점을 쳐야 운명의 주인이다
· |

아무리 목이 터져라 외쳐도 사람들은 여전히 점집을 찾을 것이고, 사주명리와 잡귀잡신의 얘기에 귀가 솔깃할 것이다. 먼 옛날 《주역》을 만든 사람들도 지금의 나와 똑같은 심경이었을 것이다. 그래서 그들은 덕과 지혜를 기르는 삶을 살면 점을 칠 필요가 없다는 깨달음에 도달했으면서도 《주역》을 점치는 책으로 편찬했을 것이다.

나도 《주역》을 만든 사람들과 똑같은 주장을 하고 싶다. 정말 점을 치고 싶다면 주역점을 쳐라. 그것도 누구에게 의뢰하지 말고 스스로 쳐라. 《주역》 번역서만 한 권 있으면 해결된다. 그것이 왕처럼 점을 치는 유일한 방법이다.

이미 충분히 살펴보았듯 주역점을 쳐서 점괘를 얻으면 《주역》은 당신에게 좋은 얘기만을 들려주지는 않을 것이다. 당신은 이런 덕을 갖추었는가. 당신은 이런 문제를 파악할 지혜를 갖췄는가. 당신은 이런 문제를 해결할 용기와 역량을 갖췄는가. 《주역》은 아마도 당신에게 매번 이런 성가신 질문을 던질 것이다.

당신은 자신이 손에 들고 있는 문제와 《주역》의 진단을 결합해 스스로의 머리로 고민하고 해석해야 할 것이다. 그 과정에서 당신은 자기에게 무엇이 부족한지, 어떤 의지를 갖추어야 하는지, 어떤 판단을 해야 하는지 깨달을 수 있고, 적어도 자기 운명을 자기가 고쳐나가야 함을 점점 명확하게 깨달을 것이다.

이 과정을 통해 《주역》은 당신의 생각과 의지와 습관을 치유할 것이다. 《주역》은 당신의 생각을 자극하여 진행하는 정신 치유이다. 주역점을 치다 보면 당신은 결국 더 이상 점을 치지 않아도 되겠다는 깨달음에 도달할 것이다.

주역은 우리가 주체가 되도록 하는 점이다

개인 사업을 하는 J는 용한 점집 지형도를 꿰고 있는 친구들 덕분에 한국의 점 문화에 대해 매우 해박하다. 그는 얼마 전 개인적으로 충격적인 일을 겪어 정신과 전문의와 상담 치료를 진행했다. 점의 세계와 정신분석의 세계를 동시에 경험해본 그는 두 세계를 이렇게 비교했다.

> "점은 고객을 주체로 만들지 않는다. 고객이 주체로 서면 점쟁이는 설 땅이 없다. 반면에 정신분석은 고객을 주체로 서도록 하지 않으면 치료에 성공할 수 없다. 외상이나 내상은 의사가 수술을 하거나 약을 먹임으로써 의사의 의지대로 치료할 수 있지만 상담 치료에서는 그게 불가능하다. 오로지 고객이 주체가 되어 자기 문제를 직시하고 환자 자신의 의지로 치료해야만 상담 치료는 성공할 수 있다."

이 발언은 점과 상담 치료의 차이에 관한 매우 탁월한 통찰을 담고 있다. 《주역》은 점쟁이들의 말보다 정신과의 상담 치료에 더 가깝다. 《주역》을 그냥 읽든 주역점을 치든, 그 사람이 주체적으로 자기의 덕과 지혜를 돌아볼 수 있어야 치유 효과를 얻을 수 있다는 점에서 그러하다.

예를 들어보자. 무턱대고 "나, 점 좀 봐줘!"를 외치는 지인이 있다. 무엇에 대해서 봐달라는 거냐고 물으면 이렇게 외친다. "그냥, 좀 봐줘! 나 지금 어떻게 해야 돼?" 이런 경우는 주역점을 치든 푸닥거리를 하든 난리 굿을 하든 아무 의미가 없다. 자기가 지금 무슨 문제를 안고 있는지 스스로에게도 정의가 되어 있지 않기 때문이다. 문제 해결의 출발점은 자기가 지금 안고 있는 문제에 대해 스스로 정의를 내리는 것이다. 뭐가 문제인지도 모르면서 그걸 해결할 수는 없기 때문이다.

기자가 주나라 무임금 앞에서 점치는 법에 대해 설명한 이야기를 기억할 것이다. 왕이 먼저 자기 머리로 생각하고, 대신들과 토론하고, 백성들의 의견을 수렴하라. 현대인도 마찬가지다. 먼저 자기 머리로 생각하고 주변의 조언을 듣고, 참고를 구하는 과정에서 문제의 핵심이 무엇인지 스스로 정의를 내릴 수 있다. 문제의 정의가 해결의 출발점이다.

이는 정신과에 상담하러 온 이가 무엇을 알고 있느냐보다 어떤 얘기를 털어놓을 수 있느냐가 더 중요한 것과 같다. 상담하러 온 이는 자신에게 문제가 되는 상황을 쉽게 얘기하기 어려운 상태에 처해 있는 경우가 보통이다. 그 문제 상황을 드러내 이야기를 시작할 때 비로소 치유도 시작된다.

가톨릭에서는 죄를 지은 사람이 스스로 고백성사를 하도록 한다. 신을 향해 직접 마음으로 뉘우치면 되지 왜 반드시 신부에게 말로써 고백하도록 하는지 의문이 들 수 있다. 나는 가톨릭 신자는 아니지만 스스로 말로 고백하는 것이 매우 중요하다고 생각한다. 속마음으로 아는 것은 조리 있게 아는 것이 아니다. 생각은 인상에 지나지 않는다. 어렴풋이 잘못했다고만 여기는 것이다. 그러나 고백할 때는 자기 잘못을 조리 있게 언어로 구성함으로써 무엇이 어떻게 왜 잘못인지 스스로 정의를 내리고 명백하게 만드는 효과가 생긴다.

《주역》을 독서하거나 주역점을 칠 때 문제를 정의해 질문을 분명하게 하는 것도 고백성사와 같은 효과를 지닌다. 내가 지금 어떤 문제를 지니고 있으며, 그것의 해결을 위해서 무엇을 해야 하는가. 문제의 정의가 정확하게 되었다면 《주역》의 권고 또한 그에 맞추어 정확하게 해석할 수 있다. 해석이 나오면 자기 생각과 행동을 어떻게 고칠 것인지 정할 수 있고, 실행에 옮길 수 있다.

《주역》을 지은 이들은 인간의 길흉을 결정하는 것은 점괘가 아니라 인간의 생각과 행동, 덕과 지혜라고 생각했다. 바른 덕을 지니고, 바른 실천을 하고, 변화에 바르게 대응하는 경우에는 점을 쳐볼 필요도 없이 길하고 유리할 것이라고 했다. 우리는 왕과 같은 수준의 책임 의식과 주체성을 가지고 점을 쳐야 한다고 했다. 주역점만이 아니다. 운명을 대하는 태도가 왕과 같지 않다면 우리가 어떻게 운명을 이겨낼 수 있겠는가.

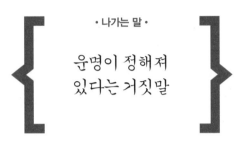

운명이 정해져 있다는 거짓말

인간은 영원히 자기 운명과 미래를 궁금해할 존재이다. 그럼에도 인간은 영원히 자기 운명과 미래를 알 수 없을 것이다. 미래는 결정된 것이 아니라 열려 있고, 더구나 운명은 우리가 매일 매일 내리는 작은 결정에 따라 달라지기 때문이다.

점이라는 행위를 통해 미래와 운명을 내다보고자 할 때 《주역》보다 더 합리적인 태도를 취하기란 쉽지 않다. 이제 《주역》 이야기 여행을 마무리하면서 마지막으로 사례 하나만 더 얘기해보려고 한다.

쾌활하던 이의 우울증

오래전 쾌활하고 자존심 강한 여성인 K가 전화를 걸어왔다. 그의 남편은 대기업 임원이다. 나는 그가 돈 잘 벌어다 주는 남편 덕에 평온한 나날을 보내고 있는 줄만 알았다. 그런데 성격이 명랑하던 그 친구가 그 당시 우울증에 시달리고 있었다. 상태가 심각했다. 거실 소파에 앉아 베란다 창밖을 바라보면 영화 〈돼지가 우물에 빠진 날〉에 나왔던 투신 장면이 머릿속에서 끊임없이 상영된다는 것이다. 섬뜩했다.

그의 이야기를 들어보니, 우울증의 원인은 자존감의 상실이 아닌가 싶었다. 그는 국악을 전공했다. 연주자로서 기량도 인정받았다. 남편이 승승장구할 동안 그는 사내아이 둘을 낳았고, 아이들을 잘 키우기 위해 고민 끝에 전업 주부가 되었다. 자기 전공을 살리기가 쉽지 않기도 했다. 여기에 아이들 문제도 그에게 고뇌를 더해주었다.

큰아들은 고등학생인데 방안에 기타 다섯 대가 종류별로 넝쿨째 주렁주렁 매달려 있다. K 자신의 가야금만 해도 구석방에 세 대가 있기 때문에 음악을 하겠다는 아들을 뜯어말릴 논리가 만들어지지 않는다.

둘째 아들은 중학생인데 난독증에 어린이 노안이다. 돋보기 같은 안경을 끼고도 게임에 빠져 산다. 시험 때도 게임기를 놓지 않는다. 이 아이도 말릴 방법이 없다.

K는 아이들과 싸우다 지쳐 삶의 진이 다 빠져나가고 있다고 느꼈다. 아이들을 잘 키우려고 전업 주부가 되었는데, 한창 무대에서 활동하고 있는 옛 동료들보다 자식 농사를 더 못 지은 것이 아닌가 하는 자괴감이 그의 마음을 가장 집요하게 괴롭혔다.

남편은 그가 우울증에 고통받고 있다는 사실조차 모른다. 그는 지금 남편과 두 아이 누구도 곱게 보이지 않는다. 무언가 잘못 살아왔다는 회한이 그를 갉아먹듯 괴롭힌다. 어찌하면 좋겠는가.

운동을 꾸준히 해라, 햇볕을 많이 쬐라, 우울한 음반은 다 내다버리고 경쾌한 음악을 들어라, 아침에 남편과 아이들이 나간 뒤 아침잠을 자지 말고 무엇이든 해라, 좋아하는 작가의 책을 다시 읽어라, 취미 생활을 해라 등등 내가 할 수 있는 조언은 빤한 것뿐이었다.

그는 정체해 있는 듯한 현재 자신의 상태에서 벗어나기 위해 무엇이든 새로 시작할 용기가 필요하다. 그가 주역점에 물어보고 싶은 것은 지금의 상황을 타개하기 위해 무엇을 해야 할 것인가였다.

주역점을 쳐보기가 매우 불안한 경우다. 더러 험한 소리를 내뱉는《주역》에서 무슨 얘기를 듣게 될지 알 수 없기 때문이다.

결과는 〈여괘旅卦, 길 떠남의 틀〉에서 〈미제괘未濟卦, 아직 물을 건너지 않았음의 틀〉로 변해가는 점괘였다.

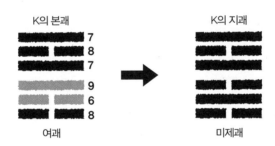

〈여괘〉는 앞에서 한 번 나왔다. 길 떠남의 틀로 지금의 상황을 돌아보라는 괘이다. 이 괘의 둘째, 셋째 효는 다음과 같다.

둘째 그늘 : 길 떠나와 머물 곳이 있고, 쓸 노자가 있으며, 성심껏 바르게 시중드는 어린 종을 얻었다.

셋째 볕 : 길 떠나와 그 머문 곳을 불태우고, 시중드는 어린 종을 잃어
버린다. 바르더라도 위태롭다.[1]

이 두 효는 우리가 인생 여로에서 만날 수 있는, 극단적으로 대조적인
두 가지 상황을 보여준다.

인생 여로의 극단적인 두 모습

둘째 그늘은 이 세상에 태어나 집도 있고, 어느 정도 쓸 수 있는 재산도
모았고, 성심껏 받들어주는 시종까지 있다. 둘째 그늘은 〈여괘〉에서 상황
이 가장 좋은 경우이다. 둘째 그늘이 이렇게 좋은 상황에 놓일 수 있는 것
은 그가 유순한 그늘 효이면서 하괘의 가운데에 처하여 중용을 지키기 때
문이다.

반면 셋째 볕은 상황이 매우 불길하다. 인생의 여로에서 머물 곳은 타
버리고, 시중들어줄 어린 종도 잃어버렸다. 자기 몸가짐을 바르게 한다고
해서 이런 역경을 잘 헤쳐나갈 수 있을지 의문이다. 셋째 볕이 이렇게 힘
겨운 상황에 처한 것은 그가 굳센 볕 효이면서 하괘의 맨 위에 처하여 지
나치게 강경한 면이 있기 때문이다.

K에게 이 대조적인 상황을 어떻게 설명해주어야 할까. 나는 《주역》이
이런 질문을 던지는 것이라고 받아들였다. 지금까지 살아온 너의 삶을 둘
째 그늘과 같은 삶이라고 보아야 할까, 아니면 셋째 볕과 같은 삶이라고
보아야 할까.

당신은 탄탄한 직장에 다니는 남편이 있고, 호화 주택은 아니더라도 적당한 평수의 아파트도 있고, 궁색하지 않을 정도의 생활비가 있다. 아이들이 속을 썩인다고는 하지만 그 아이들이 나중에 어떤 사람으로 성장할지는 아무도 모른다. 갉아먹을 듯이 괴롭히는 일이 몇 가지쯤 없는 인생은 없다. 그럼에도 모두들 그걸 이겨내며 혹은 마음속에 묻어가며 살아간다. 당신의 삶이 최악이라고 생각할 필요는 없지 않을까? 견뎌내야 하지 않을까?

대단히 입에 담기 힘든 말이지만 만약 당신의 삶에 셋째 별과 같은 일이 벌어진다면 어떻게 되겠는가. 집도 없어지고, 생활비조차 크게 쪼들리며, 아이들조차 건사하지 못한다면? 생각하기조차 끔찍하겠지만 그 현실적인 고통과 경제적 궁핍, 치명적인 상실감을 어떻게 견디겠는가.

당신이 지금 큰 고뇌에 빠져 있는 것은 알겠다. 그러나 객관적으로 볼 때 당신의 현재 삶의 조건이 둘째에 가까운 걸까, 아니면 셋째에 가까운 걸까. 인생의 여로에서 어떤 이들은 이런 것을 얻고 다른 것을 잃는다. 또 다른 이들은 저런 것을 얻고 또 다른 것을 잃는다. 얻는 것이 있으면 잃는 것도 있다. 거꾸로 잃는 것이 있으면 반드시 얻는 것도 있다. 〈여괘〉의 대조적인 두 효는 내가 얻은 것에 대해 객관적으로 인정할 줄 모르고 상실감에만 젖어 살아서는 안 되지 않겠느냐는 얘기를 하는 것이 아닐까.

나는 이런 얘기를 K에게 다 해주었다. 여기까지 듣고 K는 눈물을 펑펑 흘렸다.

물을 건너서, 다시 건너기 전으로

이게 끝이 아니다. 여기서 얻은 〈여괘〉의 두 변효를 모두 변화시키면 〈미제괘〉가 된다. 〈미제괘〉는 《주역》 64괘 가운데 마지막 괘이다. 이 괘의 괘사는 다음과 같다.

> 아직 물을 건너지 않았으면 형통할 것이다. 어린 여우가 물을 거의 다
> 건너 그 꼬리를 물에 빠뜨리면 이로움이 없을 것이다.[2]

〈미제괘〉는 변화에 대한 《주역》의 생각을 상징적으로 보여주는 괘이다. 《주역》의 마지막 두 괘는 〈기제괘〉와 〈미제괘〉이다.

63번째 괘인 〈기제괘既濟卦, 이미 물을 건넜음의 틀〉䷾는 이미 물을 건넌 상황이다. 〈기제괘〉의 상괘는 물☵이고 하괘는 불☲이다. 불 위에 물을 끼얹어 상황이 종료된 이미지이다.

반면에 64번째 괘인 〈미제괘〉는 아직 물을 건너지 않은 상황이다. 〈기제괘〉와 반대로 불☲이 위에 있고 물☵이 아래에 있다. 불은 위로 타오르고 물은 아래로 내려가 서로 만나지 않는다. 불도 꺼지지 않았고, 물도 아직 끓지 않았다.

《주역》의 맨 처음에 나오는 〈건괘〉와 〈곤괘〉는 각각 볕 효와 그늘 효로만 이루어진 괘이다. 음과 양이 아직 하나도 서로 섞이지 않은 순수한 상태의 강건함과 유순함을 보여주는 것이 두 괘이다. 반면에 《주역》의 맨 마지막에 나오는 〈기제괘〉와 〈미제괘〉는 그늘과 볕이 가장 고루 섞인 상태이다. 한 괘에서 그늘과 볕의 개수도 같고 배열 순서도 볕-그늘-볕-그

늘-볕-그늘 혹은 그늘-볕-그늘-볕-그늘-볕으로 가장 고르게 섞여 있다. 그늘과 볕이 서로 뒤섞여 인생의 예순 가지 고비를 다 보여준 뒤, 마침내 대단원에 이른 것이다.

〈기제괘〉는 볕 효가 홀수 자리에, 그늘 효가 짝수자리에 위치해 여섯 효 모두 제자리를 차지한 유일한 경우다. 이와 대조적으로 〈미제괘〉는 볕 효가 짝수자리에, 그늘 효가 홀수자리에 위치해 여섯 효가 모두 제자리가 아닌 유일한 경우이다.

왜 상황이 종료된 〈기제괘〉를 마지막 괘로 삼지 않고, 상황이 아직 끝나지 않은 〈미제괘〉를 마지막 괘로 삼았을까. 우주 삼라만상의 변화는 상황 종료가 되는 법이 없음을 보여주기 위해서이다. 《주역》 64괘의 순서에 관해서만 전문적으로 얘기한 《서괘전序卦傳》에서는 이렇게 말한다.

세상에 만물이 다할 수는 없으므로 〈미제괘〉로 받아서 마친다.[3]

세상 만물의 변화는 다하여 끝장나는 법이 없다. 하나의 변화 과정이 끝난다고 해서 끝이 아니다. 그것은 다른 변화 과정의 시작이다. 새로운 변화의 가능성을 열어놓기 위해 《주역》을 만든 이들은 〈미제괘〉를 가장 마지막에 둔 것이다.

여우의 꼬리도 물에 빠지다

〈기제괘〉와 〈미제괘〉에는 우리가 앞에서 본, 상나라의 중흥 군주인 고종

무정이 북방 오랑캐인 귀방鬼方을 정벌한 이야기가 주요 에피소드로 등장한다. 고종의 귀방 정벌은 곧 '큰물을 이미 건넜음'을 상징한다. 그만큼 그 전쟁은 획시대적인 사건이었다.

그와 더불어 〈기제괘〉와 〈미제괘〉는 여우가 물을 건너다 꼬리를 빠뜨리는 이야기를 함께하고 있다. 왜 여우가 나올까.

중국 사람들은 여우가 머리 좋고 귀가 밝으며 의심이 많은 짐승이라고 여겼다. 그래서 여우에 관한 속설이나 속담이 적지 않다. 여우처럼 의심이 많은 것을 '호의狐疑'라고 하고, 의심이 많아 결단을 내리지 못하는 것을 '호의불결狐疑不決'이라고 한다. 여우는 또 교활해서 남은 먹잇감을 땅에 파묻기도 하고, 묻어놓은 뒤에도 마음이 놓이지 않아 다시 파보기도 한다는 속설이 있다. 여우처럼 의심이 많아 이랬다저랬다 하는 것을 '호매호골狐埋狐搰'이라고도 한다. 여우처럼 묻었다가 여우처럼 파낸다는 뜻이다.

《안씨가훈顏氏家訓》이란 책에서는 "여우라는 짐승은 의심이 매우 많아 강물이 얼었을 때 얼음에 귀를 대고 얼음장 밑으로 물이 흐르는 소리가 들리지 않는 것을 확인한 뒤에야 언 강을 건넌다."⁴고 했다. 그래서 얼음장 밑으로 돌돌돌 흐르는 물소리를 여우가 듣는 소리라는 뜻에서 '호청지성狐聽之聲'이라고도 한다.

또 《수경주水經注》라는 책에서는 《술정기述征記》를 인용해 이렇게 말한다.

강에 얼음이 막 얼었을 때 사람들은 감히 수레나 짐승을 몰고 건너지 못한다. 여우가 언 강을 건너는 것을 보면 사람들은 "소리를 잘 듣는 저 짐승이 얼음장 아래 물이 없는 것을 확인하고 건넌다"라고 말한다. 사람들은 여우가 건너는 것을 보고서야 비로소 마음을 놓고 언 강을 건넌

다. ―《수경주》〈하수河水〉

〈기제괘〉와 〈미제괘〉의 경우는 언 강을 건너는 것이 아니라 얼지 않은 강물을 헤엄쳐 건너는 상황이다.

이렇게 의심과 꾀가 많고 조심스러운 여우조차 꼬리를 빠뜨릴 때가 있다. 그런데 그 여우는 아직 어리다. 어린 여우가 꼬리 한 번 빠뜨린 것이 뭐 그리 큰일이겠는가. 이롭지는 않겠지만 인생을 완전히 망치는 일도 아니다. 꼬리 한 번 빠져본 것이 그 여우에게 되레 도움이 될 수도 있다. 미래는 열려 있다.

다만 물을 다 건널 때까지 조금도 방심해서는 안 된다. 여우도 실수할 때가 있고, 원숭이도 나무에서 떨어질 때가 있다. 우리가 인생 항로를 걸어갈 때도 마찬가지다. 〈미제괘〉의 괘사는 이런 얘기를 하고 있다.

인생은 결코 기결 서류함에 들어가지 않는다

이제 이 이야기를 K에게 어떻게 해야 할까. 당신이 자신의 지금 삶을 어떻게 평가하든, 〈여괘〉의 둘째 효처럼 보든 셋째 효처럼 보든, 세상은 끝나지 않고 당신의 삶도 끝나지 않는다. 지금 비록 말로 형용할 수 없는 고통을 겪고 있더라도 조심조심 앞을 향해 걸어가자. 아직 물을 다 건넌 것이 아니다. 아직 불이 다 꺼진 것이 아니다. 우리 인생은 영원히 기결서류함에 들어가지 않고, 미제 상태로 남는다.

어린 여우가 조심조심 물을 건너듯 가라. 〈미제괘〉는 꼬리를 빠뜨린다면 이로울 것이 없다고 했다. 당신이 그럴 것이라는 이야기가 아니라 꼬리를 빠뜨리지 말고 조심조심 건너라는 얘기다. 만약 그럴 수 있다면 이로울 것이라는 얘기다.

티베트에 이런 민화가 있다. 어떤 사람의 꿈에 매일 악마가 나타났다. 악마는 그 사람의 몸을 타고 앉아 흉악한 모습으로 위협을 하고 목을 조르며 괴롭혔다. 그 사람은 매일 밤 너무나 고통스러워 이렇게 물었다. "도대체 날 언제 죽일 거냐?" 악마가 웃으며 대답했다. "그걸 내가 어떻게 알겠는가? 이건 네가 꾸는 꿈인데?"

어떤 이에게는 정말 인생이 악몽처럼 느껴진다. 그러나 모든 악몽은 스스로 꾸는 것이다. 인생이 악몽이라는 프레임을 가지고 있는 이에게는 삶이 악몽일 수밖에 없다. 자기 치유의 유일한 방법은 이 프레임을 스스로 바꾸는 것이다.

이런 얘기를 하는 것이 쉽지는 않았다. 중립적이고 온화하고 객관적인 언어를 사용하려고 노력했지만 그의 자존심이나 상처를 건드릴지 모른다는 우려가 더 컸다.

한참 뒤 K로부터 연락이 왔다. 우선 얼굴이 밝았다. 전에 보았을 때의 섬뜩한 그림자가 없었다. 일단 마음을 놓았다. 〈여괘〉가 보여준 대조적인 두 가지 상황은 그에게 깊은 충격을 주었다. 그럼에도 아마 긍정적인 자극으로 작용한 것 같았다. 그의 마음을 더 움직인 것은 〈미제괘〉이다. 그는 《주역》의 마지막이 〈미제괘〉이며, 다 건넌 듯한 데서 새로운 건넘이 시작된다는 이야기에서 힘을 얻은 듯했다. 그는 무엇이든 활동하기로 굳게 마음을 먹었고, 자원봉사를 시작했다. 그는 지금은 지역 문화센터에서 강사로 일하고 있다.

머리가 술에 빠지면

우리는 《주역》이라는 매우 경이롭고 독특한 글에 대해 오랜 여행을 함께
했다. 《주역》이라는 책을 잘 가지고 놀기 위한 준비 운동은 끝마친 셈이
다. 《주역》도 〈미제괘〉를 마지막에 두어 열린 상태로 끝나고 있으니, 우리
의 《주역》이야기도 굳이 여기서 마침표를 찍을 필요는 없을 것이다.

《주역》은 용이 깊은 물에 잠겨 있는 잠룡의 이미지를 보여주면서 이야
기를 시작했다. 《주역》이 보여주는 마지막 이미지는 무엇일까. 그것은 〈미
제괘〉의 마지막 맨 위 효의 이미지이다. 그것은 다음과 같다.

> 술을 마심에 미더움이 있으면 허물이 없을 것이다. 그러나 머리가 빠
> 지는 데까지 이르면 미더움이 있더라도 그것을 잃어버릴 것이다.[5]

〈미제괘〉는 아직 물을 건너지 않은 상황이지만 그 극한에 이르면 이미
물을 건넌 상황으로 변한다. 물을 건넌다는 것은 어떤 성취를 해낸 것이
다. 성취를 해내면 보상이 있고 잔치가 있다. 공이 크고 상이 후하면 술과
환락에 빠질 수도 있다. 술에 빠지더라도 미더움이 있으면 허물이 없다.
그러나 술에 머리가 빠지는 지경에까지 이르면 미더움이 있더라도 그것
을 잃어버릴 것이다.

《주역》의 아름답고 매혹적인 이야기는 물에 잠긴 잠룡에서 시작해 술
에 머리가 빠지는 누룩 향 짙은 이야기로 끝을 맺는다. 잠룡은 술에 머리
가 빠진 이를 선망하겠지만 술에 머리가 빠진 이는 잠룡 시절을 그리워할
것이다.

우리의 이야기도 여기서 마치고, 이제 술 마시러 나가야 할 시간이다. 그러나 〈미제괘〉의 권고에 따라 술에 머리가 빠질 정도로는 마시지 말기로 하자.

주역점 치는 방법

주역점은 정확하게는 '시초점〔筮〕'이라고 한다. 주역점은 55개의 산가지를 이용하는데, 시초蓍草라는 다년생 풀로 산가지를 만들기 때문에 시초점이라고 불린다. 여기서는 편의상 알아듣기 쉽게 '주역점'이라고 부를 것이다.

《주역》을 만든 사람들은 홀수는 볕이고 짝수는 그늘이라고 보았다. 그들은 이 숫자의 변화를 통해서 그늘과 볕이 어떻게 엮이는지 알아낼 수 있고, 그걸 근거로 점을 칠 수 있다고 생각했다.

이제 점을 어떻게 치는지 간단히 이야기하자.

먼저 55개의 산가지를 준비한다. 산가지가 없다면 젓가락, 산적꽂이, 아이스크림 막대 등을 55개 마련해도 된다. 산가지가 55개인 것은 1에서 10까지의 숫자를 모두 더하면 55가 되기 때문이다.[1]

옛사람들은 산가지를 붉은 비단으로 싸서 검은 주머니에 넣은 뒤 다시 상자에 담고, 문을 남쪽으로 낸 방의 가운데 책상을 두고 그 책상의 북쪽에 산가지 상자를 두었다고 한다. 오늘날의 사람들은 적당한 통에 넣어 발에 차이지 않도록 잘 보관하면 될 것이다.

산가지가 준비됐으면 먼저 점을 칠 내용을 최대한 명확한 명제로 정리한다. 다음에 산가지를 앞에 두고 다음과 같이 명제를 주역점에 묻는다. 제사 지낼 때 축문을 읽는 것과 같이 일정한 형식으로 만들어져 있는 글이라고 할 수 있다.

> "떳떳함이 있는 크나큰 시초를 빌립니다. 떳떳함이 있는 크나큰 시초를 빌립니다. 어떤 일을 하는 아무개가 지금 닥친 이러저러한 일이 어떠할지 알지 못하여 의심나는 바를 천지신명에게 묻노니, 길함과 흉함, 얻음과 잃음, 후회함과 어려움, 근심과 걱정을 밝게 고하소서."

요점은 누가 무엇을 묻는지를 분명하게 하라는 것이다. 한문에 익숙한 사람은 "가이태서유상假爾泰筮有常"을 두 번 외치고 시작해도 된다. 제문의 '유세차維歲次'와 같은 발어사라고 할 수 있다.

이렇게 점칠 내용을 분명하게 선언한 뒤, 산가지를 셈하기 시작한다.

먼저 6개를 떼어내 옆에 두고 사용하지 않는다. 이 사용하지 않는 여섯 개의 산가지는 그늘과 볕이 아직 분화하기 전의 상태인 태극太極을 상징한다. 남은 49개를 둘로 나눠 각각 오른손과 왼손에 쥔다. 둘로 나누는 것은 태극이 그늘과 볕의 두 가지 기운으로 분화하는 것을 상징한다. 둘로 나눈 산가지를 세어서 두 손에 4의 배수가 되도록 남기고 나머지는 덜어낸다. 예를 들어 오른손에 22개, 왼손에 27개가 잡혔다면 오른손에는 4의 배수인 20개를 남기고 두 개를 내려놓으며, 왼손에는 4의 배수인 24개를 남기고 세 개를 내려놓는다. 4의 배수로 떨어지면 네 개를 내려놓는다. 가령 오른손에 20개, 왼손에 29개가 잡혔다면, 오른손에서는 네 개, 왼손에서는 다섯 개를 내려놓는다. 결국 처음 셈을 해서 내려놓는 산가지의 수는 다섯 개 아니면 아홉 개이다.

양손에 남은 산가지를 다시 합쳐서 또 임의로 둘로 나눈다. 그래서 같은 방법으로 오른손과 왼손에 남은 산가지를 셈해 4의 배수만 남기고 나머지는 내려놓는다. 이때도 4의 배수로 떨어지면 네 개를 내려놓는다. 둘째 셈에서 내려놓는 산가지의 수는 네 개 아니면 여덟 개이다.

다시 산가지를 합쳐 세 번째 셈을 한다. 방법은 둘째 셈과 같으며, 셋째 셈에서 내려놓는 산가지의 수 또한 네 개 아니면 여덟 개이다.

이렇게 덜어내기를 세 번 한 뒤, 두 손에 남은 산가지를 합쳐 4로 나눈다. 그러면 6이거나 7이거나 또는 8이거나 9이다. 6과 8은 짝수이므로 그늘 효이다. 7과 9는 홀수이므로 볕 효이다. 그늘 효는 뒤로 물러나는 성질이 있으므로 8에서 더 물러난 6을 늙은 그늘[老陰]이라 하고, 8은 젊은 그늘[少陰]이라 한다. 볕 효는 앞으로 나아가는 성질이 있으므로 7에서 더 나아간 9를 늙은 볕[老陽]이라 하고, 7은 젊은 볕[少陽]이라 한다.

늙은 그늘(6)과 젊은 그늘(8)은 둘 다 그늘 효이지만 차이가 있다. 젊은 그늘(8)은 이제 막 그늘이 되었기 때문에 변하더라도 그늘의 테두리 안에 남아 있게 된다. 반면에 늙은 그늘(6)은 그늘의 극한까지 발전한 것이기 때문에 한 번 변하면 볕으로 전화한다. 늙은 그늘이 변하면 젊은 볕이 된다.

늙은 볕(9)과 젊은 볕(7)도 마찬가지다. 젊은 볕(7)은 이제 막 볕이 되었기 때문에 변하더라도 볕의 테두리 안에 남아 있게 된다. 반면에 늙은 볕 (9)은 볕의 극한까지 발전한 것이기 때문에 한 번 변하면 그늘로 전화한다. 늙은 볕이 변하면 젊은 그늘이 된다. 젊은 볕과 늙은 볕, 젊은 그늘과 늙은 그늘은 모두 커다란 변화의 동그라미 운동 안에 들어 있다. 그늘과 볕의 동그라미 운동을 그림으로 그리면 다음과 같다.

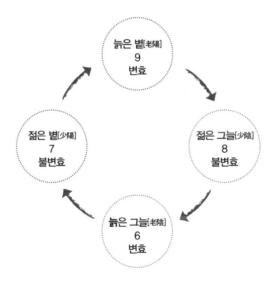

《주역》은 변화의 실마리를 찾으려는 경전이기 때문에 변효를 중시한다. 그래서 점을 칠 때는 변효를 가지고 친다.

산가지 셈하기를 한 차례 하면 효를 하나 얻는다. 이 셈하기를 여섯 차례 하면 육획괘를 얻는다. 주역의 괘는 아래에서부터 위로 쌓아 올라가듯 효를 그린다. 6이나 8은 그늘 효를, 7이나 9는 볕 효를 그린다. 그런 다음 6과 9에는 변효라는 표시를 해두어야 한다.

산가지가 없다면 동전으로도 주역점을 칠 수 있다. 가장 간단한 방법

동전 던진 결과		판단
첫 번째	두 번째	
그림	그림	늙은 볕(9)
그림	숫자	젊은 그늘(8)
숫자	그림	젊은 볕(7)
숫자	숫자	늙은 그늘(6)

은 동전을 두 번 던져 하나의 효를 얻는 방식이다. 동전의 그림이 있는 면이 더 볼록하므로 볕으로 보고, 숫자가 있는 면이 덜 볼록하므로 그늘로 보기로 한다. 회전시키면서 던졌다가 잡기를 두 차례 해서 다음에 나오는 표와 같이 효를 결정한다.

이 경우도 마찬가지로 숫자를 아래에서부터 위로 적어 올라가 여섯 효를 그려 괘를 완성한다.

산가지로 주역점을 칠 때는 처음에 49개의 산가지로 셈을 하므로 변효가 나올 확률은 1/4이고 불변효가 나올 확률은 3/4이다. 수학적으로 계산해보면 그렇다. 변효가 많이 나올 때 해석의 어려움이 따를 것을 우려해 이런 장치를 마련한 것일 수도 있다. 그러나 이렇게 점치는 방식이 유일하게 옳은 방식이라고 확정할 수는 없다.

동전을 던져서 주역점을 칠 때는, 동전의 앞면과 뒷면이 나올 확률이 같다고 전제하면, 변효와 불변효가 나올 확률도 50대 50으로 같다. 그렇다면 한 번 주역점을 쳐서 얻을 수 있는 불변효는 평균적으로 세 개라고 할 수 있다.

전통적인 주역점의 방식과 다를 수 있지만, 나는 변효가 더 많이 나오는 방식을 선호한다. 경험적으로 볼 때, 변호가 더 많이 나올수록 우리가 생각해볼 여지가 더 많아지기 때문이다. 본문에서 인용한 주역점의 사례들 가운데 변효가 다수인 경우는 대체로 이 방식으로 친 것들이다.

본괘와 지괘의 비중

본괘와 지괘에 얼마만큼 비중을 두고 해석을 해야 하는지가 궁금할 수도 있다. 이 문제는 전통적으로 논란이 많다. 《주역》이 만들어지던 시대에 점을 어떻게 쳤다는 기록이 충실하게 남아 있지 않기 때문이다. 여러 가지 설을 종합하면 다음의 표와 같이 보는 것이 합리적이다. 이 표의 핵심은 변효의 수가 몇 개나에 따라 상황의 유동성이 결정된다는 것이다.

변효의 수	비 중	
	본 괘	지 괘
0	본괘의 괘사로 해석	없음
1	변효를 중심으로 해석	지괘의 괘사를 참조
2		
3	변효 참조	지괘의 괘사를 중심으로 해석
4		
5	본괘의 괘사와 효사를 모두 참조	
6		

만약에 점을 쳤는데 변효가 하나도 나오지 않는다면 어떻게 해야 할까. 그때는 그 괘의 괘사가 점쳐서 얻은 내용이 된다. 지괘는 생기지 않았으므로 다른 해석 요인은 없다.

변효가 한두 개 나왔다면 이 변효들을 중심으로 해석하되, 지괘의 괘사도 참조해서 해석한다.

변효가 서너 개 나왔다면 이 괘의 변효를 참조하되, 이미 지괘로 변하는 것이 더 중요한 상황이 되었으므로, 지괘의 괘사를 중심으로 해석한다.

변효가 대여섯 개 나오는 경우도 있다. 이때는 본괘의 괘사와 변효를 모두 참조하고, 지괘의 괘사를 중심으로 해석한다.

본괘와 지괘의 비중에 관한 이 정리에 동의하지 않는 이들도 있을 수 있다. 《주역》이 변화의 경전이기 때문에 다양한 변화 가능성을 풍부하게 보여주는 쪽으로 해석할 때 더 많은 영감을 얻을 수 있다.

상나라 사람들은 하나라의 《연산連山》이라는 점을 변형시켜 《귀장歸藏》을 만들었고, 주나라 사람들은 상나라의 《귀장》을 변형시켜 《주역》을 만들었다. 그렇다면 21세기의 우리도 《주역》에 약간의 변형을 가한다 한들 큰 허물이 되지는 않지 않겠는가.

주역 64괘 표

상괘 하괘	하늘	연못	불	우레	바람	물	산	땅
하늘	강건함 건(乾)	결단 쾌(夬)	크게 가짐 대유(大有)	크게 장성함 대장(大壯)	작은 모음 소축(小畜)	기다림 수(需)	큰 모음 대축(大畜)	태평함 태(泰)
연못	밟음 리(履)	연못 태(兌)	어긋남 규(睽)	못 갖춘 혼례 귀매(歸妹)	미더운 중용 중부(中孚)	절제 절(節)	덜어냄 손(損)	임함 임(臨)
불	함께함 동인(同人)	혁명 혁(革)	불붙음 리(離)	풍요 풍(豊)	집안 살림 가인(家人)	물을 건넘 기제(旣濟)	꾸밈 비(賁)	밝음이 다침 명이(明夷)
우레	미망 없음 무망(无妄)	따름 수(隨)	깨물어 합침 서합(噬嗑)	우레 진(震)	더함 익(益)	개척 둔(屯)	기름 이(頤)	돌아옴 복(復)
바람	만남 구(姤)	크게 지나감 대과(大過)	나라 살림 정(鼎)	늘 그러함 항(恒)	바람 손(巽)	우물 정(井)	과거 청산 고(蠱)	오름 승(升)
물	다툼 송(訟)	괴로움 곤(困)	물을 건너지않음 미제(未濟)	풀림 해(解)	흩어짐 환(渙)	구덩이 감(坎)	몽매함 몽(蒙)	군사 행동 사(師)
산	은둔함 돈(遯)	느낌 함(咸)	길 떠남 여(旅)	작게 지나감 소과(小過)	갖춘 혼례 점(漸)	절뚝거림 건(蹇)	산 간(艮)	겸손함 겸(謙)
땅	막힘 비(否)	모음 취(萃)	나아감 진(晉)	기쁨 예(豫)	바라봄 관(觀)	친밀함 비(比)	깎임 박(剝)	유순함 곤(坤)

주석

1부

1 六三: 困于石, 據於蒺藜, 入于其宮, 不見其妻, 凶。(《周易》〈困卦〉, 괴로움, ䷬)
앞으로 《주역》에서 인용한 글은 괘 이름만 밝히기로 함.

2 天欲禍人, 必先以微福驕之, 要看他會受; 天欲福人, 必先以微禍儆之, 要看他會救。(陸紹珩, 《醉古堂劍掃》〈集醒〉)

3 六二: 同人於宗, 吝。
初九: 同人於門, 无咎。
上九: 同人於郊, 无悔。
卦辭: 同人於野, 亨。(《同人卦》. 사람들과 함께하는 범위에 따라 배열하기 위해 글쓴이가 괘효사의 순서를 바꾸어 인용했음.)

4 知其雄, 守其雌。(…) 知其白, 守其黑。(…) 知其榮, 守其辱。《老子》 28章. 강함과 약함, 그늘과 볕의 관계에 대한 노자의 주요한 생각은 모두 《주역》에서 왔다.

5 《주역》은 크게 '경(經)'과 '전(傳)'으로 나뉜다. '경'을 《역경(易經)》, '전'을 《역전(易傳)》이라고도 부른다. 《역경》은 상나라와 주나라 교체기에 주역점이 등장하면서 만들어진 64괘의 괘사와 효사를 말하며, 《역전》은 전국시기 학자들이 《역경》에 풀이를 덧붙인 것을 말한다. 우리는 《역경》을 중심으로 이야기할 것이며, 《역전》은 필요할 때만 인용할 것이다. 《역경》과 《역전》 두 문헌은 만들어진 시기가 적어도 700년 정도 차이가 난다. 《역경》은 상나라와 주나라의 교체기에 당시의 국가 기록물을 종합해 편찬한, 지금부터 적어도 3000년 전의 문헌이고, 《역전》은 《역경》에 대해 풀이한 글을 모은 것으로, 대체로 지금부터 2300년 전인 전국시대의 작품이다.
옛날 사람들은 《역전》을 공자(孔子)가 지었다며 '십익(十翼)'이라고도 불렀다. 《역경》을 해석한 '열 개의 날개'라는 뜻이다. 《역전》에는 《문언전(文言傳)》, 《단전(彖傳)》, 《상전(象傳)》, 《계사전(繫辭傳)》, 《설괘전(說卦傳)》, 《서괘전(序卦傳)》, 《잡괘전(雜卦傳)》 등 일곱 가지 문헌이 있는데, 이 가운데 《단전》, 《상전》, 《계사전》은 상하로 나누어져 있기 때문에 이들을 각각

338

두 편으로 치면 모두 열 편이 된다. 이 글들에 유가(儒家)의 사상이 반영되어 있기는 하지만 이 글들을 공자가 직접 썼다고 보기는 어렵다. 문체도 서로 다르고 편찬 시기도 서로 다르기 때문이다.

이외에도 1973년 중국 후난(湖南)성 창사(長沙) 마왕두이(馬王堆)에서 한나라 때의 무덤이 발굴되었는데, 거기에서 나온 《주역》은 오늘날의 《주역》과 배열 순서가 다르다. 당시 사람들은 비단에 글을 썼기 때문에 이를 '비단글[帛書] 《주역》'이라고 부른다. 마왕두이에서는 《역경》에 대해 풀이하거나 논한 《요(要)》, 《역지의(易之義)》, 《이삼자문(二三子問)》 등의 글도 함께 출토되었다. 이는 오늘날 전하는 《역전》과 유사한 종류의 글들이다. 이런 것들이 《주역》을 읽을 때 함께 참고할 수 있는 문헌들이다.

《주역》에 《역경》과 《역전》 두 문헌이 섞여 있다고 해서 혼란스러워할 필요는 없다. 오늘날 전하는 《주역》에서 괘상과 괘사와 효사는 《역경》에 속하고, 나머지는 모두 《역전》에 속한다. 《역전》에 속하는 글 앞에는 "《문언전》에서 말하기를(文言曰)", "《단전》에서 말하기를(象曰)", "《상전》에서 말하기를(象曰)" 등과 같은 말이 붙어 있어 쉽게 구별할 수 있다.

6 天險不可升也, 地險山川丘陵也, 王公設險以守其國。險之時用大矣哉!(《象傳》〈坎卦〉)

7 初六: 鳴豫, 凶。(〈豫卦〉)

8 觀: 盥而不薦, 有孚顒若。

　　初六: 童觀, 小人无咎, 君子吝。

　　六二: 闚觀, 利女貞。

　　六三: 觀我生, 進退。

　　六四: 觀國之光, 利用賓于王。

　　九五: 觀我生, 君子无咎。

　　上九: 觀其生, 君子无咎。(〈觀卦〉)

9 《주역》에서 그늘 효와 볕 효를 나타낼 때 그늘 효는 숫자 6(六)으로 볕 효는 숫자 9(九)로 표시한다. 또 첫 효는 '초(初)'라고 부르고, 마지막 효는 '상(上)'이라고 부른다. 나머지는 순서대로 숫자를 써서 나타낸다. 그래서 〈관괘〉의 여섯 효는 각각 맨 밑의 효부터 첫째 그늘[初六], 둘째 그늘[六二], 셋째 그늘[六三], 넷째 그늘[六四], 다섯째 볕[九五], 맨 위 볕[上九]이라고 불린다.

10 己所不欲, 勿施於人。(《論語》〈衛靈公〉)

11 己欲立而立人; 己欲達而達人。(앞 책, 〈雍也〉)

12 目所不見, 非无色也; 耳所不聞, 非无聲也; 言所不通, 非无義也。(王夫之, 《思問錄》〈內篇〉)

13 不積跬步, 无以至千里; 不積小流, 无以成江海。(《荀子》〈勸學〉)

14 初九: 不出戶庭, 无咎。

　　六三: 不節若, 則嗟若, 无咎。

　　六四: 安節, 亨。(《節卦》)

15 점친 결과를 '지괘'로 기억하면 원래 괘에서 어떤 효가 변효였는지 기억하기 편리하다. 이 경우는 절괘에서 대과괘로 변했다는 뜻에서 '절지대과'라고 부른다.

16 大過: 棟橈, 利有攸往, 亨。(《大過卦》)

17 六四: 觀國之光, 利用賓于王。

　　九五: 觀我生, 君子无咎。

　　上九: 觀其生, 君子无咎。(《觀卦》)

2부

1 澤上於天, 夬。(《象傳》〈夬卦〉)

2 夬: 揚于王庭, 孚號有厲。告自邑, 不利卽戎。利有攸往。

　　初九: 壯于前趾, 往不勝, 爲咎。

　　九二: 惕號, 莫夜有戎, 勿恤。

　　九三: 壯於頄, 有凶。君子夬夬, 獨行遇雨, 若濡而慍, 无咎。

　　九四: 臀无膚, 其行次且。牽羊悔亡, 聞言不信。

　　九五: 莧陸夬夬, 中行无咎。

　　上六: 无號, 終有凶。(《夬卦》)

3 決而和。(《象傳》〈夬卦〉)

4 九五: 莧陸夬夬, 中行无咎。

　　上六: 无號, 終有凶。(《夬卦》)

5 〈恒卦〉九二: 悔亡。

　　〈大壯卦〉卦辭: 利貞。

　　〈大壯卦〉九二: 貞吉。

　　〈解卦〉初六: 无咎。

　　〈萃卦〉九四: 大吉, 无咎。

6 왜 그런지에 대해서는 예로부터 여러 가지 풀이가 있지만 여기서는 송나라 때 유학자 정이(程頤)의 설명을 간단히 소개해두겠다. 우선 〈항괘(恒卦)〉는 늘 그러함에 관한 괘다. 〈항괘〉의 둘째 별은 별 효이면서 그늘의 자리에 거해 본디 후회가 있어야 하지만 하괘의 가운데에 거해 중용의 길을 가기 때문에 "후회가 사라질 것"이라고 했다고 한다. 또 〈대장괘(大壯卦)〉는 별

이 왕성하게 일어나는 유리한 상황이므로, 괘사에서 강건한 별이 함부로 행동하지 않고 바르기만 하면 이로울 것이라고 한 것이다. 〈대장괘〉의 둘째 별은 하괘의 가운데에서 중용의 길을 걷기 때문에 양으로서 지나친 행동을 하지 않을 수 있어서 "바르면 길할 수 있다"고 했다. 또 〈해괘(解卦)〉는 어려움이 풀리는 상황인데, 첫 번째에 자리하여 상괘의 네 번째 효와 상응하고 있기 때문에 허물이 없을 것이라고 해석한다. 마지막으로 〈취괘〉는 넷째와 다섯째 두 별 효로 네 그늘 효가 모이는 상황인데, 넷째 별의 경우는 중요한 자리에 앉았기 때문에 큰 공을 세워야 비로소 허물이 없을 수 있다. 〈취괘〉 넷째 별의 경우는 "크게 길하면"이 전제 조건이므로 X가 생략된 예로 보지 않을 수도 있다.

7　初六: 履霜, 堅冰至。〈坤卦〉

8　《주역》의 지은이들은 〈혁괘〉를 쓰면서, 아마도 하(夏)나라의 폭군 걸(桀)을 몰아낸 탕(湯)임금과 은(殷)나라의 폭군 주(紂)를 몰아낸 무(武)임금의 정치적 거사를 염두에 두었을 것이다. 〈혁괘〉에 관한 《단전(彖傳)》의 풀이는 이 두 정치 혁명을 꼽으며 이렇게 말한다. "하늘과 땅이 바뀌어 사계절이 이루어진다. 탕임금과 무임금이 혁명을 일으킨 것은 하늘에 순응하고 사람들의 요구에 응한 것이니, 혁명의 때가 위대하도다!"〔天地革而四時成, 湯武革命, 順乎天而應乎人, 革之時大矣哉!《彖傳》〈革卦〉〕

9　군사행동에 관한 〈사괘(師卦, ䷆)〉, 천자의 세계 질서에 관한 〈비괘(比卦, ䷇)〉, 동지 규합에 관한 〈동인괘〉(同人卦, ䷌)〉 등이 그런 예이다. 또 〈곤괘(坤卦, ䷁)〉, 〈소축괘(小畜卦, ䷈)〉, 〈이괘(履卦, ䷉)〉 등에는 신하가 어떻게 행동해야 할 것인가에 관한 내용이 반영되어 있다.

10　정치사회적 함의를 담고 있는 괘 또한 개인사를 비춰보는 프레임으로 삼을 수 있다는 해석이 글쓴이의 억측인 것은 아니다. 《주역》을 유가 경전 가운데 우두머리로 삼았던 송나라의 학자들도 같은 생각을 했다. 가령 주희(朱熹)는 이렇게 말한다. "《주역》은 하나의 거울과 같아서 다가오는 어떤 것이든 다 받아들여 모두 비출 수 있다. 예를 들어 이른바 '물속에 잠긴 용'이라고 할 때 '물에 잠긴 용'의 이미지는 하나이지만 천자에서부터 서민에 이르기까지 다가오는 사람이 누구든 여기에 비추어보아 모두 의미를 얻을 수 있도록 한다."〔《易》如一個鏡相似, 看甚物來, 都能照得。如所謂'潛龍', 只是有個潛龍之象, 自天子至於庶人, 看甚人來, 都使得。《朱子語類》卷第六十七, 〈易〉三〕

11　黃裳, 元吉。〈坤卦〉

12　"吾嘗學此矣。忠信之事則可, 不然, 必敗。(…)夫易, 不可以占險。"《春秋左傳》昭公 12年)

13　《易》爲君子謀, 不爲小人謀。(張載, 《正蒙》〈大易〉)

14　革: 巳日乃孚, 元亨利貞, 悔亡。

　　初九: 鞏用黃牛之革。

六二: 已日乃革之, 征吉, 无咎。

九三: 征凶, 貞厲。革言三就, 有孚。

九四: 悔亡, 有孚改命, 吉。

九五: 大人虎變, 未占有孚。

上六: 君子豹變, 小人革面。征凶, 居貞吉。(〈革卦〉)

15 毋先物動。(《管子》〈心術〉)

16 民不畏死, 奈何以死懼之? (《老子》74章)

17 姤: 女壯, 勿用取女。(〈姤卦〉)

3부

1 乾: 元亨利貞。

初九: 潛龍, 勿用。

九二: 見龍在田, 利見大人。

九三: 君子終日乾乾, 夕惕若, 厲, 无咎。

九四: 或躍在淵, 无咎。

九五: 飛龍在天, 利見大人。

上九: 亢龍, 有悔。(〈乾卦〉)

2 天行健, 君子以自彊不息。(《象傳》〈乾卦〉)

3 六經責我開生面, 七尺從天乞活埋。

4 初六: 習坎, 入於坎窞, 凶。

六三: 來之坎坎, 險且枕, "入於坎窞", 勿用。

上六: 系用徽纆, 置於叢棘, 三歲不得, 凶。(〈坎卦〉)

5 習坎: 有孚。維心亨, 行有尚。(〈坎卦〉)

6 原泉混混, 不舍晝夜, 盈科而後進, 放乎四海。有本者如是。(《孟子》〈離婁〉下)

7 "初九曰: '潛龍勿用', 何謂也?" 子曰: "龍德而隱者也。不易乎世, 不爲世俗所移易也。不成乎名, 遯世无悶, 不見是而无悶, 樂則行之, 憂則違之, 確乎其不可拔, '潛龍'也。"(《文言傳》〈乾卦〉)

8 褚小者不可以懷大, 綆短者不可以汲深。(《莊子》〈至樂〉)

9 以瓦注者巧, 以鉤注者憚, 以黃金注者殙。其巧一也, 而有所矜, 則重外也。凡外重者內拙。(《莊子》〈達生〉)

10 健不過剛, 明不傷察。(金景芳·呂紹綱, 《周易全解》, 長春: 吉林大學出版社, 1989, 128쪽)

342

11 六二: 王臣蹇蹇, 匪躬之故。

九三: 往蹇來反。

九五: 大蹇朋來。

上六: 往蹇來碩, 吉。利見大人。(〈蹇卦〉)

12 蒙: 亨。匪我求童蒙, 童蒙求我。初筮告, 再三瀆, 瀆則不告。(〈蒙卦〉)

13 贈送蓮花片 / 初來的的紅 / 辭枝今幾日 / 憔悴與人同 (《慵齋叢話》第3卷)

14 《聖祖實錄》115卷, 康熙 23年.

15 《英祖實錄》30卷, 英祖 7年(1731년) 8월 3일.

4부

1 '大人虎變', 其文炳也; '君子豹變', 其文蔚也。(《象傳》〈革卦〉)

2 地勢坤, 君子以厚德載物。(《象傳》〈坤卦〉)

3 地形不順, 其勢順。(王弼, 《周易注》〈坤卦〉)

4 四正之中在下者, 水, 土也。而一撮之土, 投之水中, 亦必塌然而下沈。蓋其性有所任載, 無所乘跨, 順之至也。(丁若鏞, 《周易四箋》〈坤卦〉)

5 坤: 元亨, 利牝馬之貞。君子有攸往。先迷後得主。利西南得朋, 東北喪朋。安貞吉。

初六: 履霜, 堅冰至。

六二: 直方大, 不習无不利。

六三: 含章可貞, 或從王事, 无成有終。

六四: 括囊, 无咎无譽。

六五: 黃裳, 元吉。

上六: 龍戰于野, 其血玄黃。(〈坤卦〉)

6 欲觀千歲, 則數今日; 欲知億萬, 則審一二。(《荀子》〈非相〉)

7 積善之家, 必有餘慶; 積不善之家, 必有餘殃。臣弒其君, 子弒其父, 非一朝一夕之故, 其所由來者漸矣, 由辯之不早辯也。《易》曰: "履霜堅冰至", 蓋言順也。(《文言傳》〈坤卦〉)

8 禍兮! 福之所倚; 福兮! 禍之所伏。(《老子》58章)

9 六三: 即鹿无虞, 惟入于林中。君子幾, 不如舍, 往吝。(〈屯卦〉)

10 圖難於其易, 爲大於其細。天下難事, 必作於易; 天下大事, 必作於細。(《老子》63章)

11 其安易持, 其未兆易謀。其脆易泮, 其微易散。爲之於未有, 治之於未亂。合抱之木, 生於毫末; 九層之臺, 起於累土; 千里之行, 始於足下。(앞 책, 64章)

12 天地變化, 草木蕃, 天地閉, 賢人隱。《易》曰: "括囊, 无咎无譽", 蓋言謹也。(《文言傳》〈坤卦〉)

13 爲善無近名, 爲惡無近刑。(《莊子》〈養生主〉)

14 六三: 比之匪人。

六四: 外比之, 貞吉。

九五: 顯比。王用三驅, 失前禽。邑人不誡, 吉。

上六: 比之无首, 凶。(〈比卦〉)

15 旅, 小亨。旅貞, 吉。(〈旅卦〉)

16 禮不下庶人, 刑不上大夫。(《禮記》〈曲禮〉上)

17 无平不陂, 无往不復。(〈泰卦〉九三) 상나라를 타도한 주나라 사람들은 지배계층이 피지배계층으로 전락하고, 신하 나라이던 주나라가 상나라를 지배하는 역전의 드라마를 직접 연출하면서 세상 어디에도 변하지 않는 것은 없다는 세계관을 가지게 되었다. 《시경(詩經)》에도 "높은 언덕은 골짜기로 뒤바뀌고 깊은 골짜기는 언덕으로 변했도다〔高岸爲谷, 深谷爲陵。〈十月之交〉〕"라는 구절이 나온다.

18 〈泰〉者, 通也。物不可以終通, 故受之以〈否〉。(…) 損而不已必益, 故受之以〈益〉。(…) 〈旣濟〉。物不可窮也, 故受之以〈未濟〉, 終焉。(《序卦傳》)

5부

1 상나라는 서기전 1600년경부터 서기전 1046년까지 존속했던 중국 고대 왕조다. 서기전 1300년 즈음 오늘날 중국 허난(河南)성 안양(安陽)의 은(殷)으로 수도를 옮겨 은나라라고 불리기도 하지만 본래 나라 이름이 상이므로 상나라라고 통일해 부르기로 한다.

2 무정(武丁, 재위 기원전 1250?~1192?)은 《주역》〈기제괘(旣濟卦)〉에도 등장하는 상나라 고종(高宗)의 이름이다.

3 오늘날 중국 허난(河南)성 안양(安陽)에 있는 인쉬(殷墟).

4 '점 복(卜)'자는 바로 이 거북이 배딱지의 터진 모양에서 비롯했다. 점과 관련한 글자들, 예를 들어 '점칠 점(占)'자나, '점 치는 사람 정(貞)'자 등에 '점 복(卜)'자가 들어가 있는 것은 이 때문이다.

5 각(殼)은 본디 이 글자가 아니고, 상나라 사람들이 뭐라고 읽었는지 알 수 없는 글자다. 중국 연구자들은 이 글자를 각자의 글과 음을 빌려서 적기 때문에 우리도 이를 따르기로 한다.

6 壬子卜, 殼〔貞〕, 〔我〕〔哉〕當? (《甲骨文合集》6830)

7 王占曰: 吉, 哉! (《甲骨文合集》6830) 이 뒤에는 이 전쟁의 결과에 대한 기록(旬有三日甲子, 尤哉。)도 추가로 적혀 있다. 이 점이 맞았는지 틀렸는지를 기록한 것으로, 이를 '험사(驗辭)'라고 부른다.

8 壬子卜, 爭貞, 自今日我哉甾? (《甲骨文合集》6834)

9 癸丑卜, 爭貞, 自今至于丁巳我哉甾? (앞 책, 같은 곳)

10 王占曰: "丁巳我毋其哉. 于來甲子哉, 旬有一日。" (앞 책, 같은 곳)

11 旬有三日甲子, 允哉。(앞 책, 같은 곳)

12 〈기제괘〉의 셋째 별은 "고종이 귀방을 정벌하여 세 해만에 이기니, 소인은 쓰지 말 것이다〔九三: 高宗伐鬼方, 三年克之, 小人勿用。〕"라고 하고 있고, 〈미제괘〉의 넷째 별은 "곧고 길하면 후회가 없어질 것이다. 진용(震用)이 귀방을 정벌하여 세 해 동안 큰 나라로부터 전쟁 물자를 받는다〔九四: 貞吉, 悔亡。震用伐鬼方, 三年有賞於大國。〕"고 하고 있다. 당시 사람들에게 고종이 귀방을 정벌한 이야기는 카이사르가 루비콘 강을 건넌 일만큼이나 유명했기 때문에 두 괘에서 '사업의 성취'를 상징하는 일화로 이를 인용했다.

13 王宇信,《中國甲骨學》(上海: 上海人民出版社, 2009), 154쪽.

14 禍兮! 福之所倚; 福兮! 禍之所伏。(《老子》58章)

15 六三: 比之匪人。

九五: 顯比。王用三驅, 失前禽, 邑人不誡, 吉。(〈比卦〉)

16 謙: 亨。君子有終。(〈謙卦〉)

17 六二: 直方大, 不習无不利。(〈坤卦〉)

六五: 或益之。十朋之龜, 弗克違, 元吉。(〈損卦〉)

六二: 或益之, 十朋之龜, 弗克違, 永貞吉。王用享于帝, 吉。(〈益卦〉)

九五: 有孚惠心, 勿問元吉。有孚, 惠我德。(〈益卦〉)

九五: 大人虎變, 未占有孚。(〈革卦〉)

18 善爲《易》者不占。(《荀子》〈大略〉)

19 初筮告, 再三瀆, 瀆則不告。(〈蒙卦〉)

比: 吉。原筮, 元永貞, 无咎。不寧方來, 後夫凶。(〈比卦〉)

20 "다시 점을 쳐서"의 원문은 '원서(原筮)'다. 여기서 '원(原)' 자는 (1) 살피다 (2) 근원하다 (3) 거듭하다 등 세 가지 뜻으로 풀 수 있다. 공영달(孔穎達)은 (1) 살피다의 뜻을 취해 '원서'를 "실정을 살피고 점을 쳐서 결정한다〔原窮其情, 筮決其意。〕"로 풀이했고, 정이(程頤)는 (2) 근원하다의 뜻을 취해 "점친 것에 근원한다〔推原占決〕"고 풀었으며, 주희(朱熹)는 (3) 거듭하다의 뜻을 취해 "거듭 점을 쳐서 스스로 살펴보아야 한다〔再筮以自審〕"는 뜻이라고 보았다. 점을 친 다음에 그 내용을 살펴보고 그걸 판단의 근거로 삼으려는 것은 당연한 얘기다. 그래서 나는 주희의 풀이를 따랐다. 상나라 때의 왕들은 한 가지 사안을 두고 무려 18번이나 점을 치기도 했다. 권력자란 이처럼 자신의 욕망대로 일이 풀리지 않을 때는 수단과 방법을 다 동원하

고자 하는 속성이 있다. 〈비괘〉에는 군주가 점을 멋대로 좌우하던 흔적이 남아 있다.

21 北山黃公善醫, 先寢食而後針藥; 汾陰侯生善筮, 先人事而後說卦。(王通, 《文中子》〈魏相〉)

나가는 말

1 六二: 旅即次, 懷其資, 得童僕貞。

　九三: 旅焚其次, 喪其童僕, 貞厲。(〈旅卦〉)

2 未濟, 亨。小狐汔濟, 濡其尾, 无攸利。(〈未濟卦〉)

3 物不可窮也, 故受之以〈未濟〉終焉。(《序卦傳》)

4 狐之爲獸, 又多猜疑, 故聽河氷無流水聲, 然後敢渡。(《顏氏家訓》〈書證〉)

5 上九: 有孚于飮酒, 无咎。濡其首, 有孚, 失是。(〈未濟卦〉)

부록

1 《계사전(繫辭傳)》에는 산가지의 수가 50개라고 되어 있는데, 이는 본디 '오십오(五十五)'에서 뒤의 '오' 자를 베끼는 과정에서 빠뜨려 잘못된 것이다.

운명 앞에서 주역을 읽다

초판 1쇄 발행 2014년 9월 25일
초판 14쇄 발행 2023년 7월 30일

지은이 이상수
발행인 이재진 **단행본사업본부장** 신동해
편집장 김경림 **교정교열** 윤정숙
디자인 이석운 **마케팅** 최혜진 이은미
홍보 반여진 허지호 정지연 **제작** 정석훈

브랜드 웅진지식하우스 **주소** 경기도 파주시 회동길20
문의전화 031-956-7350(편집) 02-3670-1123(마케팅)
홈페이지 www.wjbooks.co.kr
인스타그램 www.instagram.com/woongjin_readers
페이스북 https://www.facebook.com/woongjinreaders
블로그 blog.naver.com/wj_booking

발행처 ㈜웅진씽크빅 **출판신고** 1980년 3월 29일 제406-2007-000046호

© 이상수, 2014
ISBN 978-89-01-16629-2 03140

• 책값은 뒤표지에 있습니다.
• 잘못된 책은 구입하신 곳에서 바꾸어드립니다.